NEEM MIJN HART

Mary Higgins Clark

Neem mijn hart

SIJTHOFF

© 2009 Mary Higgins Clark
All rights reserved
This edition published by arrangement with the original publisher,
Simon & Schuster, Inc., New York
© 2009 Nederlandse vertaling
Uitgeverij Luitingh ~ Sijthoff B.V., Amsterdam
Alle rechten voorbehouden
Oorspronkelijke titel: *Just Take My Heart*
Vertaling: Janine van der Kooij
Omslagontwerp: Edd, Amsterdam
Omslagfotografie: Trevillion Images

ISBN 978 90 218 0295 4
NUR 332

www.uitgeverijsijthoff.nl
www.boekenwereld.com
www.watleesjij.nu

Voor John Conheeney
Een geweldige echtgenoot
En voor onze fantastische kinderen en kleinkinderen
Met liefs

I

Het was het aanhoudend gevoel van dreigend onheil, niet de noordoostenwind, die Natalie van Cape Cod terug naar New Jersey deed vluchten in die vroege uren op maandagochtend voor het aanbreken van de dag. Ze had verwacht een veilig toevluchtsoord te vinden in het gezellige huis aan de Cape dat ooit van haar grootmoeder was geweest en nu van haar was, maar de vrieskoude ijzel die tegen de ramen kletterde maakte de staat van doodsangst waarin ze verkeerde alleen maar groter. Vervolgens lag ze, nadat door het uitvallen van de stroom het hele huis in duisternis ondergedompeld was, wakker, er vast van overtuigd dat elk geluid door een inbreker veroorzaakt werd.

Na vijftien jaar was ze er zeker van dat ze er nu per ongeluk achter gekomen was wie haar kamergenote Jamie gewurgd had toen ze allebei nog aankomende, armlastige jonge actrices waren. En hij weet dat ik het weet, dacht ze – dat zag ik aan zijn ogen.

Op vrijdagavond was hij met een groep naar de laatste voorstelling gekomen van *A Streetcar Named Desire* in het Omega Theater. Zij had Blanche DuBois gespeeld, de meest veeleisende en bevredigende rol van haar hele carrière tot dat moment. Ze had geweldige recensies gehad, maar de rol had in emotioneel opzicht zijn tol van haar geëist. Dat was de reden dat ze na afloop van de voorstelling, toen er op de deur van haar kleedkamer geklopt werd, de neiging gevoeld had niet te antwoorden. Maar dat had ze toch gedaan. Ze waren allemaal naar binnen gestroomd om haar te feliciteren en ineens had ze hem herkend. Hij was nu eind veertig, zijn gezicht was voller geworden. Maar hij was zonder enige twijfel de persoon wiens foto uit

Jamies portemonnee verdwenen bleek nadat haar lichaam was gevonden. Jamie had erg geheimzinnig over hem gedaan en het uitsluitend over hem gehad als Jess, 'mijn koosnaampje voor hem'.

Ik was zo geschokt, dacht Natalie, dat ik hem 'Jess' noemde toen we aan elkaar voorgesteld werden. Iedereen was zo druk aan het praten dat ik zeker weet dat het niemand anders opgevallen was. Maar hem wel.

Wie moet ik het vertellen? Wie zou me gelóven? Mijn woord tegen het zijne? Mijn herinnering aan een fotootje dat Jamie in haar portemonnee bewaarde? Ik vond hem alleen omdat ik haar mijn Visa-card uitgeleend had en hem zelf nodig had. Ze had onder de douche gestaan en naar me geroepen dat ik hem uit haar portemonnee moest halen. Dat was het moment waarop ik de foto zag die in een van de vakjes achter een paar visitekaartjes geschoven was.

Het enige wat Jamie me ooit over hem verteld had, was dat hij een poging tot acteren gewaagd had maar niet goed genoeg was en dat hij midden in een scheiding zat. Ik probeerde haar duidelijk te maken dat dat wel het oudste verhaal ter wereld was, dacht Natalie, maar ze wou niet luisteren. Zij en Jamie hadden een appartement aan de West Side gedeeld tot die vreselijke ochtend toen Jamie gewurgd was terwijl ze vroeg in de ochtend in Central Park jogde. Haar portemonnee lag op de grond, haar geld en horloge waren verdwenen. En zo ook de foto van 'Jess'. Ik vertelde dat aan de politie maar ze namen het niet serieus. Er hadden nog een aantal van die berovingen plaatsgevonden zo vroeg in de ochtend en ze wisten zeker dat Jamie gewoon het zoveelste slachtoffer was geweest, het enige dodelijke slachtoffer zoals later bleek.

Het had gehoosd toen ze over Rhode Island en door Connecticut reed maar eenmaal op de Palisades Parkway nam de regen langzaam maar zeker af. Naarmate Natalie verder naar het westen reed, zag ze dat de wegen alweer aan het opdrogen waren.

Zou ze zich thuis veilig voelen? Ze was er niet zeker van. Twintig jaar geleden had haar moeder, die geboren en getogen was op Manhattan, het huis maar al te graag verkocht nadat ze weduwe geworden was. In plaats daarvan had ze een appartement vlak bij het Lincoln Center aangeschaft. Vorig jaar, toen Natalie en Gregg uit elkaar gingen, had ze gehoord dat het kleine huis in het noorden van New Jersey waar ze opgegroeid was weer te koop stond.

'Natalie,' had haar moeder gewaarschuwd, 'je begaat een verschrikkelijke vergissing. Volgens mij ben je echt gek dat je niet probeert je huwelijk te redden. Terug naar huis rennen is voor niemand de oplossing. Je kunt het verleden niet laten herleven.'

Natalie wist dat het onmogelijk was om haar moeder aan het verstand te brengen dat het soort vrouw dat Gregg wilde en nodig had niet het soort vrouw was die zij ooit voor hem kon zijn. 'Het was niet eerlijk van mij om met Gregg te trouwen,' zei ze. 'Hij had een vrouw nodig die een echte moeder voor Katie kon zijn. Dat kan ik niet. Vorig jaar was ik in totaal bijna zes maanden van huis. Het werkt gewoon niet. Ik ben ervan overtuigd dat wanneer ik uit Manhattan verhuis hij zal begrijpen dat ons huwelijk echt voorbij is.'

'Je houdt nog steeds van hem,' hield haar moeder vol. 'En hij houdt nog steeds van jou.'

'Dat betekent nog niet dat we ook goed voor elkaar zijn.'

En dat was de waarheid, dacht Natalie, terwijl ze de brok in haar keel wegslikte die daar altijd zat wanneer ze zichzelf toestond om aan Gregg te denken. Ze wou dat ze met hem kon praten over wat er vrijdagavond gebeurd was. Wat zou ze zeggen? 'Gregg, wat moet ik doen met het feit dat ik zeker weet wie mijn vriendin Jamie vermoord heeft, zonder dat ik ook maar het geringste bewijs heb?' Maar dat kon ze hem niet vragen. De kans was te groot dat ze niet in staat zou blijken zijn smeekbedes te weerstaan om het nog eens te proberen. Ook al had ze gelogen en gezegd dat ze een ander had, aan Greggs telefoontjes was geen einde gekomen.

Toen ze bij Walnut Street van de snelweg af ging, besefte Natalie dat ze snakte naar een kop koffie. Ze had aan één stuk door gereden en het was nu kwart voor acht. Anders had ze op dit moment al minstens twee kopjes op.

De meeste huizen aan de Walnut Street in Closter waren gesloopt om plaats te maken voor nieuwe luxewoningen. Het was haar vaste grap dat ze nu aan weerszijden van haar huis heggen had van twee meter hoog zodat haar privacy verzekerd was. Jaren geleden hadden ze wel buren gehad, de Keenes aan de ene en de Foleys aan de andere kant. Tegenwoordig wist ze nauwelijks wie haar buren waren.

Toen ze de inrit op reed en op het knopje duwde om de garagedeur open te doen kreeg ze een voorgevoel dat er iets vijandigs aanwezig was. De deur begon omhoog te gaan en ze schudde haar hoofd. Gregg had gelijk gehad toen hij had gezegd dat ze altijd precies als de persoon werd in wiens huid ze kroop. Zelfs al voor de schok van de ontmoeting met Jess waren haar zenuwen haar aardig parten gaan spelen, net als bij Blanche DuBois.

Ze reed de garage in, zette de auto stil maar drukte om de een of andere reden niet meteen op de knop om de garagedeur achter haar te sluiten. In plaats daarvan deed ze het portier open, duwde de keukendeur open en stapte naar binnen.

Ze voelde hoe gehandschoende handen haar naar voren trokken, haar ronddraaiden en op de vloer smeten. Haar hoofd knalde tegen de hardhouten vloer wat schokgolven van pijn in haar schedel veroorzaakte, maar ze kon nog wel zien dat hij een plastic regenjas droeg en plastic over zijn schoenen had.

'Alstublieft,' zei ze, 'alstublíéft.' Ze stak haar handen omhoog om zichzelf te beschermen tegen de revolver die hij op haar borst richtte.

De klik die klonk toen hij de veiligheidspal neerdrukte was zijn antwoord op haar smeekbede.

2

Punctueel als altijd nam Suzie Walsh om tien voor acht de afslag van de Route 9 w en reed naar het huis van de vrouw die sinds jaar en dag haar werkgeefster was, Catherine Banks. Ze was nu al dertig jaar lang de huishoudster van de vijfenzeventig jaar oude weduwe. Ze begon elke werkdag om acht uur 's ochtends en ging na de lunch, om één uur 's middags, weer weg.

Suzie was een groot theaterfan en ze vond het geweldig dat de beroemde actrice Natalie Raines vorig jaar het huis naast dat van Mrs. Banks had gekocht. Natalie was haar absoluut favoriete actrice. Nog maar twee weken geleden had ze haar gezien in *A Streetcar Named Desire*, dat maar een select aantal opvoeringen kende, en was tot de conclusie gekomen dat niemand ooit de frêle heldin Blanche DuBois beter had gespeeld, zelfs Vivien Leigh in de film niet. Met haar fijne gelaatstrekken, tengere postuur, en waterval van lichtblond haar was ze de levende verpersoonlijking van Blanche.

Tot dusver had Suzie Raines nog niet ontmoet. Ze hoopte altijd dat ze haar op een dag tegen zou komen in de supermarkt, maar dat was nog niet gebeurd. 's Ochtends als ze naar haar werk ging en 's avonds als ze weer naar huis reed zorgde Suzie er altijd voor langzaam langs het huis van

Raines te rijden ook al betekende dat dat ze 's middags om het hele woonblok heen moest om bij de snelweg uit te komen.

Deze maandagochtend werd Suzies hevige verlangen om Natalie Raines van dichtbij te zien bijna vervuld. Toen ze langs haar huis reed stapte Raines net uit haar auto. Suzie zuchtte. Een dergelijke kleine glimp van haar idool alleen al gaf haar dag iets magisch.

Om één uur die middag stapte Suzie gewapend met een boodschappenlijst voor de volgende dag in haar auto nadat ze Mrs. Banks opgewekt gedag had gezegd en reed achteruit de inrit af. Even aarzelde ze. De kans dat ze Natalie Raines twee keer op een dag te zien zou krijgen was minuscuul en bovendien was ze moe. Maar uit de macht der gewoonte sloeg ze links af en reed langzaam langs het buurhuis.

Toen ineens stopte ze de auto. De deur naar Raines' garage stond open en ook het portier aan de bestuurderskant, zoals dat die ochtend ook al het geval was geweest. Ze liet nooit de garagedeur openstaan en was zeker niet iemand die de hele dag een autoportier open zou laten. Misschien is het beter als ik me met mijn eigen zaken bemoei, maar dat kan ik niet, dacht Suzie.

Ze draaide de inrit op, stopte en ging de auto uit. Onzeker liep ze de garage in. Hij was klein en ze moest het portier van Raines' auto een stukje dichtduwen om bij de keukendeur te kunnen komen. Ze was er inmiddels van overtuigd dat er iets mis was. Ze had een blik in de auto geworpen en op de bijrijderstoel een pocket en op de vloer achterin een koffer gezien.

Toen ze geen antwoord hoorde nadat ze op de keukendeur had geklopt, wachtte ze even en draaide daarna, omdat ze onmogelijk weg kon gaan zonder dat ze wist wat er aan de hand was, de deurknop om. De deur was niet op slot. Hoewel ze bang was dat ze uiteindelijk misschien wel gearresteerd zou kunnen worden voor huisvredebreuk was er toch iets wat Suzie dwong de deur open te doen en de keuken binnen te stappen.

En toen begon ze te schreeuwen.

Natalie Raines lag ineengedoken op de keukenvloer, haar witte kabeltrui doordrenkt van het bloed. Haar ogen waren gesloten maar uit haar mond klonk een zacht gekerm van pijn.

Suzie knielde naast haar neer terwijl ze haar mobieltje uit haar jaszak pakte en het alarmnummer belde. '80 Walnut Street, Closter,' schreeuwde ze tegen de telefonist. 'Natalie Raines. Volgens mij is ze neergeschoten. Kom snel, kom snel, ze gaat dood.'

Ze liet de telefoon vallen. Ze streelde zachtjes Natalies hoofd en zei sussend: 'Ms Raines, het komt allemaal goed. Ze sturen een ambulance. Ze kunnen elk moment hier zijn, dat beloof ik u.'

Het geluid dat van Natalies lippen kwam hield op. Even later hield ook haar hart ermee op.

Haar laatste gedachte gold de zin die Blanche DuBois aan het einde van het toneelstuk uitspreekt: 'Ik ben altijd afhankelijk geweest van de vriendelijkheid van vreemden.'

3

Ze had gisternacht van Mark gedroomd, een van die vage onbevredigende dromen waarin ze zijn stem kon horen terwijl ze op zoek naar hem door een donker, spelonkachtig huis doolde. Emily Kelly Wallace werd wakker met het loodzware gevoel dat vaak achterbleef na een dergelijke droom, maar ze was vastbesloten de rest van haar dag er niet door te laten beïnvloeden.

Ze wierp een blik op Bess, het Maltezer leeuwtje van

vier kilo dat haar broer Jack haar met kerst gegeven had. Bess lag op het andere kussen in een diepe slaap verzonken en Emily voelde zich onmiddellijk gerustgesteld bij het zien van haar hond. Ze gleed uit bed, greep een warme badjas die in haar koude slaapkamer nooit ver uit de buurt was, pakte de met tegenzin wakker wordende Bess op en ging de trap af van het huis in Glen Rock, New Jersey, waar ze het merendeel van haar tweeëndertigjarige leven gewoond had.

Nadat Mark drie jaar daarvoor in Irak door een bermbom om het leven was gekomen, had ze besloten dat ze niet langer in hun appartement wilde blijven wonen. Ongeveer een jaar later, toen ze aan het herstellen was van haar operatie had haar vader, Sean Kelly, dit bescheiden huisje in koloniale stijl op haar naam gezet. Hij was al lang weduwnaar en ging nu hertrouwen en naar Florida verhuizen. 'Em, dit is gewoon puur verstandig,' had hij gezegd. 'Geen hypotheek. De belasting valt mee. Je kent de meeste buren. Probeer het gewoon. En als je dan toch liever iets anders wilt dan verkoop je het en heb je alvast een leuk bedrag voor de aanbetaling.' Maar het was wél een goed idee geweest, dacht Emily toen ze zich de keuken binnen haastte met Bess onder haar arm. Ik vind het heerlijk om hier te wonen. De koffiepot die met een timer op zeven uur was gezet pruttelde om te laten horen dat de koffie ingeschonken kon worden. Haar ontbijt bestond uit vers geperst sinaasappelsap, een muffin uit de oven en twee koppen koffie. Met de tweede kop in de hand ging Emily zo snel ze kon terug naar boven om te douchen en zich aan te kleden.

Een nieuwe helderrode coltrui verleende een vrolijke toets aan het antracietgrijze broekpak van vorig jaar. Heel geschikt voor de rechtbank besloot ze, en bovendien een goed tegengif tegen de druilerige maartse ochtend en haar droom over Mark. Even aarzelde ze of ze haar steile bruine haar los op haar schouders zou laten hangen maar besloot het toen op te steken. Daarna nog snel wat mascara en lippenstift. Toen ze haar kleine zilveren oorbelletjes vastmaakte ging het door haar hoofd dat ze nooit meer de moeite nam om blusher te gebruiken. Toen ze ziek was geweest, was ze nooit de deur uitgegaan zonder.

Weer beneden liet ze Bess nog even in de achtertuin en sloot haar daarna, na haar nog even geknuffeld te hebben, op in haar bench.

Twintig minuten later reed ze de parkeerplaats op van de arrondissementsrechtbank van Bergen County. Al was het nog maar kwart over acht, hij stond al halfvol. Ze was de assistent van de officier van justitie en voelde zich op haar best als ze uit haar auto stapte en op weg naar de rechtbank het asfalt overstak. Ze was lang en tenger en besefte niet door hoeveel bewonderende blikken ze gevolgd werd toen ze snel langs de arriverende auto's liep. In gedachten was ze al bezig met het besluit van de *grand jury* dat ze vandaag te horen zouden krijgen.

De afgelopen paar dagen had de jury getuigenverklaringen afgenomen in de zaak die betrekking had op de moord op Natalie Raines, de Broadway-actrice die bijna twee jaar geleden doodgeschoten was in haar eigen huis. Ook al was hij altijd een verdachte geweest, Gregg Aldrich, haar exman, was pas drie weken geleden gearresteerd toen een waarschijnlijke medeplichtige zich gemeld had. De verwachting was dat de jury hem nu elk moment in staat van beschuldiging zou stellen.

Hij heeft het gedaan, zei Emily nadrukkelijk in zichzelf toen ze de rechtbank binnenging, de hal met het hoge plafond doorkruiste en de lift negerend de trappen op liep naar de eerste verdieping. Ik zou er alles voor overhebben als ik mijn tanden eens stuk mocht bijten op die zaak.

De afdeling van de officier van justitie, die gevestigd was in de westelijke vleugel van het gebouw, huisvestte zo'n veertig hulpofficieren, zeventig rechercheurs en vijfentwintig secretaresses. Met één hand toetste ze de code in van de veiligheidsdeur, duwde hem open, zwaaide naar de man achter het schakelbord, en had haar jas al uit voor ze bij het kleine, raamloze hokje was aangekomen dat haar kantoor moest verbeelden. Een kapstok, twee grijze stalen dossierkasten, twee niet bij elkaar passende stoelen voor de getuigenverhoren, een vijftig jaar oud bureau en haar eigen draaistoel vormden het meubilair. Planten op de dossiers en op de hoek van haar bureau waren Emily's bijdrage aan een groen Amerika zoals ze dat noemde.

Ze gooide met een zwaai haar jas op de onvaste kapstok, ging op haar stoel zitten en stak haar hand uit naar het dossier waar ze de avond daarvoor in had zitten lezen. De zaak-Lopez, een huiselijke twist die was uitgelopen op moord. Twee jonge kinderen, nu zonder moeder, en een vader in de districtsgevangenis. En mijn taak is het om hem achter de tralies te krijgen, dacht Emily terwijl ze het dossier opensloeg. Het proces zou begin volgende week van start gaan.

Om kwart over elf ging haar telefoon. Het was Ted Wesley, de aanklager. 'Emily, kun je even komen?' vroeg hij. Hij hing op zonder op antwoord te wachten.

De vijftigjarige Edward 'Ted' Scott Wesley, de openbare aanklager van Bergen County, was zonder meer een knappe man van een meter drieëntachtig. Hij had een kaarsrechte houding die hem niet alleen langer deed lijken maar hem bovendien een air van gezag gaf dat, zoals een journalist het ooit noemde, 'geruststellend was voor de onschuldigen en verontrustend voor iedereen die redenen had om 's nachts wakker te liggen'. Zijn nachtblauwe ogen en volle bos zwart haar, waarin nu lichtgrijze strepen te zien waren, vervolmaakten dat beeld van een leider die gezag uitstraalde.

Nadat ze op de op een kier staande deur had geklopt en zijn kantoor binnen was gestapt, zag Emily tot haar verbazing dat haar baas haar zorgvuldig opnam.

Ten slotte zei hij: 'Ha Emily, je ziet er goed uit. Gáát het ook goed met je?'

Dit was geen gelegenheidsfrase. 'Beter dan ooit.' Ze probeerde laconiek te klinken, zelfs wat afwijzend alsof ze zich afvroeg waarom hij er in vredesnaam naar vroeg.

'Het is belangrijk dat het goed met je gaat. De Kamer van Inbeschuldigingstelling heeft een aanklacht ingediend tegen Gregg Aldrich.'

'Echt waar?!' Ze voelde een stoot adrenaline door zich heen gaan. Ook al was ze er vast van overtuigd geweest dat dit zou gebeuren, Emily wist ook dat de zaak vooral steunde op indirect bewijs en bepaald geen hamerstuk zou worden. 'Ik werd er gek van om het hoofd van die engerd in alle glossy's te zien met het liefje van de maand aan zijn arm in de wetenschap dat hij zijn vrouw dood heeft laten bloeden. Natalie Raines was zo'n fantastische actrice. Mijn god, als zij het podium op kwam, dat was gewoon magisch.'

'Maak je niet druk om Aldrich' sociale leven,' zei Wesley mild. 'Zorg gewoon dat hij voor de rest van zijn leven achter de tralies komt. Het is jouw zaak.'

Hier had ze op gehoopt. Maar desondanks duurde het nog een hele tijd voor het echt tot haar doordrong. Dit was het soort proces dat een aanklager als Ted Wesley het liefst voor zichzelf reserveerde. Je kon er zeker van zijn dat het lange tijd voorpaginanieuws zou zijn en Ted Wesley was erg dol op de voorpagina.

Hij glimlachte om haar verbazing. 'Emily, dit is écht tussen ons. Ik ben gepolst voor een topbaan die in de herfst vrijkomt met het aantreden van de nieuwe president. Daar heb ik wel oren naar en Nan zou het heerlijk vinden om in Washington te wonen. Zoals je weet is ze daar opgegroeid.

Als dit wat wordt wil ik niet net midden in een zaak zitten, dus jij mag Aldrich hebben.'

Aldrich is van mij. Aldrich is van mij. Dit was de uitdaging waar ze op had zitten wachten sinds ze twee jaar geleden uitgeschakeld raakte. Terug in haar kantoor, overwoog Emily haar vader te bellen, en besloot het toen niet te doen. Hij zou haar toch alleen maar waarschuwen om niet te hard te werken. En dat was ook precies wat haar broer Jack, een computerdesigner in Silicon Valley, zou zeggen, dacht ze en bovendien was Jack waarschijnlijk op weg naar zijn werk. Het was pas halfnegen in Californië.

Mark, Mark, ik weet dat jij zo trots op me zou zijn...

Even sloot ze haar ogen toen ze overspoeld werd door een vloedgolf van puur verlangen, schudde vervolgens haar hoofd en stak haar hand uit naar het dossier-Lopez. Weer las ze er elke regel van door. Ze waren allebei vierentwintig jaar oud; twee kinderen, gescheiden; hij ging terug om te proberen of ze weer bij elkaar konden komen; zij stormde het appartement uit, probeerde op de uitgesleten marmeren trap van het oude appartementencomplex langs hem heen te komen. Hij beweerde dat ze viel. De babysitter die uit het appartement achter hen aan was gegaan zwoer dat hij zijn vrouw geduwd had. Maar dat had ze onmogelijk goed kunnen zien, dacht Emily, terwijl ze de foto's van de trap bestudeerde.

De telefoon ging. Het was Joe Lyons, de pro-Deoadvocaat die aan Lopez was toegewezen. 'Emily, ik wil even langskomen om het over de Lopez-zaak te hebben. Jullie hebben het helemaal verkeerd. Hij heeft haar niet geduwd. Ze struikelde. Het was een ongeluk.'

'Nou, niet volgens de babysitter,' antwoordde Emily. 'Maar oké, laten we even overleggen. Drie uur is prima.'

Toen ze ophing keek Emily naar de foto in de map van de huilende verdachte toen hij de aanklacht tegen hem vernam. Ze voelde een onwelkom gevoel van onzekerheid knagen. Ze moest bekennen dat ze twijfels had wat deze zaak betrof. Misschien was zijn vrouw wel echt gevallen. Misschien wás het wel een ongeluk.

En ik was altijd zo'n harde, zuchtte ze.

Ik begin te denken dat ik beter voor de verdediging had kunnen gaan werken.

4

Eerder die ochtend had Zachary Lanning, door de schuine lamellen van de ouderwetse jaloezieën, toegekeken hoe Emily een snel ontbijt verorberde in haar keuken. De microfoon die hij heimelijk in het kastje boven de ijskast had geïnstalleerd, toen haar aannemer op een keer de deur open had laten staan, had de opmerkingen opgepikt die ze nu en dan tegen haar puppy maakte. Het hondje zat op haar schoot terwijl ze aan het eten was.

Het was net alsof ze tegen mij aan het praten was, dacht Zach blij, terwijl hij in het magazijn aan de Route 46 waar hij werkte dozen aan het opstapelen was. Het was maar twintig minuten rijden vanaf het huurhuis waar hij had gewoond sinds zijn vlucht uit Iowa, nadat hij zich een nieuwe identiteit had aangemeten. Hij werkte van halfnegen tot halfzes, een werkschema dat prima aansloot bij zijn behoeften. Hij kon 's ochtends vroeg naar Emily kijken en daarna naar zijn werk gaan. Als ze 's avonds thuiskwam en het eten klaarmaakte, kon hij haar nog een keer zien. Soms had ze bezoek en dan werd hij boos. Ze was alleen van hém.

Van één ding was hij zeker: er was geen speciale man in haar leven. Hij wist dat ze weduwe was. Als ze elkaar wel eens buiten tegenkwamen was ze altijd vriendelijk maar op een afstand. Hij had tegen haar gezegd dat hij erg handig was mocht ze ooit snel iemand nodig hebben voor een reparatie, maar hij had meteen al geweten dat ze hem nooit zou bellen. Na één blik had ze hem al uit haar gedachten gebannen. Ze begreep gewoon niet dat hij haar in de gaten hield, dat hij haar beschérmde. Ze begreep gewoon niet dat ze voorbestemd waren voor elkaar.

Maar dat zou veranderen.

Hij was eind veertig en zijn lichte bouw, gemiddelde lengte, dunner wordende, zandkleurige haar en kleine bruine ogen, maakten van Zach een onopvallend persoon die de meeste mensen zich niet zouden herinneren.

Die mensen zouden zich al helemaal niet kunnen voorstellen dat er door het hele land jacht op hem gemaakt werd nadat hij anderhalf jaar geleden in Iowa koelbloedig zijn vrouw, haar kinderen, en haar moeder had vermoord.

5

'Gregg, ik heb het al eens gezegd en ik zal het de komende zes maanden blijven zeggen omdat je het moet horen.' Advocaat Richard Moore keek de cliënt die naast hem zat niet aan terwijl zijn chauffeur langzaam de auto door de verzamelde pers op het parkeerterrein van de arrondissementsrechtbank van Bergen County heen manoeuvreerde. De verslaggevers stonden nog steeds vragen naar hem te schreeuwen en camera's op hen te richten. 'Deze hele zaak draait om de getuigenverklaring van een leugenaar die bovendien nog eens een beroepscrimineel is,' ging Moore verder. 'Belachelijk.' Het was de dag nadat de grand jury Aldrich in staat van beschuldiging had gesteld. De openbare aanklager had Moore daarvan op de hoogte gebracht en er was overeengekomen dat Aldrich vanochtend naar de rechtbank zou komen.

Ze hadden net de rechtszaal verlaten van rechter Calvin Stevens, die Gregg moord ten laste had gelegd en een borgtocht van een miljoen dollar had vastgesteld die meteen voldaan was.

'Waarom heeft de jury dan voor een aanklacht gestemd?' vroeg Gregg Aldrich met vlakke stem.

'Er bestaat een gezegde onder juristen. De officier kan een boterham met ham nog aanklagen als hij daar toevallig zin in heeft. Het is erg gemakkelijk om een aanklacht voor elkaar te krijgen, vooral als het om een zaak gaat die de aandacht trekt. Een aanklacht betekent feitelijk alleen dat er genoeg bewijs is voor de officier om verder te gaan. De pers heeft deze zaak op de voorpagina's gehouden. Natalie was een ster en haar naam verkoopt. Nu beweert die oude crimineel, Jimmy Easton, die op heterdaad betrapt is bij een inbraak, dat jij hem geld gegeven hebt om zijn vrouw te vermoorden. Als het eenmaal tot een proces gekomen is en jij bent vrijgesproken dan zal de interesse bij het publiek gauw over zijn.'

'Net zoals ze hun interesse kwijtraakten in O.J. nadat hij vrijgesproken was van de moord op zijn vrouw?' vroeg Aldrich met een spottende ondertoon in zijn stem. 'Richard, jij weet en ik weet dat zelfs als een jury me niet schuldig acht – en jij bent daar heel wat optimistischer over dan ik – deze zaak pas over is als de vent die Natalie vermoord heeft op de deur van de openbare aanklager klopt om zijn hart te luchten. In de tussentijd ben ik op borgtocht vrij en heb ik mijn paspoort af moeten geven wat betekent dat ik het land niet uit kan, en dat is echt fantastisch voor iemand met mijn beroep. En dan heb ik het nog niet eens over het feit dat ik een dochter van veertien heb van wie de vader voortdurend in het middelpunt van de belangstelling van de media staat, in de krant, op tv en online tot ver in de toekomst.'

Verdere geruststellende woorden bestierven Richard

Moore op de lippen. Gregg Aldrich, een uiterst intelligente realist, was niet het soort cliënt dat ze voor zoete koek slikte. Aan de ene kant wist Moore dat het OM in de problemen zat omdat het afhankelijk was van een getuige wiens getuigenis hij tijdens het kruisverhoor in een mum van tijd onderuitgehaald zou hebben. Aan de andere kant had Aldrich ook gelijk. Het feit dat hij officieel was beschuldigd van de moord op zijn ex-vrouw, zou, ongeacht de uitspraak, ervoor zorgen dat hij voor sommige mensen altijd een potentiële moordenaar bleef. Maar, dacht Moore grimmig, ik heb liever dat hij daarmee om moet leren gaan dan dat hij de rest van zijn leven in de gevangenis doorbrengt, nadat hij schuldig bevonden is.

En wás hij de moordenaar? Er was iets wat Gregg Aldrich hem niet vertelde. Dat wist Moore zeker. Hij had geen bekentenis van Aldrich of iets wat daarop leek verwacht, maar nu, een dag nadat hij officieel in staat van beschuldiging gesteld was, begon hij zich af te vragen of de informatie die Aldrich achterhield, wat die ook mocht zijn, hem uiteindelijk tijdens het proces de kop zou kosten.

Moore keek uit het raampje. Het was een grijze maartse dag, perfect in harmonie met de stemming in de auto. Ben Smith, privédetective en soms chauffeur, die al vijfentwintig jaar voor hem werkte, zat achter het stuur. Aan het feit dat hij zijn hoofd enigszins scheef hield zag Moore dat hij elk woord dat hij en Aldrich zeiden opving. Bens uitstekende gehoor was zonder meer een pluspunt in zijn vak en Moore gebruikte hem vaak als klankbord na zijn gesprekken met cliënten in de auto.

Hierna was het veertig minuten lang stil. Toen stopten ze voor het appartementencomplex aan Park Avenue in Manhattan waar Gregg Aldrich woonde. 'Oké, dat was het dan, althans voor nu,' zei Aldrich toen hij het portier opendeed. 'Richard, het was aardig van je dat je me bent komen halen en brengen. Zoals ik al eerder tegen je zei, we hadden ergens af kunnen spreken zodat je de brug niet over hoefde en weer terug.'

'Ach, geen probleem. Ik ben de rest van de dag toch in het kantoor in New York,' zei Moore zakelijk. Hij stak zijn hand uit. 'Gregg, denk aan wat ik je gezegd heb.'

'Het staat in mijn geheugen gegrift,' zei Aldrich, nog steeds zonder enige emotie in zijn stem.

De portier haastte zich over de stoep om de deur van de auto open te houden. Terwijl Gregg Aldrich hem mompelend bedankte, keek hij de man in de ogen en zag daar de uitdrukking van nauwverholen opwinding die sommige mensen, zo wist hij, ervaren als ze een sensationeel misdaaddrama van dichtbij meemaken. Ik hoop dat je ervan geniet, dacht hij verbitterd.

In de lift op weg naar zijn appartement op de veertiende verdieping, vroeg hij zichzelf af: Hoe had dit allemaal kunnen gebeuren? En waarom was hij Natalie naar Cape Cod gevolgd? En was hij echt die maandagochtend naar New Jersey gereden? Hij wist dat hij zo buiten zinnen, moe en boos geweest was dat hij toen hij thuiskwam naar buiten was gegaan voor zijn vaste rondje door Central Park, om er later geschokt achter te komen dat hij bijna tweeënhalf uur had gejogd.

Of was dat niet zo?

Het feit dat hij daar nu niet zeker van was maakte hem doodsbenauwd.

6

Emily moest bekennen dat de combinatie van Marks dood en haar eigen plotselinge ziekte haar volkomen uit het lood geslagen had. Daar was nog bij gekomen dat haar vader ging hertrouwen en besloten had om voorgoed naar Florida te verhuizen, en dat haar broer Jack een baan in Californië had aangenomen – allemaal emotionele klappen die haar behoorlijk uit haar doen hadden gebracht.

Ze wist dat ze zich goed had gehouden toen zowel haar vader als haar broer bezorgd waren geweest om haar op dit moment in haar leven alleen te laten. Ze wist ook dat het feit dat haar vader het huis op haar naam had gezet, met volledige instemming van Jack, hun geweten had gesust.

En ze moesten zich ook niet schuldig voelen, dacht ze. Mamma was al twaalf jaar dood. Pappa en Joan hadden nu al vijf jaar een relatie en liepen tegen de zeventig. Ze hielden erg van zeilen en hadden er recht op dat het hele jaar door te kunnen doen als ze daar zin in hadden. En Jack had die baan echt niet af kunnen slaan. Hij moest ook aan Helen en hun twee kleine kinderen denken.

Maar goed, Emily wist dat het feit dat ze haar vader, haar broer en zijn gezin niet regelmatig kon zien het extra moeilijk had gemaakt om eraan te wennen dat Mark er niet meer was. Natuurlijk was het heerlijk om weer in het huis te wonen – het had iets van 'terug naar de baarmoeder' dat genezend werkte. Aan de andere kant waren de buren uit haar jeugd die hier nog woonden nu even oud als haar ouders. En voor degenen die hun huis verkocht hadden waren gezinnen met jonge kinderen in de plaats gekomen. De enige uitzondering was de stille, kleine man die een woning naast haar huurde en haar verlegen had verteld dat hij erg handig was voor het geval er ooit iets kapot was in huis.

Haar eerste impuls was geweest hem resoluut af te wijzen. Het laatste wat ze wilde of kon gebruiken was een buurman die onder het mom van behulpzaamheid met haar zou proberen aan te pappen. Maar naarmate de maanden verstreken en ze Zach Lanning alleen zag wanneer hij toevallig tegelijk met haar thuiskwam of wegging, begon Emily haar achterdocht te laten varen.

In die eerste weken nadat ze de zaak-Aldrich toegewezen had gekregen, bracht ze veel uren door met het steeds weer herlezen van het dossier en alle details in zich opnemen. Meteen al in het begin moest ze om vijf uur als een haas van kantoor weg om thuis Bess eten te geven en uit te laten om daarna weer terug te gaan naar kantoor en door te werken tot negen of tien uur 's avonds.

Ze vond het prettig dat haar baan veeleisend was. Zo had ze minder tijd om aan haar eigen problemen te denken. En hoe meer ze aan de weet kwam over Natalie hoe meer ze zich met haar verwant voelde. Ze waren beiden naar het huis van hun kindertijd teruggekeerd, Natalie omdat haar huwelijk op de klippen gelopen was en Emily vanwege een gebroken hart. Emily had heel veel informatie van het internet weten te plukken over Natalies leven en haar carrière. Ze had gedacht dat het haar van Natalie van nature blond was geweest maar ze ontdekte dat ze de kleur van haar haar had veranderd toen ze begin twintig was. Bij het zien van die oude foto's werd Emily getroffen door het besef dat er echt een gelijkenis tussen hen bestond. Het feit dat Natalies grootouders afkomstig waren uit hetzelfde graafschap als waar die van Emily waren geboren, maakte dat ze zich afvroeg of ze vier of vijf generaties terug 'kissing cousins' genoemd zouden zijn, zoals de Ieren verre verwanten noemden.

Maar ook al genoot ze van het hele proces van het voorbereiden van een nieuwe zaak en had ze geen moeite met de lange uren, algauw begon Emily te beseffen dat het gewoon te veel tijd kostte om steeds heen en weer te rennen van kantoor naar huis om voor Bess te zorgen. En ze voelde zich ook schuldig dat Bess de hele dag, en nu zelfs tot laat in de avond, alleen was.

Dat was iemand anders ook opgevallen. Zach Lanning was bezig zijn tuin in gereedheid te brengen voor de lente. Op een keer stond hij haar vroeg in de avond op te wachten nadat ze Bess weer terug naar huis had gebracht. 'Miss

Wallace,' begon hij met iets afgewende blik, 'neemt u me niet kwalijk, maar ik zie dat u zich de laatste tijd steeds naar huis moet haasten vanwege uw hond. En ik zie u ook weer weghollen. Ik heb over die grote zaak gelezen waar u bij betrokken bent. Dat zal wel een hoop werk zijn. Wat ik maar wil zeggen is dat ik gek ben op honden maar de eigenaar hier is allergisch en wil niet dat ik er een neem. Ik zou het echt leuk vinden als uw hond – ik hoorde dat u haar Bess noemde – me gezelschap kwam houden als ik thuiskom. Als uw huis hetzelfde is als dat van mij dan hebt u een afgesloten achterveranda met verwarming. Dus als u daar de bench neerzet en mij alleen een sleutel van de veranda geeft, dan kan ik haar in de tuin laten, voeren en dan lekker lang met haar gaan wandelen. Mijn achtertuin is ommuurd dus ze kan daar lekker een beetje rondrennen als ik in de tuin aan het werk ben. Daarna breng ik haar terug en doe de deur achter me op slot. Op die manier hoeft u zich geen zorgen over haar te maken. Ik wed dat zij en ik het prima samen zullen kunnen vinden.'

'Dat is heel aardig van je, Zach. Ik denk er even over na. Ik heb nu echt ontzettend veel haast. Ik bel je een van de komende dagen wel. Staat je nummer in het telefoonboek?'

'Ik heb alleen een mobiel,' antwoordde hij. 'Ik schrijf het nummer even voor u op.'

Toen Emily de inrit af reed om weer terug te gaan naar kantoor, kon Zach zijn opwinding nauwelijks verbergen. Als hij eenmaal een sleutel van haar veranda had zou het een peulenschil zijn om een wasafdruk te maken van het slot op de deur die tot de rest van het huis toegang gaf. Hij wist zeker dat ze op zijn aanbod in zou gaan. Ze is echt gek op die nutteloze bontbal, dacht hij. En als ik eenmaal binnen ben, ga ik naar boven naar haar slaapkamer om in al haar laden te snuffelen.

Ik wil alles aanraken wat ze draagt.

7

De gedachte dat ze als getuige gehoord zou worden bij het proces vervulde Alice Mills met afgrijzen. Het verlies van haar enige kind, Natalie Raines, had haar eerder verbijsterd dan verbitterd achtergelaten. Hoe had hij haar dat aan kunnen doen? was de vraag die ze zichzelf de hele dag door stelde en die haar 's nachts kwelde. In haar dromen probeerde ze Natalie steeds te bereiken. Ze moest haar waarschuwen. Er zou iets vreselijks met haar gebeuren.

Maar dan werd de droom een nachtmerrie. Terwijl Alice zonder iets te zien in het donker voorttrende, voelde ze hoe ze struikelde en viel. In haar neusgaten drong een zweem door van Natalies parfum. Zonder dat ze iets kon zien, wist ze dat ze over Natalies lichaam gestruikeld was.

Dan werd ze wakker en schreeuwde: 'Hoe kón hij haar dat aandoen?' terwijl ze overeind schoot van het kussen.

Na het eerste jaar waren de nachtmerries minder geworden, maar toen Gregg aangeklaagd werd en de mediahysterie aanzwol namen ze weer toe. Dat was de reden dat Alice, toen ze door hulpofficier Emily Wallace gebeld werd met het verzoek of ze de volgende ochtend voor een gesprek naar kantoor zou kunnen komen, de hele nacht op bleef zitten in een comfortabele stoel waarin ze vaak onder het tv-kijken wegdommelde. Ze hoopte dat als ze in slaap viel het alleen een lichte sluimer zou zijn en ze niet weer zou wegglijden in dezelfde nachtmerrie.

Haar plannetje werkte niet. Alleen riep ze dit keer Natalies naam toen ze wakker werd.

De rest van de nacht was Alice wakker en dacht aan de dochter die ze verloren had. Ze peinsde over de herinnering dat Natalie drie weken te vroeg, op Alice' dertigste verjaardag geboren was. Natuurlijk maakte dat Natalie een waar geschenk uit de hemel na een huwelijk dat tot haar verdriet acht jaar lang kinderloos was gebleven.

Daarna dacht Alice aan de avond een paar weken geleden toen haar zussen erop gestaan hadden om haar voor haar zeventigste verjaardag mee uit eten te nemen. Aan tafel brachten ze een dronk op haar uit. Ze waren bang om Natalies naam te noemen maar ik stond erop dat we ook op haar toostten, herinnerde Alice zich. We slaagden er zelfs in om er een paar grappen over te maken. 'Geloof me, Natalie zou een feest ter gelegenheid van haar veertigste verjaardag nooit goedgevonden hebben,' zei ze. 'Weten jullie nog, ze zei altijd dat je in de showbusiness beter eeuwig jong kon blijven.'

Ze ís ook eeuwig jong gebleven, dacht Alice en zuchtte terwijl ze om zeven uur 's ochtends overeind kwam uit haar gemakkelijke stoel en bukte om haar slippers aan te trekken. De artritis in haar knieën was 's ochtends altijd het ergst. Ze mompelde een paar verwensingen toen ze overeind kwam en liep de woonkamer van haar kleine appartement aan West Sixty-fifth Street door, sloot de ramen en trok de zonwering omhoog. Als altijd monterde het uitzicht op de Hudsonrivier vanaf Manhattan haar weer op.

Natalie had haar liefde voor het water van haar geërfd. Dat was de reden dat ze zo vaak naar Cape Cod was gereden, zelfs voor een paar dagen.

Alice knoopte de ceintuur vast om haar badjas van zacht katoen. Ze hield van frisse lucht maar het was gedurende de nacht kouder geworden en nu was het kil in de woonkamer. Ze draaide de thermostaat omhoog, ging naar het kleine keukentje en pakte de koffiekan. Het apparaat was ingesteld op 6.55 uur en de koffie was klaar. Haar kop stond op de tafel ernaast.

Ze wist dat ze op zijn minst een sneetje geroosterd brood zou moeten eten, maar ze had er gewoon geen zin in. Wat zou de aanklager haar gaan vragen? vroeg ze zich af toen ze de kop meenam naar de mini-eetkamer en op de stoel met het mooiste uitzicht op de rivier aan tafel ging zitten. En wat valt er nog toe te voegen aan wat ik twee jaar geleden de rechercheurs verteld heb? Dat Gregg graag een verzoening wilde en dat ik er bij mijn dochter op aandrong dat ze terug naar hem zou gaan?

Dat ik van Gregg hield?

Dat ik hem nu verafschuw?

Dat ik nooit zal begrijpen hoe hij haar dit aan heeft kunnen doen?

Alice besloot voor het gesprek een zwart pak aan te doen met een witte bloes. Dat had haar zus voor haar gekocht om aan te trekken naar de begrafenis van Natalie. Ze was wat afgevallen de afgelopen twee jaar en wist dat het pak haar nu wat te ruim zat. Maar maakt dat wat uit? vroeg ze zichzelf af. Ze was gestopt met het kleuren van haar haar en nu was het helemaal wit, met een natuurlijke slag erin die haar heel wat bezoekjes aan de kapper bespaarde. Door het gewichtsverlies waren de rimpels in haar gezicht dieper geworden en ze had de fut niet meer om regelmatig naar de schoonheidsspecialiste te gaan zoals Natalie haar altijd gezegd had te doen.

De afspraak was om tien uur. Om acht uur ging Alice naar beneden, liep langs het Lincoln Center naar de eerstvolgende zijstraat, ging daar de metro in en nam de trein die bij de Port Authority Bus Terminal stopte. Tijdens het korte ritje, merkte ze, moest ze aan het huis in Closter denken. Een makelaar had haar aangeraden om het niet te proberen te verkopen zolang er nog dagelijks in de kranten over Natalie geschreven werd. 'Wacht nog even,' stelde hij voor. 'En schilder dan alle wanden wit. Daardoor maakt het een aangenaam schone en frisse indruk. Dan doen we het daarna in de verkoop.'

Alice wist best dat de man niet bot of ongevoelig had willen doen. Het was gewoon het idee dat ze op de een of andere manier Natalies dood zouden wegpoetsen dat zo'n pijn deed. Toen de termijn afliep voor de verkoopopdracht van het huis, had ze die niet vernieuwd.

Toen ze bij het Port Authority aankwam, krioelde het zoals gewoonlijk van de mensen die zich het gebouw in en uit haastten, op weg naar hun bushalte of om een taxi aan te houden. Voor Alice was het, net als alles, een herinnering. Ze zag voor zich hoe ze Natalie toen ze nog maar op de kleuterschool zat na school aan de hand voorttrok naar audities voor tv-commercials.

Zelfs toen al bleven de mensen staan om naar haar te kijken, dacht Alice, terwijl ze in de rij ging staan voor een retourtje naar Hackensack, New Jersey, waar de rechtbank lag. In een tijd dat alle andere kinderen lange haren hadden had Natalie een pagekopje met een pony. Ze was een mooi kind en viel op.

Maar het was meer dan dat. Ze had het charisma van een ster.

Na al die jaren voelde het natuurlijker aan om naar halte 210 te gaan waar de bus naar Closter stopte, maar Alice ging naar halte 232, met het lood in de schoenen nu, en wachtte daar op de bus naar Hackensack.

Een uur later liep ze de trappen op van de rechtbank van Bergen County en vroeg timide toen ze haar tas op de band zette voor de veiligheidscontrole waar de lift was die haar naar het kantoor van de openbare aanklager op de eerste verdieping zou brengen.

8

Toen Alice een straat verderop uit de bus stapte zat Emily in het gerechtsgebouw haar aantekeningen na te kijken voor het gesprek met Billy Tryon en Jake Rosen, de twee rechercheurs van moordzaken die vanaf het begin aan de zaak-Natalie Raines gewerkt hadden. Ze hadden deel uit-gemaakt van het team van het OM dat gehoor had gegeven aan de oproep van de politie van Closter nadat die Natalies lichaam dood in haar huis had aangetroffen.

Tryon en Rosen waren in de stoelen aan de andere kant van haar bureau gaan zitten. Zoals gewoonlijk bespeurde Emily onwillekeurig bij zichzelf een groot verschil in de manier waarop ze op de beide mannen reageerde. Jake Rosen, eenendertig jaar oud, een meter tweeëntachtig lang, met een gespierd lichaam, kortgeknipt blond haar en een intelligente uitstraling was een slimme, hardwerkende rechercheur. Ze had een paar jaar eerder met hem samen-gewerkt toen ze allebei aan de afdeling voor minderjarigen waren toegewezen en ze hadden het prima met elkaar kunnen vinden. In tegenstelling tot een aantal van zijn col-lega's, onder wie Billy Tryon, leek hij er geen problemen mee te hebben om onder een vrouw te werken.

Tryon echter was een heel ander geval. Emily en de an-dere vrouwen op kantoor waren zich altijd bewust geweest van zijn nauwverholen vijandigheid. Het stoorde hen ma-teloos dat er nog nooit een klacht, hoe gerechtvaardigd ook, tegen hem was ingediend omdat hij de neef was van officier van justitie Ted Wesley.

Hij was een goede rechercheur, dat betwistte Emily niet. Maar het was ook algemeen bekend dat de methoden die hij eropna hield om bekentenissen los te krijgen soms op het randje waren. Er waren de afgelopen jaren regelma-tig beschuldigingen geuit door verdachten die boos ont-kenden de belastende verklaringen te hebben afgelegd die hij onder ede beschreef in zijn getuigenis tijdens de zitting. Ook al begreep ze wel dat alle rechercheurs vroeg of laat dergelijke klachten voor de voeten geworpen kregen, het was wel duidelijk dat er een meer dan gemiddelde hoe-veelheid tegen Tryon gericht was.

Hij was ook de rechercheur die als eerste aan Eastons

verzoek gehoor had gegeven om na zijn arrestatie met iemand van het OM te praten.

Emily hoopte dat de afkeer die ze voor Tryon voelde niet op haar gezicht te lezen was toen ze naar hem keek, onderuitgezakt in zijn stoel. Met zijn verweerde kop, onverzorgde kapsel en de ogen voortdurend half dichtgeknepen zag hij er ouder uit dan tweeënvijftig. Hij was gescheiden en vond zichzelf, zoals iedereen wist, een echte versierder. Inderdaad waren er vrouwen van buiten het kantoor die hem aantrekkelijk vonden, wist ze. Haar afkeer van hem was nog groter geworden toen ze hoorde dat hij overal rondverteld had dat zij niet hard genoeg was voor deze zaak. Maar nadat ze het dossier had bestudeerd moest ze toegeven dat hij en Rosen zeer grondig te werk waren gegaan bij het onderzoeken van de plaats delict en het ondervragen van de getuigen.

Ze verspilde geen tijd met beleefdheden. Ze opende de manilla envelop die boven op het dossier op haar bureau lag. 'Natalies moeder komt zo,' zei ze kort. 'Ik heb jullie rapporten en de verklaring die ze de avond van Natalies dood tegenover jullie heeft afgelegd en haar schriftelijke verklaring van een paar dagen later nog eens gelezen.'

Ze keek naar hen op. 'De eerste reactie van de moeder, zo lees ik hier, was dat ze absoluut weigerde te geloven dat Gregg Aldrich er iets mee te maken zou kunnen hebben.'

'Dat klopt,' bevestigde Rosen rustig. 'Mrs. Mills zei dat ze van Gregg hield als van een zoon en Natalie had gesmeekt om naar hem terug te gaan. Ze vond dat Natalie veel te hard werkte en had gewild dat ze meer tijd aan haar privéleven besteedde.'

'Je zou toch denken dat ze hem zou willen vermoorden,' merkte Tryon sarcastisch op, 'maar in plaats daarvan maakte ze zich zorgen om hem en zijn kind.'

'Volgens mij begreep ze Aldrich' frustratie wel,' zei Rosen en wendde zich tot Emily. 'De vrienden die we ondervraagd hebben waren het erover eens dat Natalie een workaholic was. De ironie is dat wat hem tot moord aanzette ervoor zou kunnen zorgen dat de juryleden medelijden met hem krijgen. Zelfs zijn eigen schoonmoeder had medelijden met hem. Ze wilde niet geloven dat hij het gedaan had.'

'Wanneer hebben jullie voor het laatst met haar gepraat?' vroeg Emily.

'We hebben haar gebeld vlak voordat Eastons verklaring in de krant terechtkwam. We wilden niet dat zij die onder ogen zou krijgen. Ze was echt geschokt. Daarvóór had ze een paar keer gebeld om te vragen of er nieuwe ontwikkelingen waren in het onderzoek,' zei Rosen.

'De oude dame wilde gewoon met iemand praten,' merkte Tryon onverschillig op, 'en dus praatten we met haar.'

'Wat aardig van je,' zei Emily bits. 'Ik zie hier in haar verklaring dat Mrs. Mills het erover had dat Natalies kamergenote, Jamie Evans, vijftien jaar voor de dood van Natalie in Central Park vermoord werd. Hebben jullie aan haar gevraagd of zij van mening was dat er een verband bestond?'

'Ze zei dat dat onmogelijk was,' antwoordde Tryon. 'Ze zei dat Natalie de vriend van haar kamergenote nooit had ontmoet. Ze wist wel dat hij getrouwd was en zogenaamd zou gaan scheiden. Natalie had er bij haar kamergenote op aangedrongen een einde te maken aan de relatie omdat ze wist dat hij haar voor de gek hield. Natalie zei dat ze een keer zijn foto had gezien en dat, toen die na de moord niet meer in de portemonnee van haar kamergenote zat, ze gedacht had dat er een connectie zou kunnen zijn, maar de rechercheurs die toen op de zaak gezet waren geloofden er niet in. Er hadden zich in die tijd een hele serie berovingen voorgedaan in het park. Jamie Evans' portemonnee lag op de grond. Haar creditcards en geld waren verdwenen en haar horloge en oorbellen ook. De politie was van mening dat ze zich verzet had tegen de overval en vermoord was. Nou ja, ze hebben nooit kunnen achterhalen wie de vriend was, maar zij gingen er dus eigenlijk ook van uit dat het een uit de hand gelopen overval was.'

De telefoon ging. Emily nam hem op. 'Emily, Mrs. Mills is hier,' zei de receptioniste.

'Oké, we komen zo.'

Rosen stond op. 'Ik ga haar wel even ophalen, Emily.'

Tryon verzette geen voet.

Emily keek hem aan. 'We hebben nog een stoel nodig,' zei ze. 'Zou jij er een kunnen regelen?'

Tryon kwam op zijn gemak overeind. 'Heb je ons echt allebei hierbij nodig? Ik ben bijna klaar met mijn rapport over de zaak-Gannon. Ik denk niet dat mams met verrassingen op de proppen zal komen.'

'Ze heet Mrs. Alice Mills.' Emily deed geen moeite haar irritatie te verbergen. 'Ik zou het op prijs stellen als je je iets fijngevoeliger opstelde.'

'Doe niet zo moeilijk, Emily. Ik heb geen instructies nodig.' Hij keek haar recht aan. 'En denk erom dat ik al zaken onder mijn hoede had in dit kantoor toen jij nog op de basisschool zat.'

Op het moment dat Tryon wegging kwam Rosen binnen met Alice Mills. In een oogwenk merkte Emily het verdriet op dat zich in het gezicht van de oudere vrouw geëtst leek te hebben, het lichte trillen in haar hals, het feit dat het pak dat ze aanhad te groot voor haar leek. Emily stelde zichzelf voor terwijl ze nog steeds stond, sprak haar medeleven uit en vroeg haar om te gaan zitten. Toen ze weer in haar eigen stoel zat, legde Emily de moeder van Natalie Raines uit dat zij het proces zou voeren en dat ze haar uiterste best zou doen om te zorgen dat Gregg Aldrich veroordeeld werd zodat haar dochter recht gedaan werd.

'En noem me alstublieft Emily,' zei ze tot slot.

'Dank u,' zei Alice Mills zachtjes. 'Ik moet zeggen dat de mensen van uw kantoor erg aardig zijn geweest. Ik wou alleen dat ze me mijn dochter terug konden geven.'

Een beeld van Mark die haar die laatste keer gedag zei, flitste door Emily's hoofd. 'Ik wou dat ik dat kon,' antwoordde Emily en hoopte dat de hapering in haar stem niet te horen was.

Het volgende uur nam Emily op conversatietoon en zonder van enige haast blijk te geven, de verklaringen nog eens door die Mills twee jaar daarvoor afgelegd had. Tot haar ongenoegen werd al snel duidelijk dat Natalies moeder nog steeds in tweestrijd stond of Gregg Aldrich in staat zou zijn geweest de misdaad te plegen. 'Toen ze me over Easton vertelden, was ik verbijsterd en ontzet, maar het was in ieder geval een opluchting de waarheid te kennen. Maar hoe meer ik over die kerel lees, hoe meer ik begin te twijfelen.'

Als de jury dat ook denkt dan ben ik er geweest, dacht Emily en ging over op het volgende onderwerp dat ze wilde bespreken. 'Mrs. Mills, Natalies kamergenote, Jamie Evans, werd vele jaren geleden in Central Park vermoord. Ik begrijp dat Natalie van mening was dat die mysterieuze man met wie ze iets had daar verantwoordelijk voor kon zijn?'

'Jamie en Natalie, allebei dood,' zei Alice Mills en schudde haar hoofd terwijl ze probeerde de tranen terug te dringen. 'En allebei vermoord… Wie had ooit kunnen bedenken dat zich zo'n vreselijke tragedie voor zou kunnen doen? Ze depte haar ogen met een tissue en ging toen verder. 'Natalie had het mis,' zei ze. 'Ze zag de foto van die man een keer in Jamies portemonnee maar dat was minstens een maand voor Jamie vermoord werd. Misschien had Jamie hem zelf wel weggegooid, dat kon ze niet weten. Volgens mij was Natalies reactie vergelijkbaar met wat ik nu voel. Zij en Jamie waren zo close. Ze moest iemand de schuld geven, iemand straffen voor haar dood.'

'Zoals u Gregg Aldrich wil straffen?' vroeg Emily.

'Ik wil de moordenaar straffen, wie dat ook is.'

Emily wendde haar blik af van de naakte pijn op het gezicht van de andere vrouw. Dit was het deel van haar werk dat ze vreselijk vond. Ze was zich ervan bewust dat het medeleven dat ze voelde bij het zien van de angst en pijn van de familie van een slachtoffer haar altijd al gemotiveerd had om haar uiterste best te doen in de rechtszaal. Maar vandaag raakte het verdriet waar ze getuige van was om de een of andere reden haar diep in haar ziel. Ze wist dat het zinloos was het verdriet van deze moeder met woorden te proberen te verzachten.

Maar ik kan haar helpen door niet alleen een jury maar ook haarzelf te bewijzen dat Gregg Aldrich verantwoordelijk was voor de dood van Natalie en dat hij de zwaarste straf verdient waar een jury hem toe kan veroordelen – levenslange gevangenisstraf zonder de mogelijkheid tot vervroegde vrijlating.

Toen deed ze iets heel onverwachts. Toen Alice Mills opstond om weg te gaan, kwam ook Emily overeind. Ze haastte zich om haar bureau heen en sloeg haar armen om de diepbedroefde moeder.

9

Het bureau van Michael Gordon in zijn kantoor op de negenentwintigste verdieping van het Rockefeller Center was bezaaid met kranten uit het hele land, in de ochtend een heel gebruikelijke aanblik. Voor het einde van de dag had hij ze allemaal doorgebladerd op zoek naar interessante misdaden voor zijn avondprogramma *Courtside* op kanaal 8.

Michael was advocaat toen zijn leven een dramatische wending nam. Hij was vierendertig en werd voor eerdergenoemd programma uitgenodigd als lid van een panel van experts dat de lopende strafzaken in Manhattan besprak. Zijn van inzicht getuigende en gevatte opmerkingen en knappe Ierse kop met zwart haar hadden ervoor gezorgd dat hij regelmatig terug mocht komen als gast in het programma. Toen de oude presentator met pensioen ging, werd hij gevraagd om het programma over te nemen en nu twee jaar later was het een van de best bekeken programma's in het land.

Mike woonde in Manhattan, in een appartement aan Central Park West. Hoewel hij een felbegeerde vrijgezel was en overspoeld werd met uitnodigingen, bracht hij veel avonden rustig thuis door met werken aan het boek dat hem gevraagd was te schrijven – een analyse van de grootste misdaadzaken in de twintigste eeuw. Hij was van plan met de moord op architect Stanford White door Harry Thaw in 1906 te beginnen en te eindigen met het eerste O.J. Simpson-proces in 1995.

Hij was gefascineerd door het project. Hij was ervan overtuigd geraakt dat de meeste misdaden binnen het gezin het gevolg waren van jaloezie. Thaw was jaloers op White omdat hij een intieme relatie met zijn vrouw had gehad toen ze nog erg jong was. Simpson was jaloers omdat zijn vrouw met een ander gezien werd.

En hoe zat het dan met Gregg Aldrich, een man die hij bewonderd had en graag had gemogen? Michael was een goede vriend van zowel Gregg als Natalie geweest, zelfs nog voor ze getrouwd waren. Hij had een lange toespraak gehouden op Natalies herdenkingsdienst en had Gregg en zijn dochter, Katie, in de twee winters die volgden op de dood van Natalie regelmatig voor het weekend uitgenodigd in zijn winterverblijf in Vermont om te skiën.

Ik heb altijd gevonden dat de politie er wel heel snel bij

was om het in het openbaar over Gregg te hebben als 'verdacht persoon', dacht Michael terwijl hij afwezig een blik op de kranten op zijn bureau wierp en ze vervolgens opzijschoof. Wat geloof ík nu? Ik weet het gewoon niet.

Gregg had hem de dag dat hij aangeklaagd was gebeld. 'Mike, ik neem aan dat je in je programma aandacht aan het proces gaat besteden?'

'Ja.'

'Dan zal ik het je gemakkelijk maken. Ik ga je niet vragen of je Eastons verhaal gelooft. Maar ik denk dat het het beste is als we bij elkaar uit de buurt blijven tot na het proces.'

'Dat ben ik met je eens, Gregg.' Er viel een ongemakkelijke stilte tussen beiden.

Ze hadden elkaar de afgelopen maanden niet vaak gezien. Af en toe waren ze elkaar in het theater of op een feestje tegengekomen en hadden ze in het voorbijgaan even geknikt. Nu stond vast dat het proces aanstaande maandag, 15 september zou beginnen. Mike wist dat hij er op zijn gebruikelijke manier verslag van zou doen, dat wil zeggen: elke avond de hoogtepunten van de getuigenverklaringen van die dag laten zien, gevolgd door een paneldiscussie met zijn juridische deskundigen. Het was echt mazzel dat de rechter camera's in de rechtszaal toestond. Livebeelden van het procesverloop zorgden voor boeiende tv.

Gregg kennende, wist Mike dat hij naar buiten toe beheerst zou blijven, wat de aanklager hem ook naar het hoofd slingerde. Maar Greggs gevoelens zaten diep. Tijdens de herdenkingsdienst was hij beheerst gebleven. Maar later die avond in zijn appartement, alleen in het gezelschap van Natalies moeder, Kate en Mike, was hij plotseling in een ongecontroleerd snikken uitgebarsten en de kamer uit gerend.

Er bestond geen twijfel aan dat hij gek was geweest op

Natalie. Maar was die uitbarsting er wel een van puur verdriet geweest, of was het eerder berouw? Of was het paniek bij het vooruitzicht de rest van zijn leven in de gevangenis te moeten doorbrengen? Mike wist het niet meer zeker. Om de een of andere reden kwam hem, als hij terugdacht aan de avond dat Gregg ingestort was, steeds het beeld voor ogen van Scott Peterson die posters ophing met foto's van zijn verdwenen vrouw terwijl hij haar in feite zelf vermoord had en haar lijk in de Stille Oceaan gegooid had.

'Mike.'

Zijn secretaresse was te horen over de intercom. Hij schrok op uit zijn dagdroom, en zei: 'O, eh, ja Liz.'

'Katie Aldrich is hier. Ze wil je graag zien.'

'Katie! Natuurlijk. Laat haar verder komen.'

Mike kwam gehaast overeind en liep snel om zijn bureau heen. Toen de deur openging begroette hij de tengere, goudblonde veertienjarige met open armen. 'Katie, ik heb je gemist.' Hij voelde dat ze trilde toen hij haar omhelsde.

'Mike, ik ben zo bang. Zeg dat pappa onmogelijk schuldig bevonden kan worden.'

'Katie, je vader heeft een prima advocaat, de beste die er is. De hele zaak hangt af van de getuigenis van een veroordeelde crimineel.'

'Waarom hebben we je zes maanden lang niet gezien?' Ze bestudeerde zorgvuldig zijn gezicht.

Mike leidde haar naar de gemakkelijke stoelen voor de ramen die uitkeken over de ijsbaan van het Rockefeller Center. Toen ze allebei zaten, leunde hij naar voren en pakte haar hand. 'Katie, dat was je vaders idee, niet het mijne.'

'Nee, Mike. Dat hij je dat voorstel deed, was zijn manier om je te testen. Hij zei dat als jij ervan overtuigd was dat hij onschuldig was je er nooit mee akkoord gegaan zou zijn.'

Mike besefte dat hij zich schaamde om woede en nu ook pijn in haar ogen te zien. Had ze gelijk? 'Katie, ik ben een journalist. Ik hoor niet op de hoogte te zijn van de verdediging van je vader en als ik steeds jullie appartement in en uit liep dan zou ik onvermijdelijk dingen horen die ik niet zou moeten horen. Ik zal mijn publiek toch al herhaaldelijk moeten uitleggen dat ik een goede vriend van je vader ben maar dat ik niet met hem praat tot alles achter de rug is.'

'Kun jij dan helpen de publieke opinie zo te beïnvloeden dat als hij vrijgesproken wordt' – Katie aarzelde even – 'áls hij vrijgesproken wordt, dat de mensen dan zullen begrijpen dat hij een onschuldige man was die valselijk is beschuldigd?'

'Katie, die conclusie zullen de mensen zelf moeten trekken.'

Katie Aldrich trok haar handen uit de zijne en stond op. 'Eigenlijk moet ik terug naar Choate want de school begint weer, maar ik ga niet. Ik ga een privéleraar regelen zodat ik niet achteropraak. Ik zal elke dag bij dat proces aanwezig zijn. Pappa heeft iemand nodig die aan zijn kant staat en hem onvoorwaardelijk steunt. Ik had gehoopt dat jij er ook zou zijn. Pappa zei altijd dat je een fantastische advocaat was.'

Zonder zijn antwoord af te wachten haastte ze zich naar de deur. Toen ze haar hand op de deurklink legde draaide ze zich weer naar hem om. 'Ik hoop dat er veel mensen zullen kijken, Mike,' zei ze. 'Als dat zo is weet ik zeker dat je een vette bonus krijgt.'

10

Aan het einde van de week voorafgaand aan het proces was Emily voorzichtig optimistisch wat de voorbereiding van de zaak betrof. De zomer was in een roes voorbijgegaan. In juli was ze erin geslaagd een week vrij te nemen om haar vader en zijn vrouw, Joan, in Florida te gaan bezoeken en had in augustus vervolgens nog vijf dagen bij haar broer Jack en zijn gezin in Californië gelogeerd.

Het was heerlijk geweest om hen allemaal weer te zien, maar in haar achterhoofd hadden haar gedachten haar steeds weer teruggetrokken naar de zaak. In juli en augustus had ze uiterst grondig de achttien getuigen ondervraagd die ze van plan was op te roepen en ze kende hun getuigenissen praktisch uit haar hoofd.

De intensiteit van de voorbereiding was bovendien een keerpunt gebleken in haar verwerking van Marks dood. Ook al miste ze hem nog steeds heel erg, ze kwelde zichzelf niet langer tientallen keren per dag met de zin die zoveel energie vrat: 'Was hij maar in leven gebleven, was hij maar in leven gebleven...'

In plaats daarvan had ze nu steeds het beeld van Gregg Aldrich voor ogen als ze met de toekomstige getuigen in gesprek was. En vooral toen Natalies vrienden haar vertelden dat Natalie steeds van streek raakte als ze na een lunch- of dinerafspraak op haar mobiel keek of ze berichten had. Er was steevast minstens één sms'je of telefoontje van Gregg om haar te smeken hun huwelijk nog een kans te geven.

'Ik zag haar meer dan eens in tranen uitbarsten,' zei Lisa Kent, een oude goede vriendin van haar boos. 'Ze gaf erg veel om hem, zelfs meer dan dat, ik ben er zeker van dat ze van hem hield. Hun huwelijk wilde gewoon niet lukken. Ze had gehoopt dat ze hem als agent aan kon houden, maar kwam er al vrij snel achter dat hij nog te emotioneel bij haar betrokken was om elkaar voortdurend te zien, zelfs al was dat dan op een zakelijke basis.'

Emily wist dat Kent een goede getuige zou zijn.

Vrijdag laat op de middag, drie dagen voor het proces zou beginnen, riep Ted Wesley haar naar zijn kantoor. Zodra ze hem zag wist ze dat hij opgetogen was.

'Laat me raden,' zei Emily, 'je hebt bericht gehad uit Washington!'

'Ongeveer vijftien minuten geleden. Jij bent de eerste hier die ik het vertel. De president gaat morgen aankondigen dat hij me gaat voordragen als de nieuwe minister van Justitie.'

'Ted, dat is geweldig. Wat een eer! En niemand verdient het meer dan jij.' Ze was oprecht blij voor hem.

'Ik ben nog niet weg, hoor. De hoorzittingen in de Senaat over de nieuwe benoemingen zijn voor de komende paar weken gepland. Dat vind ik ergens wel prettig. Ik wil in de buurt zijn als het proces-Aldrich begint. Ik wil met eigen ogen zien dat hij de gevangenis in gaat.'

'Ik ook. Het is een gelukkig toeval dat Easton zich zoveel details van de woonkamer van Gregg Aldrich kan herinneren. Zelfs met Eastons achtergrond zie ik niet hoe Moore dat weg kan redeneren.'

'En je hebt dat telefoontje vanaf Aldrich' mobiel naar die van Easton. Ik zie ook niet hoe Moore daaromheen kan.' Wesley leunde achterover in zijn stoel. 'Emily, je moet weten dat niet iedereen even blij was toen ik jou op deze zaak zette. Ik heb het gedaan omdat ik denk dat je er klaar voor bent en omdat ik weet dat je deze zaak voor de jury kunt brengen.'

Emily glimlachte spottend. 'Als jij me kunt vertellen hoe ik Jimmy Easton kan transformeren van de engerd die hij is in een geloofwaardige getuige ben ik je eeuwig dankbaar. We hebben een donkerblauw kostuum voor hem gekocht voor als hij moet getuigen, maar we weten allebei dat hij er in dat pak uitziet als een vis op het droge. Ik zei tegen je dat ik, toen ik met Jimmy in de gevangenis sprak, blij was dat eindelijk die schoenpoetskleur in zijn haar aan het vervagen was, maar helaas is zijn uiterlijk er daardoor niet echt op vooruitgegaan.'

Wesley fronste bedachtzaam de wenkbrauwen. 'Emily, het kan me niets schelen hoe Easton eruitziet. Jij hebt het telefoontje vanaf Aldrich' mobiel naar de zijne en je hebt zijn beschrijving van de woonkamer. Ook al maakt hij dan een waardeloze indruk, aan die twee feiten kunnen ze niet tornen.'

'Waarom laat Moore het dan op een proces aankomen? Ze hebben nooit willen onderhandelen of tot een soort schikking willen komen, ook niet nadat Easton inmiddels in beeld was. Ik weet gewoon niet waar ze heen willen en of Easton wel overeind blijft als hij door Moore aan een kruisverhoor onderworpen wordt.'

'Daar komen we gauw genoeg achter,' zei Wesley nu op milde toon.

Emily merkte het verschil in zijn stem op en had het gevoel zijn gedachten te kunnen lezen. Hij begint zenuwachtig te worden dat Aldrich misschien vrijgesproken wordt, dacht ze. Dat zou niet alleen een teken zijn dat ik gefaald had. Het zou ook beschouwd worden als een beoordelingsfout van Wesley, omdat hij me deze zaak toegewezen heeft. Niet de allerbeste uitgangspositie voor de benoemingshoorzittingen van de Senaat.

Nadat ze hem nog eens gefeliciteerd had, ging Emily naar huis. Maar de volgende ochtend vroeg was ze weer terug op kantoor om haar aantekeningen voor het proces door te nemen en bracht er in het weekend uiteindelijk bijna alle uren die ze wakker was door.

Gelukkig was er Zach, dacht ze regelmatig in deze periode. Ze wist nog wel hoe aarzelend ze er aanvankelijk tegenover gestaan had dat hij meer zou zijn dan een opper-

vlakkige kennis, en hoe opgelucht en dankbaar ze nu was
dat hij Bess voerde en uitliet. Hij had dat zelfs gedaan tijdens haar korte vakanties, en volgehouden dat het onnodig
was om Bess naar een asiel te brengen.

'We zijn echte maatjes geworden,' had Zach op zijn
verlegen, bedeesde manier gezegd. 'Ze is veilig bij me.'

Maar toen Emily op zondag om tien uur 's avonds thuiskwam vond ze het verontrustend dat Zach in de veranda
met Bess op schoot tv zat te kijken.

'We houden elkaar gewoon wat gezelschap,' legde Zach
glimlachend uit. 'Jij bent zeker uit eten gegaan met vrienden, hè?'

Emily stond op het punt te vertellen dat ze een broodje
en wat fruit mee naar kantoor had genomen omdat ze wist
dat ze nog tot laat aan het werk zou zijn, maar bedacht zich
toen. Ze was Zach geen enkele verklaring schuldig. Op dat
moment werd ze zich er ineens van bewust dat Zachs aandacht, eenzaam als hij was zonder het zelf misschien te beseffen, niet alleen op Bess gericht was maar ook op háár.

Het was een eng gevoel en ze huiverde even.

11

Op de zondagavond voor het proces zou beginnen, aten
Richard Moore en zijn zoon Cole, die mee had geholpen
de verdediging voor te bereiden, met Gregg Aldrich en
Katie in het restaurant van Greggs appartementencomplex.
Ze hadden om een kleine kamer apart gevraagd zodat ze
vrijuit konden praten en tegelijk Gregg tegen het nieuwsgierige gestaar van andere eters konden beschermen.

Moore die een uitstekende verteller was, bleek in staat
om glimlachjes, en zelfs wat gegrinnik aan Gregg en Katie
te ontlokken terwijl de salades en voorgerechten werden

opgediend. Het was een zichtbaar ontspannen Katie die opstond en zichzelf excuseerde voor het dessert. 'Ik heb pappa beloofd dat als hij me hier liet blijven tijdens het proces ik dan netjes het huiswerk zou maken dat ze me stuurden. Ik begin er nu meteen maar mee.'

'Wat is het toch een sterke en volwassen meid,' zei Moore tegen Aldrich nadat Katie weg was gegaan. 'Je hebt het geweldig gedaan wat haar betreft.'

'Ze blijft me verbazen,' zei Aldrich zachtjes. 'Ze zei tegen me dat ze geen dessert zou nemen omdat ze zeker wist dat we op de valreep nog wel wat dingen te bespreken hadden. Ik neem aan dat ze daar gelijk in had?'

Richard Moore keek over de tafel naar zijn cliënt. In de zes maanden sinds hij aangeklaagd was, was Gregg tien jaar ouder geworden. Hij was afgevallen en ook al was hij nog steeds knap, hij zag er moe uit en had diepe wallen onder zijn ogen.

Cole, een jongere versie van Richard, had zich volledig ondergedompeld in deze zaak en zijn vader zijn bezorgdheid over de uitkomst van deze zaak meegedeeld. 'Pap, hij moet inzien dat het in zijn belang is om een schikking te overwegen. Waarom denk je dat hij ons nooit heeft toegestaan om met de aanklager te onderhandelen?'

Dat was een vraag die Richard Moore zichzelf ook vaak gesteld had en hij dacht dat hij misschien het antwoord kende. Gregg Aldrich moest niet alleen de jury overtuigen van zijn onschuld, maar ook zichzélf. Slechts één keer had Gregg gerefereerd aan het feit dat hij verbaasd, zelfs geschokt was geweest te merken dat hij op de ochtend van Natalies dood thuis was gekomen en had beseft dat hij meer dan twee uur hardgelopen had. Het leek wel of hij aan zichzelf twijfelde, herinnerde Moore zich. Kwam dat omdat hij voor zichzelf ontkende dat hij haar vermoord had en dat zijn geest het hele feit dus verdrongen had? Het zou niet voor het eerst zijn dat ik dat meemaakte, dacht hij.

45

En Cole en ik zijn het er onder ons gezegd eigenlijk wel over eens dat hij Natalie waarschijnlijk echt vermoord heeft...

De ober kwam naar hun tafel toe. Ze bestelden alle drie een espresso en sloegen het dessert over. Toen schraapte Richard Moore zijn keel. 'Gregg,' zei hij zachtjes. 'Ik zou je belangen niet naar behoren behartigen als ik dit onderwerp niet nogmaals ter sprake bracht. Ik weet dat je nooit hebt gewild dat wij met het OM onderhandelden, maar het is waarschijnlijk niet te laat hun te vragen dat nog eens te overwegen. Je kunt levenslang krijgen. Maar eerlijk gezegd denk ik ook dat zij nerveus zijn over deze zaak. Ik geloof echt dat ik hen zover zou kunnen krijgen dat ze een straf van twintig jaar zouden willen overwegen. Dat is een lange tijd, maar dan zou je vrijkomen als je begin zestig bent en heb je nog een hoop jaren over.'

'Twintig jaar!' viel Gregg Aldrich uit. 'Máár twintig jaar. Waarom bellen we hen niet meteen? Ze bieden ons misschien nooit meer zo'n geweldige deal aan als we nog langer wachten.'

Hij ging steeds harder praten en smeet zijn servet op tafel. Toen vervolgens de ober terug de kamer in kwam deed hij zichtbaar zijn best om zichzelf onder controle te krijgen. Nadat de ober weggegaan was, keek hij van Richard naar Cole en weer terug. 'Hier zitten we dan met zijn drieen in onze designerpakken, in een aparte eetkamer van een appartementencomplex aan Park Avenue, en jullie stellen voor dat om te voorkomen dat ik in de gevangenis zal overlijden ik er de komende twintig jaar door zal brengen. En dat dan alleen als ze zo grootmoedig zijn om daarmee akkoord te gaan.'

Hij pakte zijn kopje op en dronk zijn espresso in één teug leeg. 'Richard, ik ga naar dat proces. Ik ga mijn dochter niet in de steek laten. En er is nog een kleinigheidje dat ik móét vermelden: ik hield van Natalie! Het is echt godsonmogelijk dat ik haar ooit zoiets aangedaan zou kunnen hebben. En zoals ik jullie al duidelijk gezegd heb, ik wil een verklaring afleggen. Nu, als jullie me willen verontschuldigen, ga ik proberen wat te slapen. Ik ben morgenochtend om acht uur op jouw kantoor en dan gaan we naar de rechtbank. Als team, hoop ik.'

De Moores keken elkaar aan en toen zei Richard: 'Gregg, ik zal het onderwerp niet meer ter sprake brengen. We zullen ze op hun lazer geven. En ik beloof je dat ik van Easton niks heel zal laten.'

12

Het proces van de staat New Jersey tegen Gregg Aldrich begon op 15 september. De rechter was de edelachtbare Calvin Stevens, al sinds jaar en dag werkzaam als strafrechter, de eerste zwarte die aan de rechtbank van Bergen County was toegewezen. Hij werd geacht een harde maar rechtvaardige jurist te zijn.

Toen de selectie van de jury op het punt stond te beginnen, keek Emily in de richting van Aldrich en zijn advocaat Richard Moore. Zoals ze regelmatig had gedacht tijdens de voorbereiding van deze zaak: Aldrich had de juiste man gekozen om hem te vertegenwoordigen. Moore was een slanke, knappe man van halverwege de zestig met een volle bos peper- en zoutkleurig haar. Hij was onberispelijk gekleed in een donkerblauw pak, lichtblauw overhemd en een blauwe das met een patroontje, en straalde kalm zelfvertrouwen uit. Emily wist dat hij een advocaat was die de juryleden op een vriendelijke en respectvolle manier zou benaderen en dat ze hem aardig zouden vinden.

Ze wist ook dat hij getuigen die zijn cliënt niet echt schade konden berokkenen op dezelfde manier tegemoet zou treden en zijn scherpe aanvallen zou bewaren voor degenen die dat wel konden. Ze was zich terdege bewust van de successen die hij gescoord had in gevallen waarin de staat gedwongen was geweest een beroepscrimineel als Jimmy Easton als getuige op te roepen. Net als zij binnenkort. Een getuige die zou beweren dat de verdachte hem had gevraagd de misdaad te plegen.

Naast Moore zat zijn zoon en partner Cole Moore, die ze goed kende en aardig vond. Cole had vier jaar lang als hulpofficier in haar kantoor gewerkt voordat hij voor zijn vader ging werken, vijf jaar geleden. Hij was een goed jurist en zou samen met zijn vader een formidabel team voor de verdediging vormen. Aan de andere kant van Richard Moore zat Aldrich. Inwendig moest hij doodsangsten uitstaan met het vooruitzicht van een levenslange gevangenisstraf maar daar merkte je aan de buitenkant niets van. Hij maakte een kalme en evenwichtige indruk. Hij was tweeënveertig en een van de belangrijkste theateragenten in de showbusiness. Hij stond bekend om zijn scherpzinnigheid en charme en het was niet moeilijk te zien waarom Natalie Raines in eerste instantie verliefd op hem was geworden. Emily wist dat hij uit zijn eerste huwelijk een dochter van veertien had, die bij hem woonde in New York City. De moeder van het meisje was jong gestorven en hun naspeuringen hadden uitgewezen dat hij had gehoopt en verwacht dat Natalie een tweede moeder voor haar zou zijn. Dat was volgens Natalies vrienden een van de redenen van de scheiding geweest. Zelfs zij hadden moeten toegeven dat voor Natalie níéts belangrijker was dan haar carrière.

Ze zullen goede getuigen zijn, dacht Emily. Ze zullen de jury laten zien hoe boos en gefrustreerd Aldrich was voor hij uiteindelijk doorsloeg en haar vermoordde.

Jimmy Easton. Met hem stond of viel haar zaak. Gelukkig waren er mensen die zijn verklaring konden bevestigen. Verschillende geloofwaardige getuigen zouden naar voren geroepen worden om te verklaren dat ze hem twee weken voordat Natalie Raines was vermoord in een bar hadden gezien met Aldrich. En zelfs nog beter, bedacht Emily opnieuw, Easton had een accurate beschrijving gegeven van Aldrich' appartement in New York. Laat Moore daar zijn tanden maar eens op stukbijten, stelde Emily zichzelf gerust.

Maar de weg naar een veroordeling zou nog steeds moeilijk zijn. De rechter had de jury toegesproken en de leden laten weten dat het hier om een moordzaak ging, en dat betekende dat het proces, inclusief het kiezen van de jury en beraadslagingstijd, waarschijnlijk zo'n vier weken in beslag zou nemen.

Emily keek over haar rechterschouder. Er bevonden zich verschillende verslaggevers op de eerste rij in de rechtszaal en ze was zich ervan bewust dat er tv-camera's en fotografen waren geweest die Aldrich en zijn advocaten hadden gefilmd toen ze de rechtbank binnen waren gekomen. Ze wist ook dat als de jury eenmaal samengesteld was en zij en Moore hun openingsverklaringen hadden afgelegd, de rechtszaal afgeladen vol zou zijn. De rechter had geoordeeld dat het proces op tv uitgezonden mocht worden en Michael Gordon, de vaste presentator van het programma *Courtside*, zou het verslaan.

Ze slikte om de plotselinge droogte in haar keel te bestrijden. Ze had al meer dan twintig juryrechtszaken op haar naam staan en de meeste ervan gewonnen, maar ze was nog nooit betrokken geweest bij een zaak die zo in de belangstelling stond. Opnieuw drukte ze zichzelf op het hart: dit is allesbehalve een hamerstuk.

Het eerste potentiële jurylid, een grootmoederachtige vrouw van achter in de zestig, werd aan de balie ondervraagd. De rechter vroeg haar zonder dat de rest van de jury het kon horen of ze zich een mening gevormd had over de verdachte.

'Nou, uwe edelachtbare, nu u er toch naar vraagt, en aangezien ik een eerlijk mens ben, volgens mij is hij zo schuldig als wat.'

Moore hoefde niet eens meer iets te zeggen. Rechter Stevens deed dat voor hem. Beleefd maar beslist, zei hij tegen het duidelijk teleurgestelde jurylid dat ze kon gaan.

13

De taaie klus van het kiezen en beëdigen van een jury nam drie dagen in beslag. Op de vierde dag, om negen uur 's ochtends waren de rechter, de jury, de raadslieden en de verdachte bijeen. Rechter Stevens zei tegen de juryleden dat de raadslieden nu hun openingsverklaringen af zouden leggen. Hij gaf ze algemene instructies en legde uit dat aangezien de bewijslast bij de openbare aanklager lag zij als eerste zou moeten beginnen.

Emily haalde diep adem en stond op van haar stoel. Ze liep naar de juryleden toe: 'Goedemorgen, dames en heren. Zoals rechter Stevens al zei, mijn naam is Emily Wallace en ik ben als hulpofficier verbonden aan het OM van Bergen County. Aan mij is de verantwoordelijkheid toegewezen om u, te uwer inspectie en beoordeling, het bewijs te overleggen dat het OM heeft verzameld in de zaak van de staat versus Gregg Aldrich. Zoals rechter Stevens u al gezegd heeft, is wat ik en Mr. Moore in onze openingsverklaringen zeggen geen bewijs. Het bewijs wordt gevormd door de verklaringen van de getuigen en door de officiële bewijsstukken die overlegd worden. Het doel van mijn openingsverklaring is u een overzicht te geven van het standpunt van het OM zodat u bij elke getuige begrijpt hoe zijn of haar getuigenis in de totale bewijsvoering door de staat past.

Nadat alle getuigen gehoord zijn en de bewijzen overlegd, zal ik nogmaals in de gelegenheid gesteld worden het
woord tot u te richten – in mijn slotpleidooi – en de zaak in
alle respect aan uwer beoordeling voorleggen, ik zal in staat
zijn tegen u te zeggen dat de getuigen à charge en de fysieke bewijsstukken buiten gerede twijfel hebben aange-
toond dat Gregg Aldrich op brute wijze zijn vrouw vermoord heeft.'

De daaropvolgende vijfenveertig minuten beschreef
Emily tot in groot detail het onderzoek en de omstandigheden die tot het aanklagen van Aldrich hadden geleid. Ze
zei tegen hen dat volgens iedereen Natalie Raines en
Gregg Aldrich aan het begin van hun vijfjarige huwelijk
erg gelukkig waren geweest. Ze had het over Natalies succesvolle carrière als actrice en Aldrich' vooraanstaande positie als theateragent. Ze legde hun uit dat de bewijsvoering
duidelijk zou maken dat met het verstrijken van de tijd, de
eisen die Natalies carrière stelde, waaronder de lange periodes dat de echtelieden elkaar niet zagen wanneer ze op
tournee moest, steeds meer spanning begonnen te veroor-
zaken.

Ze liet haar stem zakken, en schetste Aldrich' groeiende
frustratie vanwege deze omstandigheden en zijn teleurstelling die zich tot een grote woede ontwikkelde dat Natalie
niet vaker thuis was bij hem en zijn jonge dochter. Met een
ondertoon van sympathie vertelde ze dat Aldrich' eerste
vrouw was gestorven toen zijn dochtertje, Katie, nog maar
drie jaar oud was en dat hij had gehoopt en verwacht dat
Natalie als een tweede moeder voor haar zou zijn. Katie
was zeven toen ze trouwden. Emily gaf aan dat ze getuigen
op zou roepen die bevriend waren geweest met het stel en
die Greggs herhaalde gefrustreerde en boze verklaringen
zouden bevestigen dat Natalie helemaal opging in haar carrière en dat ze er emotioneel gezien niet echt was, voor
geen van beiden niet.

Daarna bracht ze de jury ervan op de hoogte dat Natalie en Aldrich op huwelijkse voorwaarden waren getrouwd zodat hun financiën volledig gescheiden waren. Maar Gregg Aldrich verdiende een groot deel van zijn inkomen als Natalies agent. Toen ze, een jaar voor haar dood, bij hem weg was gegaan, liet Natalie hem weten dat ze nog steeds veel om hem gaf en wilde dat hij haar agent bleef. Maar naarmate de maanden verstreken en Natalie er steeds meer van overtuigd raakte dat vanwege Aldrich' wrokgevoelens een volledige breuk noodzakelijk was, zag hij een substantieel verlies aan inkomen tegemoet van zijn succesvolste cliënt.

Emily zei verder dat de bewijsvoering duidelijk zou maken dat Gregg Natalie herhaaldelijk verzocht had om een verzoening maar dat hij was afgewezen. Ze vertelde de juryleden dat Natalie na hun scheiding haar ouderlijk huis in Closter, New Jersey, had gekocht op dertig minuten rijden van het appartement in Midtown Manhattan waar Gregg en zijn dochter nog steeds woonden. Emily legde uit dat Natalie het prima naar haar zin had in haar huis dat zich dicht in de buurt van de New Yorkse theaters bevond en emotioneel en fysiek ver genoeg van Gregg af was. Kort na haar verhuizing en zeker van haar beslissing, vroeg Natalie echtscheiding aan. Getuigen zullen verklaren dat Gregg er kapot van was maar nog steeds niet geloofde dat het huwelijk voorbij was.

Emily ging verder. De bewijsvoering zou eveneens aan het licht brengen dat Gregg Aldrich, die steeds wanhopiger werd, Natalie begon te stalken. Op de vrijdagavond die aan haar dood op maandagochtend voorafging, woonde hij de laatste voorstelling op Broadway bij van *A Streetcar Named Desire*. Hij zat op de laatste rij zodat ze hem niet zou zien. Hij werd opgemerkt door anderen, die zouden getuigen dat hij er de hele voorstelling met een uitgestreken gezicht bij gezeten had en de enige in het publiek was die aan het einde niet overeind kwam voor de staande ovatie.

Terwijl de juryleden aandachtig luisterden, waarbij hun ogen heen en weer gingen tussen Emily en de tafel van de verdediging, ging ze verder. 'Telefoongegevens laten zien dat Gregg de volgende ochtend, op zaterdag 14 maart, zijn laatste telefoontje van Natalie ontving. Volgens zijn eigen verklaring die hij tegenover de politie aflegde nadat haar lichaam was gevonden, had Natalie een bericht voor Gregg achtergelaten dat ze naar haar huis in Cape Cod was gegaan voor het weekend. Ze zei tegen hem dat ze vast van plan was om op de afgesproken tijd, op maandagmiddag om drie uur, aanwezig te zijn bij de overdrachtsbespreking in het kantoor van haar nieuwe agent in Manhattan.'

Emily liet weten dat Aldrich tegen de politie had gezegd dat deze bespreking was belegd zodat hij en de nieuwe agent Natalies contracten en de lopende aanbiedingen in haar aanwezigheid konden doornemen.

Gregg gaf tegenover de politie toe dat Natalie hem in het bericht had laten weten even alleen te moeten zijn en ze verzocht hem dringend gedurende het weekend geen contact met haar op te nemen om welke reden dan ook.

Vervolgens wendde Emily zich tot Gregg, alsof ze hem hiermee wilde confronteren. 'Gregg Aldrich voldeed aan dat verzoek,' zei ze met stemverheffing. 'Hoewel hij aanvankelijk ontkende contact met Natalie gehad te hebben voorafgaande aan haar dood, werd dat door de politie in twijfel getrokken dankzij gegevens waar ze snel de hand op hadden weten te leggen. Minder dan een halfuur na dat telefoongesprek, werd zijn creditcard gebruikt om een auto te huren, een donkergroene Toyota sedan, die hij twee dagen hield en waar hij een totaal van iets meer dan duizend kilometer mee reed. Dat hij een auto huurde was vooral van belang omdat de verdachte al een auto bezat die in de garage van het appartementencomplex waar hij woonde stond.'

Terwijl ze zich weer naar de juryleden draaide, stelde Emily dat het aantal kilometers van bijzonder grote betekenis was omdat het achthonderzestig kilometer was van Manhattan naar Natalies huis op Cape Cod. Pas nadat hij door de politie met het feit geconfronteerd was dat een buurman van Natalie op Cape Cod, die bij haar om de hoek woonde, hem op de zaterdagavond voorafgaand aan Natalies dood in een donkergroene Toyota sedan langs had zien rijden, gaf hij toe dat hij daar geweest was.

'En wat had hij te zeggen over de reden dat hij daarheen gegaan was? Hij wil de jury doen geloven dat de enige reden dat hij dat reisje maakte was om te kijken of zijn ex-vrouw dat weekend met een andere man was. Aldrich wil u ook doen geloven dat als hij inderdaad iemand anders bij haar gezien had, hij zijn verzoeningspogingen opgegeven zou hebben en ingestemd zou hebben met de scheiding.'

Emily rolde met haar ogen en haalde haar schouders op. 'Zomaar,' zei ze. 'Nadat hij haar gesmeekt had om bij hem terug te komen, zou dezelfde man die haar letterlijk had gestalkt in de beschutting van een gehuurde auto, zijn verlies nemen en naar huis gaan. Maar hij had niet gerekend op een buurman die hem achter het stuur van die auto gezien had.

Gregg Aldrich is een man van het goede leven. Er zijn prima hotelletjes op Cape Cod, maar hij logeerde in een goedkoop motel in Hyannis. Hij gaf toe dat hij op zaterdag twee keer langs Natalies huis gereden was en daar geen andere auto of persoon gezien had. Hij gaf verder toe dat hij op zondag drie keer langs haar huis reed, voor het laatst om acht uur in de avond, en dat hij de indruk kreeg dat Natalie alleen was. Hij beweerde dat hij in vijf uur terug naar New York reed en onmiddellijk naar bed ging. Hij beweerde dat hij op maandagochtend om zeven uur 's ochtends wakker werd, om ongeveer 7.20 uur ging joggen in Central Park, dat hij meer dan twee uur lang rende of liep, en om tien uur de Toyota terugbracht naar het verhuurkantoor dat zes straten van zijn appartement verwijderd lag.'

Emily's stem werd steeds sarcastischer. 'En wat zei hij tegen de politie over de reden dat hij een auto gehuurd had in plaats van met zijn eigen luxewagen te gaan? Hij liet weten dat zijn eigen auto allang voor een servicebeurt naar de garage had gemoeten en dat hij er op dat moment niet zoveel kilometers mee wilde rijden.' Ze schudde haar hoofd. 'Wat een belachelijk verhaal. Ik meen te mogen beweren dat Gregg Aldrich een auto huurde die niet door Natalie herkend zou worden als ze toevallig uit het raam keek. Hij wilde niet dat Natalie wist dat hij haar stalkte.'

Emily haalde diep adem. 'Maar hij kende wel haar gewoonten. Natalie had er een hekel aan om te rijden als het druk op de weg was. Ze vond het niet vervelend om 's avonds laat of vroeg in de ochtend te rijden. Ik meen te mogen beweren dat Gregg Aldrich wist dat Natalie ergens aan het begin of halverwege de ochtend op maandag in Closter terug zou zijn, en hij ging daarheen om haar te confronteren. Hij was vóór haar ter plekke. U zult van de huishoudster van een van de buren, Suzie Walsh, horen, dat ze Natalie om een paar minuten voor acht in haar garage uit haar auto zag stappen. Ze zal u ook vertellen dat vijf uur later, om één uur, toen ze langs Natalies huis reed, ze zag dat het autoportier nog steeds openstond en voelde dat er iets mis was. U zult horen dat ze besloot het huis in te gaan en Natalie stervend aantrof op de keukenvloer. U zult van de rechercheurs horen dat er geen teken van braak was, maar Natalies moeder zal u vertellen dat Natalie een sleutel van de achterdeur, die een apart slot had, bewaarde in een nepkei in de achtertuin. Die sleutel was weg. En heel belangrijk, Gregg Aldrich wist waar hij die sleutel kon vinden aangezien hij die nepkei voor Natalie had gekocht.'

Emily vervolgde: 'De staat geeft toe dat er geen bewijs gevonden is voor Gregg Aldrich' fysieke aanwezigheid op de moordlocatie. Vandaar dat in de eerste twee jaar van dit onderzoek, ook al bestond er wel indirect bewijs met betrekking tot Gregg Aldrich, het OM van Bergen County erkende dat de verdenking alleen, zelfs al was die groot, niet genoeg was. Gregg Aldrich werd pas zes maanden geleden gearresteerd. Hij werd gearresteerd nadat de doorbraak die nodig was zich voordeed. Die doorbraak deed zich voor in de persoon van Jimmy Easton.'

Dit wordt het moeilijkste deel, dacht Emily, terwijl ze een slokje water nam. 'Ik begin mijn referentie aan Mr. Easton door u meteen te vertellen dat hij een beroepsmisdadiger is. Hij heeft talloze veroordelingen op zijn naam staan in de afgelopen twintig jaar en heeft verschillende keren in de gevangenis gezeten. Zes maanden geleden deed hij opnieuw wat hij het grootste deel van zijn volwassen leven heeft gedaan – hij beging weer een misdrijf. Hij brak in in een huis te Old Tappan, maar werd gepakt toen hij ervandoor ging met geld en sieraden op zak. Het stille alarm dat was afgegaan bracht de politie op de hoogte van de inbraak. Toen hij onder handen werd genomen op het plaatselijke politiebureau wist hij ongetwijfeld dat hem een lange gevangenisstraf boven het hoofd hing. Hij vertelde de politie dat hij belangrijke informatie had met betrekking tot de moord op Natalie Raines. Rechercheurs van het OM reageerden meteen en verhoorden hem.'

De juryleden luisterden allemaal aandachtig. Ze kon hun negatieve reactie voelen toen ze de details besprak van Eastons eerdere veroordelingen wegens inbraak, diefstal, vervalsingen, en de verkoop van drugs. Voordat ze inging op alles wat Easton de rechercheurs verteld had, leidde ze haar verhaal in door te zeggen dat ze nooit zou verwachten dat een jury hem geloofde tenzij er een belangrijke bevestiging bestond van wat hij zei. Ze zei dat die er was.

Emily vertelde de jury ronduit dat ze er wel van uit konden gaan dat de heer Easton niet simpelweg meewerkte uit de goedheid van zijn hart. In ruil voor zijn getuigenis had het OM ermee ingestemd om zijn gevangenisstraf voor de inbraak die hij bekend had te beperken tot vier jaar, wat zes jaar minder was dan de tien jaar die hij anders als veelpleger gekregen zou hebben. Ze zei tegen hen dat dit soort onderhandelingen over strafvermindering soms nodig waren om informatie over een ernstiger misdrijf los te krijgen. Ze benadrukte dat Easton nog steeds naar de gevangenis zou gaan maar wel zou profiteren van zijn medewerking.

Emily haalde diep adem. Ze was zich er terdege van bewust dat de juryleden aan haar lippen hingen. Ze zei tegen hen dat Easton de rechercheurs had laten weten dat hij twee weken voordat Natalie Raines was vermoord hij Gregg Aldrich toevallig tegen was gekomen in een bar in Manhattan. Easton zei dat Aldrich zwaar zat te drinken en een erg depressieve indruk maakte. Easton verklaarde tegenover de politie dat hij onlangs voorwaardelijk vrij was gekomen en geen baan kon krijgen vanwege zijn criminele verleden. Hij woonde in een huurkamer in Greenwich Village en deed af en toe wat klusjes.

Dames en heren van deze jury, Jimmy Easton liet Aldrich weten dat hij een crimineel verleden had en zei verder nog tegen hem dat hij, vóór de juiste prijs, graag dit probleem voor hem zou oplossen. Aldrich bood hem vooraf vijfduizend dollar aan en twintigduizend dollar nadat de misdaad gepleegd was. U zult de heer Easton horen verklaren dat die overeenkomst inderdaad gesloten werd en dat Aldrich Easton veel bijzonderheden verstrekte met betrekking tot Natalies agenda en waar ze woonde. U zult eveneens horen, dames en heren, dat de gegevens van de telefoonmaatschappij laten zien dat er een telefoontje werd gepleegd van Aldrich' mobiel naar die van Easton. U zult ontdekken dat Jimmy Easton naar Gregg Aldrich' appartement ging, waarvan hij het interieur tot in detail zal beschrijven, en aldaar de vijfduizend dollar aanbetaling in ontvangst nam. De heer Easton zal u vertellen dat hij daarna echter bang werd gepakt te worden en de rest van zijn leven in de gevangenis door zou moeten brengen. Hij zal u ook vertellen dat hij toen een brief aan Mr. Aldrich schreef om hem te laten weten dat hij er niet mee door kon gaan. Dames en heren, ik meen te mogen beweren dat, tragisch genoeg voor Natalie Raines, dit het moment was dat Gregg Aldrich besloot om haar zelf om het leven te brengen.'

Emily sloot haar verhaal af door de juryleden te bedanken voor hun aandacht. Toen de rechter hun vertelde dat nu het woord aan Mr. Moore was liep ze langzaam terug naar haar stoel. Ze knikte bijna onmerkbaar naar Ted Wesley, die op de eerste rij zat. Ik ben blij dat dat achter de rug is. Volgens mij ging het best goed. Laten we nu maar eens horen wat Moore over onze kroongetuige te zeggen heeft.

Moore stond op en schudde dramatisch met zijn hoofd als om alle onzin die hij zojuist gehoord had van zich af te schudden. Hij bedankte de rechter, liep bedachtzaam naar de tribune waar de jury zat en leunde lichtjes tegen de reling aan.

Als goede buren die met elkaar kletsen over de schutting, dacht Emily sarcastisch. Dat doet hij steeds. Hij is van plan hun nieuwe beste vriend te worden.

'Dames en heren, mijn naam is Richard Moore. Mijn zoon Cole Moore en ik vertegenwoordigen Gregg Aldrich. We willen beginnen met u te bedanken voor het feit dat u een aantal weken van uw persoonlijke leven hebt gereserveerd om mee te doen aan deze jury. Dat stellen we allebei zeer op prijs. Het is ook erg belangrijk. U heeft letterlijk het leven en de toekomst van Gregg in uw handen. We hebben veel tijd uitgetrokken voor het samenstellen van deze jury en toen ik zei dat de jury "bevredigend" was, bedoelde ik te zeggen dat Gregg en ik wisten dat de mensen die hier zaten eerlijk zouden zijn. En dat is alles wat we van u vragen.

De openbare aanklager heeft zojuist bijna een uur besteed aan het uitleggen van wat zij als het bewijs in deze zaak beschouwt. U hebt hetzelfde gehoord als ik. Bijna twee jaar lang is er in deze zaak niemand gearresteerd. Het enige wat de politie tot die tijd wist was dat Gregg en Natalie, zoals zoveel stellen, in scheiding lagen. En net als zoveel andere mensen die gaan scheiden was Greggs hart gebroken. Ik beloof u dat hij zal getuigen in deze zaak. Hij zal u vertellen, zoals hij de politie verteld heeft lang voordat hij gearresteerd werd, dat hij naar Cape Cod was gegaan omdat hij wilde weten of ze iemand anders had. Hij deed dat omdat hij wilde zien of een verzoeningspoging nog zin had.

U zult horen dat hij zag dat ze alleen was, vervolgens Cape Cod verliet en terugging naar New York. Hij heeft op geen enkel moment met haar gesproken.

Hulpofficier Wallace legde de nadruk op de twee uur die Gregg Aldrich niet in zijn appartement was, de ochtend dat Natalie vermoord werd. U zult vernemen dat hij al jaren de gewoonte had iedere ochtend hard te lopen. Het OM wil u laten geloven dat het hem die ochtend lukte in de spits naar New Jersey te rijden, Natalie te vermoorden en weer in de spitsdrukte terug naar New York te rijden en dat allemaal in twee uur tijd. Ze willen u doen geloven dat hij de vrouw vermoord heeft van wie hij wist dat ze geen relatie met iemand anders had en met wie hij zich nog steeds wanhopig wilde verzoenen. Dat was zo ongeveer hun hele bewijs tot Jimmy Easton ten tonele verscheen. Deze modelburger, die hun zaak gered heeft – een man die de helft van zijn volwassen leven in de gevangenis heeft doorgebracht en een groot deel van de rest van de tijd voorwaardelijk vrij was.'

Moore schudde zijn hoofd en ging verder, terwijl zijn

stem van sarcasme droop. 'Jimmy Easton werd opnieuw gearresteerd toen hij op de vlucht was nadat hij ingebroken had bij een huis in deze streek. Weer had hij de heiligheid van een gezinswoning geschonden en die leeggeroofd. Gelukkig alarmeerde het stille alarm de politie en hij werd in de kraag gevat. Maar het was nog niet voorbij voor Jimmy Easton. Als veelpleger kon hij op een lange gevangenisstraf rekenen, maar er was een ontsnappingsmogelijkheid: Gregg Aldrich. U zult horen hoe deze pathologische leugenaar, deze sociopaat, van een toevallige, korte ontmoeting in een bar met Gregg Aldrich, waarin ze het uitsluitend over honkbal hadden, een sinister complot maakte om de vrouw van wie Gregg hield om het leven te brengen. U zult horen hoe Gregg deze volkomen vreemde vijfentwintigduizend dollar geboden zou hebben om deze misdaad te plegen. U zult horen dat Easton akkoord ging met dit voorstel en vervolgens zult u horen hoe Easton kort daarna ineens last kreeg van zijn geweten, kennelijk voor het eerst in zijn nutteloze bestaan en toen afzag van de afspraak.

Deze onzin wil de staat u voor zoete koek laten slikken. Dit is het bewijs op grond waarvan ze u vragen het leven van Gregg Aldrich te verwoesten. Dames en heren, ik laat u weten dat Gregg Aldrich een getuigenis af zal leggen en dat hij u een bevredigende verklaring zal geven voor het feit dat Easton een beschrijving van zijn woonkamer kon geven en waarom er naar hem gebeld was.'

Toen draaide hij zich om, wees met zijn vinger naar Emily, en riep met donderende stem: 'Voor het eerst in de meer dan twintig keer dat Easton met het rechtssysteem in aanraking is gekomen, wordt hem gevraagd vóór de staat te getuigen, in plaats van door hen vervolgd te worden.'

Moore beende weg naar zijn stoel en de rechter richtte zich tot Emily: 'Openbare aanklager, roept u uw eerste getuige op.'

14

Vanaf het moment dat ze Natalie gevonden had was Suzie Walsh onder haar vrienden een beroemdheid. Keer op keer had ze het verhaal verteld er zeker van te zijn geweest dat er iets mis was toen ze, van haar werk op weg naar huis, had gezien dat zowel Natalies garagedeur als autoportier openstonden, net als vijf uur daarvoor.

'Iets dwong me op onderzoek uit te gaan, ook al was ik bang dat ik gearresteerd zou kunnen worden voor huisvrededebreuk,' vertelde ze ademloos, 'en toen ik binnenkwam en die mooie vrouw daar ineengedoken en kreunend, met bloed over haar hele trui, op de vloer zag liggen, bestierf ik het bijna. Mijn vingers trilden zo erg dat ik het idee had dat mijn telefoontje naar het alarmnummer niet eens door was gekomen. En toen...'

Ze wist dat de politie Natalies echtgenoot, Gregg Aldrich, had opgeroepen als 'verdacht persoon' in deze moordzaak en dat hij op een dag aangeklaagd zou worden, en dus was Suzie een stuk of tien keer naar de rechtbank van Bergen County gegaan als er een strafzaak diende, om zichzelf vertrouwd te maken met hoe het zou zijn mocht ze ooit opgeroepen worden om een verklaring af te leggen. Ze vond het allemaal even opwindend en prentte zichzelf in dat sommige getuigen te veel praatten en van de rechter te horen kregen dat ze zich moesten beperken tot de vragen zonder hun mening erbij te geven. Suzie wist dat dat haar zwakke punt zou zijn.

Toen Gregg Aldrich na twee jaar formeel in staat van beschuldiging werd gesteld en Suzie wist dat ze zou moeten getuigen tijdens het proces, praatte ze er uren met haar vrienden over wat ze aan zou trekken naar de rechtbank. 'Je komt misschien wel op de voorpagina van de kranten,' waarschuwde een van hen. 'Als ik jou was zou ik een mooi, nieuw, zwart of bruin pak kopen. Ik weet dat je gek bent op rood, maar rood lijkt me te frivool voor iemand die moet beschrijven wat jij die dag gezien hebt.'

Suzie had precies gevonden waar ze naar op zoek was in de uitverkoop van een outlet waar ze graag kwam. Het was een bruin tweed pak met een donkerrood draadje in de stof geweven. Rood was niet alleen haar favoriete kleur maar hij bracht haar ook geluk. Zelfs dat kleine beetje rood in het patroon, en het feit dat het pak haar veel slanker maakte dan haar maat 44, schonken haar zelfvertrouwen.

Toch voelde Suzie het kriebelen in haar buik toen ze werd opgeroepen om naar de getuigenbank te komen, ook al had ze de dag daarvoor nog haar haar laten kleuren en föhnen. Ze legde haar hand op de bijbel, en zwoer dat ze de waarheid en niets dan de waarheid zou zeggen. Toen nam ze plaats in de getuigenbank.

De openbare aanklager, Emily Wallace, is echt aantrekkelijk, dacht Suzie, en ze lijkt nog zo jong om nu al een belangrijke zaak als deze voor haar rekening te moeten nemen. Maar ze had een prettige manier van doen en na de eerste paar vragen begon Suzie zich te ontspannen. Ze had zo vaak met haar vrienden gepraat over wat er gebeurd was dat het gemakkelijk was om alle vragen zonder aarzeling te beantwoorden.

Als antwoord op Emily's vragen, legde Suzie uit dat ze de garage in gelopen was, Natalies handtas en koffer in haar auto had gezien en toen op de deur geklopt had. Toen ze begreep dat hij niet op slot was ging ze de keuken in. Suzie stond net op het punt om uit te gaan leggen dat het niet haar gewoonte was om onuitgenodigd de huizen van mensen binnen te gaan maar dat dit een ander geval was om wat ze had gezien. Maar ze onderbrak zichzelf. Gewoon de vragen beantwoorden, dacht ze.

Toen vroeg Emily Wallace haar om in haar eigen woorden te beschrijven wat ze in de keuken had aangetroffen.

'Ik zag haar direct liggen. Als ik nog twee stappen gedaan had was ik over haar gevallen.'

'Wie zag u, Ms Walsh?'

'Ik zag Natalie Raines.'

'Leefde ze nog?'

'Ja. Ze kreunde als een gewond katje.'

Suzie hoorde dat er iemand begon te snikken. Haar
ogen schoten naar de derde rij, waar een vrouw die ze van
foto's in de krant herkende als de tante van Natalie Raines,
een zakdoek uit haar tasje griste en tegen haar lippen drukte. Terwijl Suzie naar haar keek raakte de gezichtsuitdrukking van de oudere vrouw steeds gekwelder, maar ze liet
zich niet meer horen.

Suzie beschreef dat ze het alarmnummer belde en vervolgens naast Natalie neergeknield had. 'Over haar hele
trui zat bloed. Ik wist niet of ze me kon horen maar ik weet
dat mensen die bewusteloos lijken het eigenlijk niet zijn en
zich er bewust van zijn als iemand tegen hen praat, dus zei
ik tegen haar dat het allemaal goed zou komen en dat er
een ambulance onderweg was. En toen hield ze gewoon
op met ademen.'

'Hebt u haar aangeraakt?'

'Ik legde mijn hand op haar voorhoofd en streelde haar.
Ik wilde dat ze voelde dat ze niet alleen was. Ze moet zo
bang zijn geweest, terwijl ze daar zo lag en wist dat ze
waarschijnlijk dood zou gaan. Ik weet dat ik bang zou
zijn.'

'Bezwaar,' Richard Moore sprong op uit zijn stoel.

'Toegestaan,' beval de rechter. 'Ms Walsh, beantwoord
gewoon de vraag alstublieft zonder toegevoegd commentaar. Aanklager, herhaal de vraag.'

'Hebt u haar aangeraakt?' vroeg Emily weer.

'Ik legde mijn hand op haar voorhoofd en streelde haar,'
zei Suzie voorzichtig, bang geworden door de advocaat.
Maar toen was de beurt aan Moore. Hij vroeg maar een

paar vragen en was heel vriendelijk. Het was een beetje gênant toe te moeten geven dat ze bijna altijd 's middags als ze
naar huis ging langs Natalie Raines' huis reed, zelfs al betekende dat dat ze een blok om moest rijden om weer bij de
snelweg uit te komen. Maar ze zag dat sommige mensen in
de rechtszaal moesten glimlachen toen ze zei dat ze zo'n
fan was van Natalie en dat ze het geweldig had gevonden
om een glimp van haar op te vangen wanneer ze maar kon.

'Wanneer was de laatste keer dat u Natalie Raines zag
voor u haar huis binnenging?' vroeg Moore.

'Zoals ik al zei, ik zag haar die ochtend uit de auto stappen.'

'Geen vragen meer,' zei Moore kort.

Het was bijna teleurstellend dat het al voorbij was. Toen
ze de getuigenbank verliet zorgde Suzie ervoor dat ze even
een goede blik op Gregg Aldrich kon werpen. Een knappe
man, dacht ze. Ik begrijp wel dat zelfs zo'n mooie vrouw
als Natalie Raines verliefd op hem werd. Hij heeft zo'n
droevige blik in de ogen. Wat een bedrieger is die vent,
zeg. Ik word er misselijk van.

Ze hoopte dat hij de blik vol minachting opmerkte die
ze hem toezond toen ze de rechtszaal uit liep.

15

Vanwege zijn lange vriendschap met Gregg en omdat Katies opmerkingen hem geraakt hadden, had Michael Gordon wel verwacht dat hij zich emotioneel erg betrokken
zou voelen bij het proces van de staat New Jersey tegen
Gregg Aldrich. Maar hij was niet bedacht op zijn bijna fata-
listisch gevoel dat Gregg niet alleen schuldig was aan maar
ook veroordeeld zou worden voor de moord op Natalie.

Zoals hij wel had verwacht trok het proces nationale

aandacht. Natalie was een van de grootste Broadwayster-
ren geweest en was genomineerd geweest voor een Oscar.
Gregg, die regelmatig te gast was bij gelegenheden waar
veel sterren kwamen, was een vertrouwd gezicht voor de
gretige lezers van de glossy's. Na Natalies dood was Gregg
in het bijzonder het doelwit geweest van de paparazzi. Iedere keer dat hij met een actrice naar een evenement ging,
werd er gefluisterd dat hij een verhouding met haar zou
hebben.

De koppen in de glossy's maakten luid en duidelijk melding van het feit dat Gregg voor de politie 'een verdacht
persoon' was waar het de moord op Natalie betrof.

Michael wist dat Gregg een hoop bagage mee naar het
proces nam. Maar daar kwam nog een onverwacht ele-
ment bij: de kranten besteedden eveneens veel aandacht
aan de jonge, mooie aanklager, Emily Wallace, en de com-
petente manier waarop ze de zaak tegen Aldrich opbouw-
de.

Als voormalig advocaat, zag Michael in dat Emily bezig
was de mogelijkheid uit te sluiten dat Natalie het slachtoffer was geweest van een gelegenheidsmisdrijf. De rechercheurs die aan haar kantoor verbonden waren: Billy Tryon
en Jake Rosen, waren goede getuigen, ze gaven duidelijke
antwoorden op haar vragen.

Ze getuigden dat er niet ingebroken was in het huis van
Natalie Raines. Er was niet gerommeld met het beveiligingssysteem. Een professionele inbreker had de kleine
kluis in Natalies slaapkamer met een blikopener nog open
kunnen krijgen maar er was geen teken dat iemand eraan
gezeten had. Alles leek erop te wijzen dat de dader door de
achterdeur weggegaan was en door de tuin en het bosrijke
gebied daarachter naar de volgende straat had weten te komen. Het had die nacht geregend en ze waren van mening
dat hij een soort plastic hoesjes over zijn schoenen aangetrokken moest hebben want het was onmogelijk om een

deugdelijk afgietsel van een voetafdruk te maken zelfs al waren er twee duidelijke markeringen in het gras te zien waar dat erg zacht was. Er paste een schoenmaat 44-45 in.

De schoenmaat van Gregg Aldrich was 44.

Het logboek van het beveiligingssysteem werd opgevoerd als bewijsstuk. De laatste keer dat het systeem aangezet was, was vrijdagmiddag om vier uur geweest op 13 maart. Het was om halftwaalf diezelfde avond uitgeschakeld, bevestigde de installateur, en nooit meer opnieuw ingeschakeld. Dat betekende dat het huis het hele weekend en de maandagochtend dat Natalie Raines was vermoord niet beveiligd was geweest.

Toen zij in de getuigenbank plaatsnam verklaarde Natalies moeder, Alice Mills, dat Natalie een reservesleutel in een nepkei in de achtertuin van het huis in Closter had gehad. 'Gregg wist van die rots,' zwoer ze. 'Hij had hem voor Natalie gekocht. Toen ze nog samenwoonden was ze altijd haar sleutel van het appartement kwijt of ze vergat hem. Dat was de reden dat toen ze naar Closter verhuisde hij tegen haar zei dat ze beter ergens een reservesleutel kon bewaren of dat ze anders op een koude avond nog een keer zou ontdekken dat ze zichzelf buitengesloten had.'

Alice Mills' volgende opmerking werd geschrapt maar werd door iedereen in de rechtszaal gehoord. Ze was gaan snikken en had terwijl ze Gregg aankeek geroepen: 'Je gedroeg je altijd zo beschermend tegenover Natalie! Hoe heb je zo kunnen veranderen? Hoe is het mogelijk dat je haar zozeer haatte dat je haar dat aandeed?'

De volgende getuige was werkzaam bij Brookstone en nam een kopie van de bon mee waarop duidelijk te zien was dat Gregg de kei met zijn creditcard betaald had.

Het getuigenis van de patholoog-anatoom was zakelijk en duidelijk. Uit de positie van Natalie Raines' lichaam meende hij op te kunnen maken dat ze aangevallen was zodra ze de keuken binnenkwam. Een bult op de achterkant van haar hoofd suggereerde dat ze vastgegrepen was en op de vloer neergesmeten en toen van dichtbij doodgeschoten. De kogel was rakelings langs haar hart gegaan. Interne bloedingen vormden de doodsoorzaak.

'Als er meteen hulp was geweest nadat ze was neergeschoten, had ze dan gered kunnen worden?' vroeg Wallace.

'Zonder meer.'

Die avond concentreerde de paneldiscussie in *Courtside* zich op Emily Wallace.

'De blik die ze Aldrich toewierp na die laatste vraag aan de patholoog-anatoom was puur theater,' merkte Peter Knowles, een gepensioneerd officier van justitie, op. 'Wat ze de jury liet weten was dat nadat Aldrich Natalie neergeschoten had, hij nog steeds haar leven had kunnen redden. In plaats daarvan liet hij haar doodbloeden.'

'Daar geloof ik niks van,' zei Brett Long, een forensisch psycholoog, met nadruk. 'Waarom zou hij het risico lopen dat er, nadat hij weg was gegaan, iemand anders binnen zou komen die hulp ging halen? Aldrich of wie haar ook vermoord heeft dacht dat ze dood was.'

Dat was precies wat Michael dacht. Waarom heb ik dat niet als eerste gezegd? vroeg hij zichzelf af. Was dat omdat ik Gregg zelfs niet de geringste steun wil betuigen? Ben ik er zeker van dat hij schuldig is? In plaats van in te stemmen met Brett Long, zei hij: 'Emily Wallace heeft het talent elk jurylid het gevoel te geven dat ze een persoonlijk gesprek met hem of haar aan het voeren is. We weten allemaal hoe effectief dat is.'

Aan het einde van de tweede week van het proces werd de kijkers gevraagd om hun mening te geven over Greggs schuld dan wel onschuld op de website van *Courthouse*. Het aantal hits was overweldigend en vijfenzeventig procent daarvan stemde voor een schuldigverklaring. Toen een lid van het panel hem feliciteerde met de grote respons moest Michael denken aan Katies bittere opmerking dat zijn rapportage van het proces hem een flinke bonus op zou leveren.

Elke dag leek het net zich dichter om Gregg te sluiten en Michael had steeds meer het gevoel dat hij zijn vriend in de steek gelaten had en zelfs ertoe bijgedragen had dat de publieke opinie zich tegen hem keerde. Hoe zat het met de juryleden? vroeg hij zich af. De juryleden werden geacht alle berichtgeving over de zaak te negeren. Michael vroeg zich af hoeveel van hen elke avond naar zijn show keken en of de stemmingsuitslagen hen zouden beïnvloeden.

Keek Gregg naar *Courtside* als hij weer terug was in zijn appartement? Op de een of andere manier wist Michael dat dat zo was. En hij vroeg zich ook af of Gregg heel misschien dezelfde reactie op Emily Wallace vertoonde als hij – namelijk dat ze hem aan Natalie deed denken.

16

Zach wist dat hij een fout gemaakt had. Hij had die avond niet bij Emily op de veranda tv moeten zitten kijken toen zij thuiskwam. Ze had onmiddellijk een bezorgde blik in haar ogen gekregen en ze had hem erg koeltjes bedankt voor het oppassen op Bess.

Hij wist dat de enige reden dat ze hun regeling nog niet veranderd had het proces was, maar hij was er zeker van dat ze binnenkort wel een excuus zou weten te verzinnen van hem af te komen. Erger nog, misschien had ze hem wel al nagetrokken? Ze was per slot van rekening een openbare aanklager. Ze moest geen argwaan krijgen.

Zachary Lanning was de naam geweest die hij had gekozen voor zijn nieuwe identiteit in de maanden dat hij zijn wraakneming op Charlotte, haar moeder en haar kinderen gepland had. Hij probeerde niet aan zijn andere namen te denken, al kwamen ze soms in zijn slaap weer naar boven.

In Des Moines was hij Charley Muir geweest en in dat leven was hij elektricien en lid van de vrijwillige brandweer. Charlotte was zijn derde vrouw, maar dat had hij niet tegen haar gezegd. Hij gebruikte zijn spaargeld om een huis voor haar te kopen. Charley en Charlotte, dat klonk zo lekker warm en gezellig. Toen, twee jaar later, schopte ze hem eruit. Haar moeder trok bij haar en de kinderen in. Ze kampeerde in mijn huis, dacht hij, ook al was ze toen ik daar nog woonde zelfs nog nooit op bezoek gekomen. Charlotte vroeg echtscheiding aan en de rechter wees haar het huis toe plus alimentatie vanwege het feit dat ze beweerde een goede baan opgegeven te hebben om thuis zijn maaltijden voor hem te kunnen klaarmaken. Charlotte loog dat ze barstte. Ze had een hekel aan haar werk gehad.

Toen was hij erachter gekomen dat ze iets had met een van de andere mannen bij de vrijwillige brandweer, Rick Morgan. Hij hoorde Rick tegen iemand zeggen dat Charlotte hem de laan uit had gestuurd omdat ze bang voor Zach was, dat hij iets engs had…

Hij had ervan genoten Emily Wallace de hele zomer bezig te zien met de voorbereiding van een zaak om een man te kunnen veroordelen voor het vermoorden van zijn vrouw. En dat gaat haar lukken ook, dacht Zach, zo slim is ze wel. Maar ze is niet slim genoeg om te weten dat ik vijf mensen in één keer gedood heb! Hij was er vooral trots op dat Emily's naam en gezicht voortdurend in de media te zien waren – het was bijna alsof ze hem daarmee ook een compliment gaven.

Niemand bevindt zich dichter bij haar dan ik, dacht hij. Ik controleer haar e-mails, ik snuffel door haar bureauladen. Ik raak haar kleren aan. Ik lees de brieven die haar man haar schreef vanuit Irak. Ik ken Emily beter dan ze zichzelf kent.

Maar nu moest hij eerst iets ondernemen om haar verdenking te sussen. Hij speurde rond in de buurt en vond een middelbare scholier die wel een baantje wilde na school. Vervolgens wachtte hij tot Emily op vrijdagavond, aan het eind van de tweede week van het proces, thuiskwam en hield haar aan toen ze uit de auto stapte.

'Emily, het spijt me vreselijk, ik heb een nieuw rooster en moet nu een tijdje van vier tot elf in het magazijn werken,' loog hij. 'Dus dat is niet echt handig voor jou wat Bess betreft.'

Hij was behoorlijk gepikeerd dat hij dit keer een uitdrukking van pure opluchting in Emily's ogen zag. Toen liet hij haar weten dat er een eindje verderop een scholier woonde die bereid was om het van hem over te nemen, in ieder geval tot Thanksgiving, want dan begonnen haar repetities voor een toneelopvoering op school.

'Zach, dat is heel aardig van je,' zei Emily tegen hem. 'Maar om eerlijk te zijn, ben ik in de toekomst weer op een redelijk tijdstip thuis, dus ik heb geen hulp meer nodig.'

Ze had er net zo goed aan kunnen toevoegen 'nooit meer'. Want Zach zag wel in dat Emily niemand meer toegang tot haar huis zou verlenen.

'Nou ja, hier is haar nummer voor het geval dat en hier is de sleutel,' zei Zach en toen zonder haar aan te kijken, voegde hij er op verlegen toon aan toe: 'Ik kijk elke avond naar dat programma *Courtside*. Je doet het geweldig. Ik kan niet wachten om te zien hoe je die vent Aldrich aan zult pakken als hij in de getuigenbank plaats moet nemen. Het moet wel een vreselijk mens zijn.'

Emily glimlachte om hem te bedanken en stak de sleutel in haar zak. Eind goed al goed, dacht ze toen ze de trap naar de voordeur op liep. Ik zat al te verzinnen hoe ik een einde aan deze situatie kon maken en nu heeft die arme kerel het al voor me gedaan.

Zach keek met tot spleetjes geknepen ogen toe hoe ze

wegliep. Net zoals Charlotte hem uit zijn eigen huis gezet had, zo had ook Emily hem uit haar leven verbannen. Ze zou er echt niet, zoals hij had gehoopt, mee instemmen dat dat meisje uit de straat haar kwam helpen met het uitlaten van die hond van haar en dan vervolgens blij zijn als hij het weer overnam. Dat ging niet gebeuren.

De razernij die hem op andere momenten in zijn leven had overspoeld kwam weer opzetten. Hij nam een besluit. Jij bent de volgende, Emily, dacht hij. Ik accepteer geen af-wijzingen. Dat heb ik nooit gedaan en dat zal ik ook nooit doen.

Eenmaal binnen, voelde Emily zich om de een of andere onverklaarbare reden niet op haar gemak en deed de deur achter zich op het nachtslot. Op de achterveranda liet ze Bess uit haar bench en bedacht toen dat het geen gek idee was om een grendel aan te laten brengen op de achterdeur.

Waarom heb ik ineens van die bange voorgevoelens? vroeg ze zich af. Dat komt vast door het proces. Ik heb zo-veel over Natalie gepraat dat ik het gevoel heb dat ik haar geworden ben.

17

Sinds het proces begonnen was, had Gregg Aldrich de ge-woonte aangenomen vanaf de rechtbank direct naar het kantoor van zijn advocaat te gaan om daar een paar uur lang de verklaringen van de getuigen van het OM door te nemen die die dag gehoord waren. Katie, die volhardde in haar behoefte om bij hem te zijn in de rechtszaal, had er-mee ingestemd dat ze rond een uur of vier zodra de zitting voor die dag voorbij was naar huis zou gaan om daar haar leraar te ontvangen.

Ze had er eveneens mee ingestemd, op aandringen van

haar vader, dat ze in ieder geval een paar avonden met haar schoolvrienden uit Manhattan door zou brengen voor ze op kostschool ging, op Choate in Connecticut.

De avonden dat ze thuis was keken ze samen naar *Courtside*. Het resultaat was steevast dat ze, wanneer ze de hoogtepunten van het proces zag en de paneldiscussie hoorde, in tranen was van woede.

'Pappa, waarom komt Michael nóóit voor je op?' wilde ze weten. 'Hij was altijd zo aardig als we met hem gingen skiën en hij zei altijd dat je Natalie zo geweldig met haar carrière had geholpen. Waarom zegt hij dat nu niet, nu dat jouw zaak zoveel goed zou doen?'

'We zullen hem!' was onveranderlijk Greggs reactie. 'We gaan nooit meer met hem skiën.' In gespeelde verontwaardiging schudde hij zijn vuist naar het scherm.

'O, pappa!' lachte Katie dan. 'Maar ik méén het echt.'

'En ik ook,' zei Gregg dan, zachter nu.

Gregg moest bekennen dat de avonden dat Katie een paar uur weg was met vrienden voor hem een prettige onderbreking waren. Overdag was de liefde die hij van haar af voelde stralen vanaf haar plek, een paar rijen achter hem in de rechtszaal, even welkom als een warme deken voor iemand die onderkoeld is geraakt. Maar soms moest hij gewoon alleen zijn.

Dit was een van die avonden dat Katie uit eten was gegaan. Gregg had haar beloofd dat hij roomservice zou laten komen vanuit de club beneden, maar nadat ze weg was gegaan schonk hij zichzelf een dubbele whisky in, deed er ijsblokjes in en installeerde zich in de studeerkamer, met de afstandsbediening in zijn hand. Hij was van plan naar *Courtside* te kijken maar eerst moest hij eens even heel goed nadenken.

Tijdens hun bespreking een paar uur eerder hadden Richard en Cole Moore hem gewaarschuwd dat Jimmy Easton de volgende dag opgeroepen zou worden en dat de zaak stond of viel met zijn geloofwaardigheid als getuige. 'Gregg, wat hij zal gaan zeggen over dat hij met jou had afgesproken in het appartement, is absoluut cruciaal,' had Richard gewaarschuwd. 'Ik vraag je het nogmaals. Bestaat er énige kans dat hij daar ooit geweest is?'

Gregg wist dat zijn reactie oververhit was geweest. 'Ik heb nooit in mijn appartement met die leugenaar afgesproken. Vraag me daar niet meer naar.' Maar de vraag bleef hem achtervolgen. Hoe was het mogelijk dat Easton kon beweren hier geweest te zijn? Of ben ik gek aan het worden?

Nu, terwijl hij een slokje whisky nam, had Gregg het gevoel dat hij het wel aankon zoals elke avond naar *Courtside* te kijken, maar toen het programma begon, was de kalmerende werking van de dure *single* malt whisky al snel verdwenen. Vijfenzeventig procent van de kijkers die gereageerd hadden op de websitepeiling dacht dat hij schuldig was.

Vijfenzeventig procent! dacht Gregg ongelovig. Vijfenzeventig procent!

Beelden van het proces lieten Emily Wallace zien die hem recht aankeek. De pure minachting en afschuw waarmee ze hem opnam deden hem nu nog net zo ineenkrimpen als in de rechtszaal. Iedereen die naar het programma keek zag het ook. Onschuldig tot het tegendeel bewezen is, dacht hij verbitterd. Nou, ze doet verdomd goed haar best om te bewijzen dat ik schuldig ben.

Afgezien hiervan was er nog iets aan Emily Wallace wat hem verontrustte. Een van de panelleden in *Courtside* had haar optreden 'zuiver theater' genoemd. Hij heeft gelijk, dacht Gregg terwijl hij zijn ogen sloot en de tv zachter zette. Hij stak zijn hand in zijn zak en trok er het opgevouwen papiertje uit dat als al die andere was waar hij overdag in de rechtszaal op had zitten krabbelen. Hij had eens zitten rekenen. De huurauto had 24462 kilometer op de teller staan toen hij hem opgehaald had en toen hij terugkwam waren daar 1094 kilometer bij gekomen. Heen en weer van Manhattan naar Cape Cod kwam neer op 869 kilometer. In de periode van zaterdagmiddag tot zondagavond was hij nog eens vijf keer tussen het motel in Hyannis en Natalies huis in Dennis op en neer gereden. Dat was tweeëndertig kilometer per keer, dus dat zou op zijn hoogst honderdzestig kilometer extra betekenen.

Het aantal kilometers dat overbleef was dus precies genoeg om op maandagochtend naar Natalies huis te rijden, haar te vermoorden en op tijd weer terug in Manhattan te zijn, dacht Gregg. Zou ik daartoe in staat zijn? Wanneer heb ik ooit meer dan twee uur hardgelopen? Was ik zo buiten mezelf dat ik me niet eens meer kan herinneren dat ik erheen gereden ben?

Had ik haar daar achter kunnen laten terwijl ze doodbloedde?

Hij deed zijn ogen open en zette met de afstandsbediening het volume hoger. Zijn voorheen beste vriend Michael Gordon zei: 'Morgen zal het er spannend aan toe gaan in de rechtszaal als de kroongetuige van de verdediging, Jimmy Easton, getuigt dat hij door Gregg Aldrich was ingehuurd om zijn ex-vrouw te vermoorden, de beroemde actrice Natalie Raines.'

Gregg drukte op het uitknopje van zijn afstandsbediening en dronk zijn glas leeg.

18

'Edelachtbare, de staat roept James Easton op.'

De deur naar de detentiecel ging open. Easton kwam naar buiten en liep langzaam naar de getuigenbank, aan weerszijden geëscorteerd door een agent van de parketpolitie. Toen ze naar hem keek kwam haar een uitdrukking die haar grootmoeder graag gebruikte in gedachten. 'Je kunt van het oor van een zeug geen zijden beursje maken.'

Jimmy had een donkerblauw pak aan, een wit overhemd en een blauwe das met een patroontje die Emily persoonlijk voor hem uitgezocht had voor zijn optreden in de rechtbank. Hij had onder protest zijn haar laten knippen door de gevangeniskapper, maar hij leek nog steeds op de oplichter die hij was.

Op grond van zijn vele eerdere ervaringen met strafrechters wist hij wat er nu kwam. Hij pauzeerde toen hij de ruimte vlak voor de balie bereikte. Rechter Stevens vroeg hem om eerst zijn hele naam te zeggen en dan zijn achternaam te spellen.

'James Easton, E-A-S-T-O-N.'

'Meneer, steek alstublieft uw rechterhand op zodat u beëdigd kunt worden,' droeg de rechter hem op.

De vrome uitdrukking op Jimmy's gezicht toen hij zwoer de waarheid, en niets dan de waarheid, te zullen vertellen bracht een golf van zacht gegrinnik onder een aantal toeschouwers in de rechtszaal teweeg.

Fantastisch, dacht Emily wanhopig. O god, laat de jury alstublieft onbevooroordeeld blijven tegenover mijn kroongetuige.

Rechter Stevens gaf een paar ferme tikken met zijn hamer en waarschuwde dat iedereen die hetzij in woord, hetzij in gebaar zou reageren op de verklaring van een getuige direct verwijderd zou worden en geen toegang meer tot de zittingen zou hebben.

Toen Jimmy in de getuigenbank was gaan zitten, kwam Emily langzaam op hem toelopen, met een ernstige uitdrukking op haar gezicht. Haar strategie bestond eruit meteen zijn strafblad ter sprake te brengen en de regeling die hij met haar getroffen had voor strafvermindering. Ze had in haar openingsverklaring al aangegeven dat hij een lang crimineel verleden had en ze wilde nú de details op tafel krijgen. Ze hoopte dat door meteen maar deze omstandigheden in de openbaarheid te brengen ze de jury ervan zou overtuigen dat ze openhartig tegenover hen zou zijn en dat deze getuige ondanks de waslijst aan misdaden die hij op zijn geweten had geloofd diende te worden.

Ik begeef me hier op glad ijs, dacht ze, en misschien ga ik onderuit. Maar toen ze op zakelijke toon de ene vraag na de andere stelde reageerde Jimmy Easton precies zoals ze gehoopt had. Op nederige toon gaf hij, een beetje aarzelend, zijn vele arrestaties en frequente verblijven in de gevangenis toe. Toen voegde hij er zomaar ineens zonder enige aanleiding aan toe: 'Maar ik heb nog nooit iemand een haar op het hoofd gekrenkt, mevrouw. Daarom kon ik ook niet doorgaan met die afspraak om Aldrich' vrouw te vermoorden.'

Richard Moore sprong overeind. 'Ik maak bezwaar.'

Geweldig, Jimmy! dacht Emily. Het zou wat dat de opmerking genegeerd diende te worden, de jury had die luid en duidelijk gehoord.

Het liep al tegen het einde van de ochtend toen Easton zijn verklaring aflegde. Om 12.20 uur zei rechter Stevens, die zag dat Emily op het punt stond over te gaan op Eastons relatie met Gregg Aldrich: 'Ms Wallace, aangezien het al bijna halfeen is, onze vaste lunchtijd, schors ik de zitting tot halftwee.'

Prima timing, dacht Emily. Nu bestaat er in ieder geval iets van een scheiding tussen Jimmy's verleden en zijn getuigenverklaring over Aldrich. Dank u, rechter Stevens.

Met een onbewogen gelaatsuitdrukking wachtte ze aan de tafel van het OM tot Easton weer terug naar de cel geëscorteerd was door een agent van de parketpolitie en de juryleden de rechtszaal verlaten hadden. Toen haastte ze zich naar het kantoor van Ted Wesley. Hij had de hele ochtend in de rechtszaal gezeten en ze wilde zijn reactie horen op de manier waarop ze Easton had aangepakt.

In de twee weken na de aankondiging van zijn benoeming tot minister van Justitie van de vs was er veel opwinding in de pers geweest en de reacties waren over het algemeen heel positief. En waarom niet? vroeg Emily zichzelf af terwijl ze zich de gang door haastte.

Toen ze zijn kantoor binnenkwam zag ze een stapel knipsels op zijn bureau liggen waarvan ze zeker wist dat die over zijn benoeming gingen. En het was ook duidelijk dat hij in een zeer opgewekt humeur was.

'Emily!' begroette hij haar. 'Kom eens hier. Kijk hier eens naar.'

'Ik weet zeker dat ik de meeste ervan gezien heb. Je hebt fantastische reacties in de pers, proficiat.'

'Je doet het zelf anders ook niet zo slecht. Je hebt me zogoed als van de voorpagina verdreven, zo geweldig ben je bezig in deze zaak.'

Hij had iemand om sandwiches en koffie gestuurd. Hij deed de zak open en begon het eten eruit te halen. 'Ik heb voor jou een ham-kaassandwich besteld. Op bruinbrood. En een zwarte koffie. Toch?'

'Perfect.' Ze pakte de sandwich die hij haar toestak aan.

'Ga even zitten en ontspan je. Ik wil even met je praten.'

Emily was juist begonnen haar sandwich uit het papier te halen. Er is iets aan de hand, dacht ze. Ze keek hem met een vragende blik in de ogen aan.

'Emily, ik ga je advies geven. Je hebt nooit ruchtbaarheid willen geven aan het feit dat je tweeënhalf jaar geleden een harttransplantatie ondergaan hebt en het er zelfs nooit over willen hebben. Iedereen op kantoor weet van die hartoperatie en je was natuurlijk een aantal maanden met ziekteverlof. Maar omdat je zo weinig bijzonderheden verstrekt hebt, denk ik dat ik de enige ben die weet dat het eigenlijk om een transplantatie ging.'

'Dat is waar,' zei Emily zachtjes terwijl ze het pakje mosterd openmaakte en over het brood uitkneep. 'Ted, je weet dat ik kapot was van Marks dood. Je kon me bij elkaar vegen. De mensen waren zo aardig, maar ik werd zo ongeveer gesmoord in alle medeleven. Toen nog geen jaar later, zomaar ineens, de klep van mijn aorta het begaf, hetzelfde verhaal. Iedereen verwachtte toch al dat ik een maand of drie weg zou zijn. Dus toen die klep het zo gauw opgaf en ik uiteindelijk een transplantatie nodig had, was ik erg blij dat ik meteen een hart kon krijgen. Ik ging stilletjes terug naar het ziekenhuis en zei alleen tegen een paar mensen, onder wie jij, wat er aan de hand was.'

Ted leunde naar voren in zijn stoel, hij negeerde zijn eigen sandwich en keek haar diep bezorgd aan. 'Emily, ik begrijp volkomen en heb dat altijd gedaan, waarom je er niet over wilde praten. Ik zag je reactie toen ik je zes maanden geleden vroeg of je je goed genoeg voelde om deze zaak op je te nemen. Ik weet dat je op geen enkele manier als zwak gezien wil worden. Maar laten we er niet omheen draaien. Je hebt een zaak onder je die veel aandacht trekt en je bent aardig beroemd aan het worden. De zaak wordt elke avond op *Courtside* besproken en jouw naam wordt steeds genoemd. Er wordt over je gepraat. Het is een kwestie van dagen voor ze op zoek zullen gaan en geloof me, ze komen erachter. Pure human interest. De transplantatie en Marks dood in Irak, de glossy's gaan ervan smullen, al zullen ze vast wel aardig voor je zijn.'

Emily nam een slokje koffie. 'Wat is je advies, Ted?'

'Wees voorbereid. Verwacht hun vragen en laat je er niet door van streek brengen. Of je het nou leuk vindt of niet, je bent een openbaar figuur geworden.'

'O, Ted, ik haat die gedachte,' protesteerde Emily. 'Ik heb er nooit over willen praten. Je weet dat sommige van die kerels het een vrouwelijke aanklager toch al moeilijk genoeg maken.'

En kerels als jouw neef in het bijzonder, dacht ze erbij.

'Emily, geloof me, ik heb bewondering voor het feit dat je me absoluut nooit hebt toegestaan je te ontzien vanwege de gezondheidsproblemen waar je mee te kampen had.'

'Er is nog iets anders,' zei Emily zachtjes. 'Mark verwachtte niet dat hij dood zou gaan. Hij wist zo zeker dat hij naar huis zou komen. Hij had zoveel plannen voor de rest van ons leven. We hadden het zelfs al over de namen van onze kinderen. Nu ben ik me er constant en volledig van bewust dat ik in leven ben omdat iemand anders dood is gegaan. Wie diegene ook was, hij of zij had toekomstplannen en -verwachtingen. Ik heb dat altijd moeilijk kunnen accepteren.'

'Dat begrijp ik wel, maar neem dit advies van me aan. Wees erop voorbereid dat ze je ernaar zullen vragen.'

Emily nam een hapje van haar sandwich en dwong zichzelf te glimlachen. 'Even een ander onderwerp, ik heb zo het vermoeden dat je vindt dat ik het tot dusver goed doe wat Jimmy Easton betreft.'

'Emily, ik zag Richard Moore ineenkrimpen toen Jimmy zijn verleden en de regeling tot strafvermindering ter sprake bracht. Je nam hem de wind uit de zeilen toen je er meteen al een punt van maakte. Je bent erin geslaagd de jury ervan te overtuigen dat je Easton niet bepaald een hoogstaand persoon vindt, maar dat hij in dit geval niet liegt.'

Emily nam een paar snelle hapjes van haar sandwich en vouwde de rest weer in het papier. 'Bedankt, Ted, ik hoopte al dat je er zo over zou denken.' Ze aarzelde, en probeerde de brok in haar keel weg te slikken. 'En bedankt voor de rest... Jouw steun toen ik Mark kwijtraakte... Toen ik ziek werd... En dat je me vervolgens deze zaak gaf, ik zal het nooit vergeten.'

Ted Wesley stond op. 'Je hebt alle steun die ik je ooit gegeven heb dubbel en dwars verdiend,' zei hij hartelijk.

'En geloof me, Em, als je deze vent Aldrich achter de tralies kunt krijgen, kan ik me voorstellen dat de nieuwe officier van justitie je de positie van eerste assistent aanbiedt, zo vergezocht is dat niet. Ga terug naar binnen en verkoop Jimmy aan die jury! Zorg ervoor dat ze ervan overtuigd raken dat hij een godvruchtig mens is.'

Emily lachte terwijl ze opstond. 'Als ik dat kan dan kan ik echt zoals mijn opa altijd over me beweerde een dood paard verkopen aan een agent te paard. Tot ziens, Ted.'

19

Al had hij er geen idee van, Jimmy Easton had precies dezelfde lunch als Emily, een ham-kaassandwich op bruinbrood met zwarte koffie. Het enige verschil was dat hij tegen de bewaker zijn beklag deed over dat er te weinig mosterd bij zat.

'We zullen er morgen aan denken als je dan nog hier bent,' zei zijn bewaker sarcastisch. 'We zouden niet willen dat onze cuisine je tegenstaat.'

'Ik ga ervan uit dat je met de kok praat,' bromde Jimmy. 'En zeg hem dat hij er de volgende keer een schijfje tomaat bij doet.'

De bewaker antwoordde niet.

Behalve het gebrek aan voldoende mosterd, voelde Jimmy zich eigenlijk best goed over zijn optreden tot nu toe. Het opsommen van al zijn vroegere misdaden had een beetje op een biecht geleken. 'Zegen mij, vader, want ik heb gezondigd. Het is nu ongeveer dertig jaar sinds de laatste keer dat ik gebiecht heb. Ik ben sindsdien achttien keer gearresteerd, heb drie keer in de gevangenis gezeten, dat is in totaal twaalf jaar. Vervolgens heb ik in één week ingebroken in drie huizen en was dom genoeg om bij het laatste gepakt te worden. Maar ik heb altijd geweten dat ik een troef achter de hand had.'

Natuurlijk had hij zijn verhaal niet aan een priester verteld. In plaats daarvan had hij tegen die kerel van het OM over Aldrich uit de school geklapt, en dat was de reden dat hij helemaal opgepoetst en wel hier zat, in plaats van in de gevangenis om zijn tien jaar uit te zitten.

Jimmy nam zijn laatste slokje koffie. Misschien moest hij tegen die wijsneus die hem zijn sandwich was komen brengen zeggen dat hij morgen als hij dan nog hier was, een grotere kop wilde. En een augurk erbij, dacht hij grijnzend. Hij wierp een blik op de klok aan de muur. Het was bijna één uur. De rechter zou over een halfuur weer terug zijn. 'Iedereen opstaan, de zitting wordt hervat.' Waarom niet: 'Iedereen opstaan voor Jimmy Easton.' Later zouden een aantal jongens uit de bajes dat programma *Courtside* zien met hem in de hoofdrol. Hij ging zijn beste beentje voorzetten.

Jimmy stond op en rammelde aan de tralies van de detentiecel. 'Ik moet naar de wc,' riep hij.

Direct om halftwee zat hij weer in de getuigenbank. Toen hij ging zitten herinnerde Jimmy zich de instructies van Emily Wallace. 'Zit rechtop. Sla je benen niet over elkaar. Kijk me aan. Haal het niet in je hoofd om een show op te voeren voor de jury.'

Maar ik wed dat ze het echt niet erg vond dat ik dat zinnetje ertussen gooide, dat ik nog nooit iemand een haar op zijn hoofd gekrenkt had, dacht Jimmy. Met een ernstig gezicht keek hij Emily aan. Soms als ze hem in de gevangenis ondervraagd had, had ze haar haren opgestoken gehad. Vandaag hing het los op haar schouders, maar niet slordig of zo, nee alle haren op één lengte als een soort waterval. Ze had een donkerblauw pak aan, in bijna hetzelfde blauw als haar ogen. Ze was zonder meer een

mooie meid. Hij had van sommige maten in de gevangenis gehoord dat ze behoorlijk lastig kon zijn als ze het op
je gemunt had, maar het was duidelijk dat ze het niet op
hem gemunt had.

'Mr. Easton, kent u de verdachte, Gregg Aldrich?'

Jimmy hield het antwoord dat hij anders zou hebben gegeven voor zich. 'Dat zou je wel kunnen zeggen, ja.' In
plaats daarvan zei hij zacht maar goed hoorbaar: 'Ja.'

'Wanneer hebt u Mr. Aldrich leren kennen?'

'Tweeënhalf jaar geleden, op 2 maart.'

'Onder wat voor omstandigheden hebt u Mr. Aldrich
leren kennen?'

'Ik zat in Vinnie's-On-Broadway. Dat is een bar aan
West Forty-sixth Street, in Manhattan.'

'Hoe laat was u daar?'

'Het was ongeveer halfzeven of zo. Ik zat wat te drinken
en de vent op de kruk naast me vroeg of ik het schaaltje
met nootjes door wilde schuiven en dat deed ik. Maar eerst
pikte ik er nog wat gezouten amandelen uit en toen zei hij
dat dat ook zijn favoriete noten waren en zo raakten we
aan de praat.'

'Hebben jullie je aan elkaar voorgesteld?'

'Ja, ik zei tegen hem dat ik Jimmy Easton heette en hij
zei dat hij Gregg Aldrich was.'

'Bevindt Mr. Aldrich zich in deze rechtszaal?'

'Zeker wel. Ik bedoel: ja.'

'Wilt u hem alstublieft aanwijzen en een korte beschrijving geven van wat hij aanheeft?'

Jimmy wees naar de tafel waar de verdachte zat. 'Hij is
degene in het midden, tussen die andere twee mannen. Hij
heeft een grijs pak aan en draagt een blauwe das.'

'In het verslag wordt opgenomen dat Mr. Easton Mr.
Aldrich geïdentificeerd heeft,' zei rechter Stevens.

'Hebt u een gesprek aangeknoopt met Gregg Aldrich,
Mr. Easton?'

'Ik zou het anders zeggen. Aldrich begon tegen mij te praten. Hij had hem nogal zitten…'

'Bezwaar,' riep Moore.

'Toegestaan,' zei rechter Stevens en voegde eraan toe: 'Mr. Easton, geeft u gewoon antwoord op de vraag die u gesteld is.'

Jimmy probeerde er berouwvol uit te zien. 'Oké.' Hij ving Emily's blik op en voegde er haastig aan toe: 'Edelachtbare.'

'Mr. Easton, wilt u in uw eigen woorden een verslag geven van het gesprek dat u met Mr. Aldrich had?' Hier gaat het om, dacht Emily. Mijn zaak begint en eindigt hier.

'Nou eh, dat ging zo,' begon Jimmy. 'We hadden allebei een paar drankjes op en zaten nogal in de put. Ik praat meestal niet over mijn gevangenistijd, weet u, dat is een beetje gênant, maar ik was de hele dag op zoek geweest naar een baan en werd overal afgewezen, dus zei ik tegen Aldrich dat het lastig was voor een man als ik om het rechte pad te bewandelen, ook al wil hij dat.'

Jimmy schoof heen en weer in de getuigenbank. 'Wat natuurlijk zo is,' verzekerde hij de zaal.

'Hoe reageerde Gregg Aldrich op uw verhaal?'

'Eerst zei hij niets. Hij haalde zijn mobieltje tevoorschijn en toetste een nummer in. Een vrouw nam op. Toen ze hoorde dat hij het was, werd ze kwaad. Ik bedoel, ze schreeuwde zo hard dat ik haar kon horen. Ze gilde: "Gregg, laat me met rust!" Toen moest ze opgehangen hebben want hij zag er helemaal geagiteerd uit en zei: "Dat was mijn vrouw. Ik zou haar wel kunnen vermóórden!"'

'Zou u dat willen herhalen, Mr. Easton?' vroeg Emily.

'Hij keek me aan en zei: "Dat was mijn vrouw. Ik zou haar wel kunnen vermóórden!"'

'Gregg Aldrich zei: "Dat was mijn vrouw. Ik zou haar wel kunnen vermóórden!"' herhaalde Emily langzaam zodat de woorden goed tot de jury door zouden dringen.

'Ja.'

'En die conversatie vond tweeënhalf jaar geleden plaats, op 2 maart, rond halfzeven.'

'Ja.'

Emily wierp een steelse blik op Gregg Aldrich. Hij schudde zijn hoofd alsof hij niet kon geloven wat hij zojuist gehoord had. Ze zag zweetdruppeltjes op zijn voorhoofd verschijnen. Moore was iets tegen hem aan het fluisteren, duidelijk om hem te kalmeren. Het zou niet helpen, dacht Emily. Ik ben nog maar net begonnen.

'Mr. Easton, wat was uw reactie toen Mr. Aldrich die uitspraak deed?'

'Ik wist dat hij echt kwaad was. Ik bedoel woest. Ik bedoel: zijn gezicht was helemaal rood en hij smeet zijn mobiel op de bar neer, maar ik dacht nog steeds dat hij een geintje maakte. Dus antwoordde ik voor de grap: "Ik ben blut. Voor twintigduizend dollar doe ik het voor je."'

'Wat gebeurde er toen?'

'Er kwam een of andere vent de bar binnen die toen hij Aldrich zag zitten recht op hem af kwam stevenen.'

'Stelde Mr. Aldrich u aan die man voor?'

'Neu. Die kerel bleef net lang genoeg om te zeggen dat hij Natalie in *A Streetcar Named Desire* gezien had en haar superbe vond. Dat was het woord dat hij gebruikte: superbe.'

'Hoe reageerde Mr. Aldrich daarop?'

'Hij zei op nogal geïrriteerde toon dat Natalie in elke rol die ze speelde superbe was, en keerde die vent toen zijn rug toe. Die haalde dus maar zijn schouders op en ging het eetgedeelte binnen waar hij zich bij een aantal mensen aan een tafeltje voegde, zag ik.'

'Was u zich ervan bewust dat deze man het over Natalie Raines had?'

'Dat had ik meteen al door. Ik ga graag naar de film en ik zag haar in die ene waar ze een Oscarnominatie voor kreeg. En ik heb de aanplakbiljetten voor *Streetcar* gezien.'

Emily nam een slokje water. 'Mr. Easton, wat zei Mr. Aldrich tegen u na die korte ontmoeting?'

'Ik zei tegen hem, gewoon voor de gein weer: "Hé, jouw vrouw is Natalie Raines. Mijn prijs is net omhooggegaan."'

'Hoe reageerde Mr. Aldrich op die opmerking?'

'Hij keek me aan en zei een minuut lang niets, toen zei hij: "En wat is je prijs nu, Jimmy?"'

'Wat hebt u op die vraag geantwoord?'

'Nog steeds voor de grap zei ik: "Vijfduizend vooraf en twintigduizend na afloop."'

'Wat zei Mr. Aldrich toen?'

'Hij zei: "Laat me er even over denken. Geef me je telefoonnummer." Dus schreef ik dat voor hem op, en stond op om weg te gaan, maar bedacht toen dat ik nog even naar de wc wilde. Ik denk dat hij meende dat ik weg was want nog geen vijf minuten later ging mijn telefoon, toen ik mijn handen stond te wassen. Het was Aldrich. Hij zei dat hij mijn aanbod aannam en dat ik de volgende dag naar zijn appartement moest komen om de vijfduizend dollar in contanten op te komen halen.'

'Mr. Aldrich vroeg u om de volgende dag langs te komen? Dat zou dan de derde maart zijn?'

'Ja, om vier uur zo ongeveer. Hij zei dat de huishoudster tegen die tijd weg was. Hij zei tegen me dat hij buiten het gebouw waar hij woonde op de hoek zou staan en me zelf binnen zou laten zodat de portier me niet aan hoefde te kondigen. Hij zei dat ik een donkere bril en een hoed op moest zetten. Dat deed ik en hij ving me op de hoek op. Vervolgens wachtte hij tot een aantal mensen uit een taxi stapte en liepen we samen met hen het gebouw en daarna de lift in.'

'U ging naar zijn appartement en hij gaf u vijfduizend dollar om Natalie Raines te vermoorden?'

'Ja, en hij vertelde me waar ze woonde in New Jersey en haar speelrooster.'

'Kunt u het appartement van Mr. Aldrich beschrijven, Mr. Easton?'

'Het is op de veertiende verdieping. Echt chic, hoor. Er zijn daar maar twee appartementen per verdieping. Een grote hal. De woonkamer was gebroken wit geschilderd en had een grote marmeren open haard met veel beeldhouwwerk midden op de omlijsting. Er lag zo'n oosters tapijt, met vooral blauwe en rode kleuren. Ik herinner me dat er een blauwe bank tegenover de open haard stond met aan weerszijden stoelen zonder leuningen. Onder het raam stond een andere kleine bank en er hingen veel schilderijen aan de muren.'

'Hoe lang bent u daar geweest?'

'Niet lang. Hij heeft me zelfs nooit gevraagd om te gaan zitten. Ik kon wel zien dat hij echt nerveus was. Toen trok hij een laatje open in een tafeltje naast de bank, haalde er geld uit en telde vijfduizend dollar af.'

'Wat hebt u daarna gedaan?'

'Ik vroeg hem nadat ik de klus geklaard had hoe ik aan de rest van het geld zou komen.'

'Hij zei dat de politie hem waarschijnlijk zou ondervragen nadat haar lichaam gevonden was, aangezien ze in scheiding lagen, en dus zou hij me een week na de begrafenis ergens vanaf een openbare telefoon bellen om een ontmoeting af te spreken in het filmhuis aan Fifty-seventh Street en Third Avenue.'

'Dat was dus wat u met Gregg Aldrich had afgesproken toen u bij hem wegging?'

'Ja. Maar toen begon ik na te denken. Aangezien Natalie Raines zo beroemd was, dacht ik, zou het een hele heisa geven als haar iets overkwam en de politie zou erbovenop zitten. Dan kon het er wel op uitdraaien dat ik de rest van mijn leven in de gevangenis moest doorbrengen. Ik bedoel, zelfs al had ik die vijfduizend dollar aangenomen, ik wist dat ik er waarschijnlijk niet mee door zou gaan. Ik ben geen moordenaar.'

'Hoe hebt u Mr. Aldrich laten weten dat u er niet mee doorging?'

'Ik schreef hem een brief waarin ik zei dat ik dacht dat ik niet de juiste persoon voor de klus was die hij in gedachten had en dat ik hem bedankte voor het niet-terugvorderbare voorschot dat hij me had gegeven.'

Er klonk hard gelach op in de rechtszaal wat een boze reactie aan de rechter ontlokte. Hij waarschuwde streng tegen dergelijke ongewenste uitbarstingen. Toen zei de rechter tegen Emily dat ze verder moest gaan.

'Wat hebt u met de vijfduizend dollar gedaan, Mr. Easton?'

'Het gebruikelijke. Ik heb het allemaal vergokt.'

'Wanneer hebt u de brief gepost waarin u op uw afspraak om Natalie Raines te vermoorden terugkomt?'

'Op de ochtend van de twaalfde maart heb ik hem naar het appartement van Gregg Aldrich gestuurd. Ik heb hem gepost in de brievenbus in de buurt van mijn pension in Greenwich Village.'

'Waarom hebt u hem geschreven?'

'Omdat hij zei dat ik hem niet mocht bellen, en dat hij een fout begaan had door me die ene keer te bellen. En ik wist dat hij de brief zou krijgen. Je weet wat ze zeggen: "Regen, noch storm, noch nachtelijk duister weerhoudt de postbode ervan zijn dagelijkse ronde te lopen." En ik moet zeggen dat hij me inderdaad altijd prompt mijn rekeningen bezorgt.' Onwillekeurig draaide Jimmy zich om naar de jury en lachte, in de hoop dat ze zijn grapje waardeerden. Hij wist dat ze uit zijn hand aten en het voelde goed om nu eens niet degene te zijn die terechtstond.

'Die brief waarin u terugkwam op uw afspraak Natalie Raines te vermoorden was op 12 maart op de bus ge-

daan,' zei Emily langzaam en draaide zich om om de juryleden aan te kijken. Ze hoopte dat ze hun eigen reken-
sommetje zouden maken. Gregg Aldrich zou die brief op
vrijdag de dertiende, of zaterdag de veertiende hebben
ontvangen.

Ze hoopte dat ze zich nog herinnerden wat ze hun verteld had in haar openingsverklaring. Op de avond van vrijdag de dertiende was hij naar Natalies laatste uitvoering
gaan kijken en de getuigen die hem daar zagen verklaarden
dat hij volkomen uitdrukkingsloos op de achterste rij had
gezeten en de enige was geweest die niet had deelgenomen
aan de staande ovatie. Op zaterdag 14 maart huurde hij een
auto en volgde zijn ex-vrouw naar Cape Cod. Ze wachtte
lange tijd en keek toen rechter Stevens aan.

'Geen verdere vragen, uwe edelachtbare,' zei ze.

20

Richard Moore kwam langzaam overeind. De daaropvolgende twee uur nam hij, nadat hij samen met Jimmy Easton diens lange strafblad door had genomen, zijn verklaring onder vuur. Maar hoe langer Jimmy aan het woord is
des te sterker maakt hij onze zaak, dacht Emily tevreden.

Moore bleef proberen om een andere draai te geven aan
het feit dat Gregg Jimmy ontmoet had bij Vinnie's-On-
Broadway, dat Gregg in Jimmy's bijzijn Natalie gebeld
had, dat een toevallige kennis, Walter Robinson, tegen
Gregg een opmerking gemaakt had over Natalies optreden
in *Streetcar* en dat kort daarna Gregg Jimmy's mobiel gebeld
had.

Maar hoeveel ervaring hij ook had als advocaat, Richard
Moore kon Jimmy niet van de wijs brengen en hem evenmin op een contradictie betrappen. Toen hij hem vroeg:

'Is het niet zo dat Gregg Aldrich en u in feite alleen een alledaags gesprekje over sport gevoerd hebben?' antwoordde Jimmy: 'Als u vindt dat mij vragen zijn vrouw te vermoorden een alledaags gespreksonderwerp is, dan ja tuurlijk.'

Moores vraag: 'Klopt het dat het in een lawaaierige bar voor u onmogelijk zou zijn om te kunnen horen wat Natalie Raines tegen Gregg zei?'

Jimmy's antwoord luidde: 'Ze was een actrice. Ze wist heel goed hoe ze haar stem moest verheffen. Het is een wonder dat de hele bar haar niet tegen hem tekeer hoorde gaan.'

Jimmy geniet hiervan, dacht Emily. Hij smult ervan om in de spotlights te staan. Ze maakte zich zorgen over het feit dat hij een beetje al te welsprekend begon te worden en een steeds geïrriteerder wordende rechter Stevens bleef Jimmy eraan herinneren dat hij zijn antwoorden kort moest houden.

'Wat Gregg Aldrich' telefoontje naar uw mobiel betreft. Is het niet zo dat u vanaf dat u in de bar was uw mobiel kwijt was en Gregg vroeg u te bellen zodat uw telefoon over zou gaan en u zou weten waar hij was? Is dat niet wat er in feite aan de hand was?'

'Absoluut niet, ik ben mijn telefoon nooit kwijt geweest,' antwoordde Jimmy. 'Ik had hem altijd aan een clip aan mijn riem. Ik zei al dat hij me belde terwijl ik mijn handen stond te wassen in de heren-wc.'

Jimmy's verslag van zijn bezoek aan het appartement baarde Emily zorgen als de zwakste schakel in haar zaak. De portier had hem niet gezien. De huishoudster had hem niet gezien. Het was zijn woord tegen dat van Gregg dat hij daar geweest was, dat het geld aan hem overhandigd was en dat hij naderhand op de afspraak teruggekomen was.

Er hadden een aantal tijdschriftinterviews met Natalie in het appartement plaatsgevonden toen ze daar woonde en sommige bevatten foto's van de woonkamer. Emily wist zeker dat Moore die foto's zou gebruiken om te bewijzen dat kennis van de plattegrond van het appartement en de manier waarop de woonkamer was ingericht voor iedereen toegankelijk was.

En dat was inderdaad precies Moores strategie. Hij confronteerde Easton met de een na de andere bladzijde met foto's waarop de woonkamer te zien was, en vroeg hem toen om de jury te vertellen wat hij zag.

In zijn antwoorden herhaalde Easton woord voor woord wat hij eerder beweerde gezien te hebben in de kamer.

'U hebt Gregg Aldrich toevallig ontmoet in een bar,' beet Moore hem toe. 'U wist wie zijn vrouw was. En toen ze vermoord werd draaide u een verhaaltje in elkaar voor de eerstvolgende keer dat u betrapt zou worden bij een inbraak, zodat u iets had om te kunnen onderhandelen?'

Met een minachtende gelaatsuitdrukking en een spottende toon in zijn stem, ging Moore verder. 'Lees nu de jury de onderstreepte zinnen in dit artikel over Gregg Aldrich en Natalie Raines voor.' Hij overhandigde Jimmy een opengeslagen *Vanity Fair*.

Volkomen onbewogen onder Moores aantijgingen, haalde Easton zijn leesbril uit zijn zak tevoorschijn. 'Die ouwe kijkers van me willen niet meer zo,' legde hij uit. Hij schraapte zijn keel voor hij hardop begon voor te lezen. 'Gregg, noch Natalie heeft ooit een inwonende hulp gewild. Hun huishoudster komt om acht uur 's ochtends en gaat om halfvier weg. Als ze 's avonds niet uitgaan dan gebruiken ze het diner in de club beneden in het appartementencomplex waar ze wonen of ze laten eten naar boven komen.'

Hij legde het blad neer en keek Moore aan. 'Nou en?'

'Is het niet zo dat iedereen die dat artikel gelezen had kon weten dat de huishoudster om vier uur weg zou zijn, het tijdstip waarop u beweert in het appartement van Aldrich te zijn geweest?'

'Denkt u dat ik *Vanity Fair* lees?' vroeg Jimmy ongelovig.

Opnieuw barstten de toehoorders in lachen uit en opnieuw werden ze tot de orde geroepen door de rechter. Dit keer was hij duidelijk erg boos. Hij zei dat als het nog eens gebeurde hij een agent de mensen aan zou laten wijzen die gelachen hadden en dat die vervolgens naar buiten begeleid zouden worden.

Moores pogingen om Jimmy als leugenaar af te schilderen werden voorgoed onderuitgehaald toen hij hem vroeg de foto's van de woonkamer nog eens te bestuderen en hem te vertellen of er iets in de kamer was dat hij niet had kunnen weten, ook al had hij die foto's gezien voor het proces.

Jimmy begon zijn hoofd te schudden en zei toen: 'O, wacht even. Ziet u dat tafeltje naast de bank?' Hij wees ernaar. 'Daar bewaarde Aldrich het geld dat hij me gegeven heeft. Ik weet niet of het nog steeds zo knarst, maar het maakte een behoorlijk lawaai toen hij het opentrok. Ik herinner me nog dat ik dacht dat hij het eens moest oliën of zo.'

Emily wierp een blik op Gregg Aldrich.

Zijn gezicht was zo wit geworden dat ze zich afvroeg of hij op het punt stond flauw te vallen.

21

Omdat hij tegen Emily had gelogen dat zijn werkuren veranderd waren, besefte Zach dat het belangrijk was dat ze hem of zijn auto niet zou zien als ze terugkwam van de rechtbank. En het probleem was dat ze, nu het proces aan de gang was en de zitting om vier uur geschorst werd, vroeg thuiskwam, tussen halfzes en zes uur 's avonds. Dat betekende dat hij zelf niet naar huis kon als hij klaar was met zijn werk maar tot het donker buiten moest blijven en dan maar moest hopen dat ze hem niet zijn garage in zou zien rijden.

Nog een reden om een hekel aan haar te hebben.

Vlak nadat hij Emily haar sleutel terug had gegeven had ze een grendel laten aanbrengen op de deur naar haar achtertuin. Hij was erachter gekomen toen hij haar huis binnen probeerde te glippen, ongeveer een week nadat hij was opgehouden met voor Bess te zorgen. Hij had zich ziek gemeld op zijn werk omdat hij het miste aan Emily's spullen te zitten. Op een ochtend nadat ze weggegaan was probeerde hij haar huis binnen te komen en werd tegengehouden door de nieuwe grendel. Ze was te dom om te beseffen dat hij een kopie van de voordeursleutel gemaakt had maar hij was te bang om hem uit te proberen. Hij wist dat het nogal gevaarlijk was om op de veranda voor het huis te staan. De kans bestond altijd dat een nieuwsgierige buurman of -vrouw hem daar zag.

Het enige contact dat hij nu met haar had was wanneer hij 's ochtends naar haar luisterde als ze in de keuken tegen Bess praatte. Hij had overwogen om een microfoon of zelfs een camera op een paar plekken in haar huis te installeren maar besloten dat dat te riskant was. Als ze een ervan vond, zou haar huis binnen de kortste keren vergeven zijn van de mensen van het OM, die algauw bij hem op de stoep zouden staan. Hij was er bijna zeker van dat ze het microfoontje boven de ijskast nooit gezien had. Dat zat net buiten haar gezichtsveld.

Geen aandacht trekken, bracht Zach zichzelf in herinnering. Probeer geen aandacht te trekken. Dat betekent dat wanneer de tijd rijp is ik kan doen wat ik moet doen en vervolgens verdwijnen. Dat werkte prima in North Dakota en in New Mexico. Charlotte, en Lou en Wilma. Lou en Wilma hadden geen familie in de buurt wonen toen hij zich van hen ontdeed.

Als Emily's tijd gekomen was, zou het noodzakelijk zijn dat hij uit New Jersey verdween. Hij begon na te denken over waar hij heen zou verhuizen.

Op een ochtend, tegen het einde van de derde week van het proces, toen hij door de jaloezieën naar buiten keek, zag Zach Emily haar eerste kop koffie inschenken en plotseling overeind komen. 'Bess,' hoorde hij haar zeggen, 'ik moet opschieten. Dit is de grote dag. Vandaag neemt Gregg Aldrich plaats in de getuigenbank en ik ga hem een kruisverhoor afnemen. Ik maak gehakt van hem.'

Toen, terwijl ze met vertraagde pas langs de ijskast liep op weg naar de trap, voegde ze eraan toe: 'Bess, dit is echt idioot maar ik heb op de een of andere manier medelijden met hem. Ik word te soft, geloof ik.'

22

Richard Moore was ervan overtuigd dat op de dag dat Gregg Aldrich in de getuigenbank plaats zou nemen Emily vroeg op kantoor zou zijn. Dat was de reden dat hij haar om zeven uur 's ochtends opwachtte toen ze bij de rechtbank aankwam. Het was een vrijdag, 3 oktober.

Zodra Emily hem zag, kende ze de reden dat hij daar stond. Ze vroeg hem haar kamer binnen te komen en bood aan om koffie voor hem te halen. 'Als hij net gezet is, is het nog wel te doen,' stelde ze hem gerust, 'maar als je meer een Starbucks- of Dunkin' Donuts-man bent dan zou ik me er niet aan wagen.'

Moore glimlachte: 'Het is moeilijk nee te zeggen na een dergelijke aanbeveling, maar evengoed bedankt.' Zijn glimlach was ook weer net zo snel verdwenen als hij verschenen was. 'Emily, wat ik nu ga zeggen blijft binnen deze vier muren, oké?'

'Oké, denk ik. Dat hangt ervan af wat je tegen me gaat zeggen.'

'Mijn cliënt blijft volhouden dat hij onschuldig is. Hij weet niet dat ik nu met jou aan het praten ben en zou ongetwijfeld woest zijn als hij erachter kwam. Maar dit is mijn vraag: valt er nog te praten over doodslag met verzwarende omstandigheden, en een gevangenisstraf van twintig jaar?'

Het beeld van een bleke en geschokte Gregg Aldrich kwam haar voor de geest, maar Emily schudde haar hoofd. 'Nee, Richard,' zei ze nadrukkelijk. 'Op dit moment is dat om een aantal redenen geen optie meer. Om te beginnen had ik de moeder van Natalie niet opnieuw al die stress en verdriet van een getuigenverklaring hoeven laten doormaken als Aldrich maanden geleden met dat voorstel akkoord was gegaan.' Moore knikte langzaam alsof hij dit antwoord wel verwacht had.

Ze besefte dat ze nogal boos klonk en dus zei Emily: 'Wacht, ik ga even koffie voor mezelf halen. De koffiepot staat aan de andere kant van de hal. Ik ben zo terug.'

Toen ze terugkwam, zorgde ze ervoor alle emotie uit haar stem te weren. 'Richard, je weet hoeveel voorbereiding een proces kost. Ik werk al maandenlang zo ongeveer het klokje rond en er hebben zich inmiddels tal van andere zaken opgestapeld die om aandacht vragen. Zoals de situatie nu ligt wil ik dat de jury uitspraak doet.'

Richard Moore stond op. 'Oké. Ik begrijp het. En ik herhaal nog maar eens, Gregg Aldrich heeft me niet gevraagd om dit te doen. Hij zweert dat hij onschuldig is en wil dat de jury hem vrijspreekt. Vrijspreekt. Nou, eigenlijk wil hij van alle blaam gezuiverd worden.'

Van alle blaam gezuiverd! Hij is gek, dacht Emily. Hij kan er maar beter op hopen dat één jurylid hem gelooft en dat de jury verdeeld raakt. Dan zou hij in ieder geval nog een paar maanden van zijn vrijheid kunnen genieten voor het tweede proces begint. Zonder enig sarcasme in haar stem zei ze: 'Ik betwijfel echt dat Gregg Aldrich door deze jury of een andere van iedere blaam gezuiverd zal worden.'

'Je hebt vast gelijk,' antwoordde Moore somber. Bij de deur draaide hij zich om. 'Ik geef toe dat Easton het beter deed in de getuigenbank dan ik verwacht had, Emily. En ik heb er geen moeite mee je te zeggen dat je goed werk verricht hebt.'

Richard Moore stond niet bekend om het feit dat hij complimentjes gaf. Emily was oprecht vereerd en bedankte hem.

'En, Emily, hoe dan ook, ik zal blij zijn als het gauw achter de rug is. Dit is echt een zware zaak geweest.'

Hij wachtte niet op haar antwoord.

23

Op de ochtend van de derde oktober, stond Gregg Aldrich om vijf uur 's ochtends op. Omdat hij vandaag in de getuigenbank plaats moest nemen was hij onwaarschijnlijk vroeg naar bed gegaan en dat was een vergissing gebleken. Hij had een uur geslapen, tot elf uur en was daarna een uur of zes lang alleen maar even af en toe weggedommeld.

Ik moet zorgen dat mijn hoofd helder is, dacht hij. Ik ga in het park rennen. Ik kan geen getuigenis afleggen als ik me zo groggy voel en stom. Hij trok de jaloezieën omhoog en sloot het raam. Het raam keek uit op het gebouw aan de overkant van de straat. Op Park Avenue heb je eigenlijk nergens een aardig uitzicht, dacht hij. Op Fifth Avenue keek je uit over Central Park. Op East End Avenue kon je de rivier zien. Op Park Avenue zag je alleen eenzelfde gebouw als het jouwe, vol mensen die zich de enorme prijzen kunnen veroorloven.

Het uitzicht in Jersey City was beter, dacht hij wrang. Vanuit het oude appartement kon ik een stukje van het Vrijheidsbeeld opvangen. Maar nadat mamma dood was gegaan wist ik niet hoe snel ik er weg moest. Mamma dwong zichzelf zo lang in leven te blijven dat ze me kon zien afstuderen aan St. John's University. Ik ben blij dat ze nu niet in die rechtszaal zit, dacht hij terwijl hij zich van het raam afkeerde.

Het was koel buiten, en hij besloot een dun hardloopjasje en -broek aan te trekken. Terwijl hij zich aankleedde, besefte Gregg hoeveel hij de laatste tijd aan zijn moeder moest denken. Hij herinnerde zich dat hij na haar dood, een aantal naaste buren, zoals Loretta Lewis, had gevraagd naar boven te komen, naar hun woning op de vijfde etage, om mee te nemen wat van hun gading was.

Waarom moest hij daaraan denken? Omdat Richard Moore Mrs. Lewis op zou roepen als karaktergetuige om te zeggen wat voor 'kleinzoon' hij was en hoe behulpzaam hij was geweest voor alle oude mensen in het gebouw. Hij lijkt te denken dat hij daarmee sympathie voor me kan opwekken. Vader dood toen ik negen was, moeder jarenlang kankerpatiënt, met baantjes mijn eigen studie bekostigd... Ze zullen allemaal in tranen zijn. Maar wat heeft dat met de dood van Natalie te maken? Moore zegt dat het twijfel zou kunnen zaaien of ik in staat zou zijn om Natalie te vermoorden. Wie weet?

Om 5.20 uur deed Gregg de deur naar Katies kamer open nadat hij haastig een kop instantkoffie had gedronken en keek naar binnen. Ze lag als een balletje opgerold onder het dekbed, vast in slaap. Alleen haar lange blonde haar was te zien. Net als hij hield ze ervan om in een koude kamer te slapen.

Maar gisteravond nadat ze naar bed gegaan was had hij haar horen snikken en hij was naar haar toe gegaan. 'Pappa, waarom zit die Jimmy Easton over je te liegen?' huilde ze.

Hij ging op haar bed zitten en legde geruststellend een hand op haar schouder. 'Katie, hij liegt omdat hij heel wat minder lang in de gevangenis hoeft te zitten door met een dergelijk verhaal te komen.'

'Maar, pappa, de jury gelooft hem. Ik merk dat ze hem geloven.'

'Geloof jij hem?'

'Nee, natuurlijk niet.' Ze trok zichzelf snel overeind in zittende positie. 'Hoe kun je me dat zelfs maar vragen?'

Ze was geschokt geweest. En ik was geschokt dat ik haar die vraag gesteld had, dacht Gregg, maar als ik in haar ogen twijfel had gelezen dan zou het me kapotgemaakt hebben. Het had lang geduurd voor Katie in slaap gevallen was. Nu hoopte hij dat ze in ieder geval tot zeven uur zou slapen. Ze moesten om twintig over acht de deur uit om naar de rechtbank te gaan.

Hij ging naar buiten en begon de twee straten naar Central Park te joggen, en nam daar het noordelijke pad.

Ook al deed hij zijn best om zijn gedachten op een rijtje te krijgen voor hij moest getuigen, zijn gedachten bleven maar teruggaan naar het verleden.

Mijn eerste baantje in de showbusiness was kaartjes aannemen in het Barrymore, bedacht hij. Maar ik was slim genoeg om net zo lang in Sardi's en een paar van die andere kroegen rond te hangen tot Doc Yates me een baan in zijn theateragentschap aanbood. Tegen die tijd had ik Kathleen ontmoet.

Kathleen had een klein rolletje gespeeld in een heropvoering van *The Sound of Music* in het Barrymore. Het was voor allebei liefde op het eerste gezicht. We gingen dezelfde week dat ik de baan bij Doc kreeg trouwen. We waren allebei vierentwintig jaar oud.

Gregg rende, met zijn gedachten helemaal in het verleden, in noordelijke richting, zich niet bewust van de kille wind noch de andere vroege hardlopers. Acht jaar hadden we samen, dacht hij. Ik maakte snel carrière bij het agentschap. Doc stoomde hem vanaf de eerste dag al klaar om hem op te volgen. Kathleen had ook vrij constant werk maar zodra ze zwanger was, zei ze blij: 'Gregg, zodra onze baby er is, blijf ik thuis. Dan ben jij de enige kostwinner in dit gezin.'

Gregg Aldrich had niet beseft dat hij glimlachte.

Die jaren waren zo dierbaar, zo bevredigend geweest. En toen werd bij Kathleen de borstkanker vastgesteld waar ook zijn moeder aan dood was gegaan. Het was allemaal zo snel gegaan, en om na afloop van de begrafenis thuis een snikkende driejarige Katie aan te treffen die om haar mamma schreeuwde was ronduit onverdraaglijk geweest.

Werk was zijn redding en in die eerste jaren nadat Kathleen dood was had hij vrijwel onafgebroken gewerkt. Hij had zo veel mogelijk in de ochtend zijn zaken van huis uit afgehandeld tot Katie om twaalf uur naar de peuterspeelzaal ging. Daarna regelde hij zijn uren zo dat hij aan het eind van de middag bij haar kon zijn. Hij ging naar feestjes en toneel- en filmpremières met zijn cliënten, maar alleen nadat hij een flinke tijd met zijn dochter had doorgebracht.

Toen Katie zeven was, had hij Natalie ontmoet bij de Tony Awards. Ze stond op de nominatie en droeg een smaragdgroene japon en sieraden die ze zoals hem bekende te leen had van Cartier. 'Als ik die ketting kwijtraak, schiet me dan maar neer, beloofd?' grapte ze.

Schiet me dan maar neer, beloofd? Gregg kromp inwendig ineen bij die woorden.

Die avond won ze niet, en de vent die met haar mee was gekomen werd dronken. Ik bracht Natalie terug naar haar woning in de Village, herinnerde hij zich. Ik ging mee naar boven om nog wat te drinken en ze liet me het toneelstuk zien dat ze haar hadden gegeven om te lezen. Ik kende het en zei tegen haar dat ze er niet aan moest beginnen, dat de helft van de belangrijke actrices in Hollywood het af had gewezen omdat het een waardeloos script was. Ze zei tegen me dat haar agent haar echt onder druk zette om te tekenen en ik zei tegen haar dat ze in dat geval beter haar agent kon ontslaan. Ik dronk mijn glas leeg en gaf haar mijn kaartje.

Twee weken later belde Natalie om een afspraak te maken, herinnerde hij zich. En dat was het begin van een stormachtige romance met als hoogtepunt de Actor's Chapel van St. Malachy's Church. Drie maanden nadat ze elkaar voor het eerst ontmoet hadden waren Natalie en hij getrouwd. Inmiddels behartigde hij al haar zaken als agent. In de vier jaar die we samen waren, heb ik alles gedaan wat ik kon om haar te helpen bij haar grote doorbraak. Maar heb ik niet altijd wel gedacht dat ons huwelijk niet voor eeuwig was?

Hij rende om het reservoir heen en ging toen in zuidelijke richting verder. Hoeveel van zijn pogingen om een verzoening tot stand te brengen waren ingegeven door echte liefde en hoeveel door obsessie? vroeg hij zich af. Ik was geobsedeerd door haar. Maar ik was ook geobsedeerd door het idee om terug te vinden wat ik had, een vrouw die van me hield, een goede moeder voor Katie. Ik wilde Natalie niet kwijt en weer helemaal opnieuw moeten beginnen.

Ik wilde niet dat Natalie haar carrière vergooide en dat was wel wat er op het punt stond te gebeuren. Leo Kearns is een goede agent maar hij zou haar gewoon alles hebben laten aannemen voor het geld, net zoals haar eerste agent had gedaan.

Waarom ben ik haar naar Cape Cod gevolgd? Wat bezielde me? Wat bezielde me die ochtend waarop ze doodging?

Zonder het te beseffen was Gregg in Central Park South

aangekomen en rende nu weer naar het noorden.

Toen hij terugkwam in het appartement trof hij daar Katie, aangekleed en wel, en ongelooflijk bezorgd. 'Pappa, het is halfacht. We moeten over tien minuten weg. Waar wás je?'

'Halfacht al! Katie, het spijt me. Ik moest even wat zaken op een rijtje zetten. Ik had geen besef van de tijd.'

Gregg haastte zich de douche in. Dat is precies wat er die ochtend gebeurd is dat Natalie doodging, dacht hij. Ik had geen besef van de tijd. En ik ben toen net zomin naar New Jersey gereden als nu.

Voor het eerst voelde hij zich er zeker van.

Bíjna zeker! corrigeerde hij zichzelf.

24

Om negen uur riep Emily de eerste op van haar twee getuigen die steunbewijs zouden leveren. Eddie Shea werkte bij Verizon en verklaarde dat in hun gegevens te zien was dat er op de avond van de tweede maart om 18.38 uur van Gregg Aldrich' toestel gebeld was naar Natalie Raines en naar Jimmy Easton diezelfde avond om 19.10 uur.

De tweede getuige was Walter Robinson, de investeerder op Broadway, die bij Vinnie's-On-Broadway met Gregg had gepraat en zich herinnerde dat hij Easton naast hem aan de bar had zien zitten.

Toen Robinson de getuigenbank uit stapte, wendde Emily zich tot de rechter. 'Uwe edelachtbare, tot zover onze bewijsvoering.'

De zaal is afgeladen dacht ze toen ze haar plek weer innam achter de tafel van het OM. Ze herkende een aantal bekende gezichten in het publiek, mensen van wie de namen regelmatig opdoken op pagina 6 van de *New York Post*. Zoals gewoonlijk werd de voortgang van het proces opgenomen. Gisteren was ze in de gang staande gehouden door Michael Gordon, de presentator van *Courtside*, die haar complimenteerde met de manier waarop ze de zaak aanpakte en haar vroeg om na het einde van het proces te gast te zijn in zijn programma.

'Ik weet niet,' had ze geantwoord, maar later had Ted Wesley tegen haar gezegd dat een gastoptreden in een nationaal tv-programma heel goed voor haar reputatie zou zijn. 'Emily, als ik je een advies mag geven: pak alle goede publiciteit die je kunt krijgen.'

We zien wel, dacht ze, terwijl ze haar hoofd draaide om naar de tafel van de verdediging te kijken. Vandaag had Gregg Aldrich een goed gesneden donkerblauw krijtstreeppak aan, een wit overhemd en een blauw met witte das. Hij had wat meer kleur in zijn gezicht dan gisteren en ze vroeg zich af of hij soms eerder op de dag gejogd had. Hij lijkt ook meer zelfvertrouwen te hebben dan gisteren. Dat zelfvertrouwen lijkt me nogal ongegrond, dacht ze met een zweempje angst.

Vandaag bevond zijn dochter Katie zich op de eerste rij, vlak achter haar vader. Emily wist dat ze pas veertien was maar ze leek erg volwassen terwijl ze daar zat, met kaarsrechte rug, een ernstige uitdrukking op haar gezicht, blond haar dat zacht op haar schouders rustte. Het is een erg knap meisje, dacht Emily, niet voor het eerst. Ik vraag me af of ze op haar moeder lijkt.

'Mr. Moore, roep uw eerste getuige op,' instrueerde rechter Stevens. De daaropvolgende drie uur riep Moore zowel karakter- als andere getuigen naar voren. De eerste, Loretta Lewis, had in haar jeugd naast Gregg gewoond. 'Er bestond geen aardigere jongen,' zei ze ernstig met een stem hees van emotie. 'Hij deed alles voor zijn moeder. Ze was niet gezond. Hij gedroeg zich altijd zo verantwoordelijk. Ik herinner me nog een winter dat ons gebouw op een gegeven moment geen elektriciteit meer had, dat hij toen van het ene appartement naar het andere ging en – er waren er twintig in dat gebouw – bij iedereen aanklopte en kaarsen uitdeelde zodat de mensen iets konden zien. Hij overtuigde zich er ook van dat iedereen het warm had. De volgende dag zei zijn moeder tegen me dat hij de dekens van zijn eigen bed had gehaald en die naar Mrs. Shellhorn had gebracht omdat die van haar zo dun waren.'

Een van de gepensioneerde nanny's van Katie zei tegen de jury dat ze nog nooit een meer toegewijde vader had gezien. 'In de meeste gezinnen met twee ouders krijgen de kinderen niet zoveel liefde als Gregg aan Katie gaf,' verklaarde ze.

Ze was vier van de vijf jaar dat Natalie en Gregg getrouwd waren bij hen geweest. 'Natalie was meer een vriendin dan een moeder voor Katie. Als ze thuis was, liet ze haar later opblijven dan anders, of ze gaf haar gewoon meteen de antwoorden wanneer ze haar hielp met haar huiswerk in plaats van dat ze haar het probleem zelf op liet lossen. Gregg zei altijd dat ze dat niet moest doen, maar hij werd er niet boos om.'

De nieuwe agent die Natalie vlak voor haar dood genomen had, Leo Kearns, bleek een verrassende getuige voor de verdediging. Hij stond op de lijst van getuigen maar Emily had niet verwacht dat Richard hem op zou roepen. Kearns legde uit dat hij en Gregg fundamenteel andere ideeën hadden over de koers die Natalies carrière diende te volgen. 'Natalie was zevenendertig,' zei hij. 'Ze was genomineerd geweest voor de Academy Award voor Beste Actrice, maar dat was drie jaar daarvoor. Er gaan niet genoeg mensen naar stukken van Tennessee Williams om te zorgen dat Natalie in het middelpunt van de aandacht bleef. Ze had een paar actiefilms nodig die flink besproken zouden worden. Ik wist zeker dat die haar carrière een enorme oppepper zouden geven. Ze was een geweldige actrice, maar iedereen weet dat in de showbusiness veertig worden het einde voor je carrière kan betekenen, tenzij je dan al beroemd bent.'

'Heeft Gregg Aldrich zich, ondanks het feit dat u Natalie Raines' agent werd en hem dus zou vervangen, ooit vijandig tegenover u betoond?' vroeg Moore.

'Nee, nooit. Het enige verschil tussen Gregg en mij bestond uit onze opvattingen over hoe het met Natalies carrière verder zou moeten.'

'Hebt u in het verleden wel eens met Gregg Aldrich strijd geleverd om een cliënt?'

'In het verleden zijn twee van mijn cliënten naar hem overgestapt. Vervolgens kwam een van hem naar mij. We wisten hoe het in zijn werk ging. Gregg is absoluut een professional.'

Aldrich' secretaresse, Louise Powell, getuigde dat hoe hectisch het er ook aan toe mocht gaan op kantoor, Gregg nooit zijn goede humeur verloor. 'Ik heb hem nog nooit zijn stem horen verheffen,' bezwoer ze. Over zijn relatie met Natalie zei ze: 'Hij was gek op haar. Ik weet dat hij haar vaak belde nadat ze uit elkaar gegaan waren maar hij deed dat ook altijd toen ze nog getrouwd waren. Ze zei ooit tegen me dat ze het heerlijk vond dat hij zo attent was. Volgens mij waren die telefoontjes zijn manier om haar duidelijk te maken dat hij er nog steeds voor haar was. Natalie was gek op aandacht en dat wist Gregg.'

Om 12.10 uur vroeg rechter Stevens, nadat Powell de getuigenbank verlaten had, aan Moore of hij nog getuigen had.

'Mijn volgende en laatste getuige zal Gregg Aldrich zijn, uwe edelachtbare.'

'In dat geval wordt de zitting nu geschorst tot halftwee,' besloot de rechter.

De getuigen waren erg goed, gaf Emily toe. Tijdens de

lunchpauze nam ze een sandwich en een beker koffie mee naar haar kamer en sloot de deur. Ze voelde zich ineens niet zo geweldig meer. Ik ga hem aan de schandpaal nagelen en nu heb ik medelijden met hem, dacht ze. De liefhebbende zoon, de alleenstaande vader, de man die een tweede kans op geluk kreeg en die jammerlijk zag mislukken.

Het feit dat hij zijn bezigheden om het dagrooster van zijn dochter heen organiseerde past niet bij mijn beeld van de losbollige agent.

Als Mark en ik ooit gezegend zouden zijn geweest met een kind, zou dat dan op dezelfde manier naar me kijken als waarop Katie Aldrich naar haar vader kijkt? Ze kent hem ongetwijfeld beter dan wie ook ter wereld.

Haar sandwich smaakte naar karton. Smaakte gevangeniseten ook zo? De bewaker had haar verteld dat Jimmy gisteren nadat hij teruggebracht was naar de gevangenis, had gezegd dat als hij er vandaag nog was hij twee koppen koffie wou en een augurk.

Hij was een fantastische getuige geweest, bedacht Emily nu – maar wat een type zeg!

Gregg Aldrich had eruitgezien alsof hij op het punt stond flauw te vallen toen Jimmy zei dat de la zo knarste. Dat bewijs in Eastons verklaring was van beslissende betekenis. Het was de eerste nagel aan de doodskist, bepalend voor de manier waarop Gregg de rest van zijn leven zou doorbrengen.

De idiote vraag die steeds door Emily's hoofd spookte was: waarom werd Gregg Aldrich zo bleek toen Jimmy het over de la gehad had? Was dat omdat hij wist dat het afgelopen met hem was, of was dat omdat hij het ongelooflijk vond dat Jimmy zich een dergelijk detail kon herinneren? Zou ik het me herinnerd hebben? vroeg Emily zichzelf af terwijl ze voor zich zag hoe Easton in de woonkamer aan Park Avenue stond en toezegde een moord te plegen terwijl hij gretig wachtte op de vijfduizend dollar voorschot.

Met een ongeduldig schouderophalen schudde Emily die vragen van zich af en pakte haar aantekeningen op voor haar kruisverhoor van Gregg Aldrich.

25

Stap voor stap leidde Richard Moore Gregg Aldrich door het verhaal van zijn leven, zijn jeugd in Jersey City, zijn verhuizing naar Manhattan na de dood van zijn moeder, zijn succesvolle carrière als theateragent, zijn eerste huwelijk en de dood van zijn eerste vrouw, en toen zijn huwelijk met Natalie.

'Jullie waren vier jaar getrouwd?' vroeg Moore.

'Eigenlijk bijna vijf jaar. We waren uit elkaar, maar nog niet gescheiden toen Natalie doodging een jaar nadat ze uit ons appartement getrokken was.'

'Hoe zou u uw relatie met uw vrouw omschrijven?'

'Erg gelukkig.'

'Waarom zijn jullie dan uit elkaar gegaan?'

'Dat was Natalies keuze, niet die van mij,' legde Gregg uit, op rustige toon en kennelijk vol zelfvertrouwen. 'Ze besloot dat ons huwelijk geen succes was.'

'Waarom vond ze dat?'

'Tijdens ons huwelijk had ze drie keer een rol in een film of toneelstuk geaccepteerd waardoor ze op locatie moest spelen of op tournee moest. Ik geef direct toe dat ik die scheidingen niet leuk vond maar ik vloog regelmatig naar haar toe om haar te kunnen zien. Katie ging, als het in een schoolvakantie was, een paar keer met me mee.'

Hij keek de jury recht aan toen hij verderging 'Ik ben een theateragent. Ik weet heel goed dat een succesvolle actrice af en toe voor langere tijd van huis weg moet. Ik maakte bezwaar toen Natalie erop stond om aan een stuk mee te doen waarmee ze op tournee zou moeten omdat ik het stuk niet geschikt voor haar vond, niet omdat ik wilde dat ze thuisbleef en mijn eten klaarmaakte. Dat was haar interpretatie, niet die van mij.'

O tuurlijk, dacht Emily terwijl ze een vraag neerkrabbelde die ze Aldrich zou stellen als het haar beurt was om hem te ondervragen: was het niet zo dat ze prima carrièrebeslissingen nam en dat ze al een ster was toen ze u ontmoette?

'Veroorzaakte dat spanningen in huis?' vroeg Moore.

'Jazeker. Maar niet om de reden die Natalie veronderstelde. Ik zeg het nog maar eens. Toen ik bezwaar maakte tegen de kwaliteit van een script dacht zij dat ik dat als excuus gebruikte om haar thuis te houden. Zou ik haar gemist hebben? Natuurlijk. Ik was haar echtgenoot, haar agent en haar grootste fan, maar ik wist dat ik met een succesvol actrice getrouwd was. Het feit dat ik haar zou missen was niet de reden dat ik bezwaar maakte tegen sommige van de contracten die ze per se wilde tekenen.'

'Kon u haar dat niet aan het verstand brengen?'

'Dat was het probleem. Ze wist heel goed dat Katie en ik haar erg misten als ze er niet was en raakte ervan overtuigd dat het minder pijnlijk zou zijn als we uit elkaar gingen en vrienden bleven.'

'Was het aanvankelijk niet zo dat ze na de scheiding van plan was u aan te houden als haar agent?'

'In het begin wel, ja. Ik geloof echt dat Natalie bijna evenveel van mij hield als ik van haar en dat ze in de buurt van Katie en mij wilde blijven. Volgens mij had ze er echt verdriet van dat we uit elkaar gegaan waren, maar aangezien ik nog steeds haar agent was zagen we elkaar regelmatig om zakelijke redenen. Om dan vervolgens steeds weer afscheid te moeten nemen, dat werd te pijnlijk voor ons.'

En hoe zit het met de pijn in uw portemonnee toen u

haar kwijtraakte als cliënt? krabbelde Emily op haar bloc-note.

'Een aantal vrienden van Natalie hebben verklaard dat ze nogal van streek was doordat u haar zo vaak belde na uw scheiding,' stelde Moore. 'Zou u ons daar alstublieft iets over willen vertellen?'

'Het is precies zoals mijn secretaresse, Louise Powell, vanochtend zei,' antwoordde Aldrich. 'Natalie mag dan gedaan hebben alsof ze niet wilde dat ik contact met haar bleef zoeken maar ik geloof dat ze er in werkelijkheid ge-mengde gevoelens over had of ze nu door moest gaan met de scheiding of niet. Toen we samen waren vond ze het heerlijk dat ik haar vaak belde.'

Moore vroeg naar de lawaaierige lade waarvan Jimmy Easton had beweerd dat Gregg er het geld in bewaarde dat hij als voorschot kreeg voor het vermoorden van Natalie.

'Dat meubelstuk staat al in mijn huis sinds Kathleen en ik het ooit bij een boedelverkoop hebben gekocht. Het knar-sen van de la was bij ons een vaste grap: we noemden het altijd een boodschap van de overledenen. Hoe Jimmy er-van wist weet ik niet. Hij is nooit in mijn woonkamer ge-weest toen ik daar was en voor zover ik weet is hij er ook nooit bij andere gelegenheden geweest.'

Moore vroeg Gregg naar de ontmoeting in de bar met Easton.

'Ik zat in mijn eentje wat te drinken aan de bar, en ik geef meteen toe dat ik behoorlijk gedeprimeerd was. Eas-ton zat op de barkruk naast me en hij begon gewoon met me te praten.'

'Waar hadden jullie het over?' vroeg Moore.

'We hadden het over de Yankees en de Mets. Het base-ballseizoen begon bijna.'

'Had u tegen hem gezegd dat u getrouwd was met Nata-lie Raines?'

'Nee. Dat ging hem niets aan.'

'Kwam hij er terwijl u daar zat achter dat u met Natalie Raines getrouwd was?'

'Inderdaad. Walter Robinson, een Broadway-investeerder, zag me en kwam naar me toe. Hij zei dat hij alleen even wilde zeggen dat hij Natalie zo fantastisch vond in *Streetcar*. Easton hoorde hem en ving op dat ik Natalies man was. Hij zei tegen me dat hij in *People Magazine* had gelezen dat wij gingen scheiden. Ik liet hem weten dat ik daar niet over wilde praten.'

Moore vroeg naar de telefoontjes van Greggs mobiel naar Natalie en vervolgens naar Easton, die avond in de bar. 'Ik belde naar Natalie om even gedag te zeggen. Ze was aan het rusten in haar kleedkamer. Ze had hoofdpijn en was erg moe. Ze was geïrriteerd dat ze gestoord werd en ja, ze verhief inderdaad haar stem, zoals Mr. Easton eerder verklaarde. Maar zoal ik al zei, ze had gemengde gevoelens. De dag daarvoor was ze twintig minuten aan de telefoon geweest terwijl ze me vertelde hoe moeilijk ze het had met de scheiding.'

Moore vroeg naar het telefoontje naar Eastons mobiel.

Emily hield vol spanning haar adem in omdat ze geen idee had hoe Aldrich dit zou weg proberen te redenen. Zijn advocaat had tijdens het kruisverhoor een alternatieve theorie aangedragen maar Gregg had geen verdere verklaringen afgelegd nadat Easton met zijn verhaal gekomen was. Dit deel van zijn verklaring was absoluut cruciaal, ze wist dat het de zaak kon maken of breken.

'Kort nadat hij naar Natalie geïnformeerd had, zei Easton dat hij naar de wc ging. Het kon me niks schelen wat hij deed, vooral niet na zijn vragen over Natalie. Ik had inmiddels honger en besloot een hamburger te bestellen en die aan de bar op te eten. Ongeveer vijf minuten later kwam Easton terug en zei tegen me dat hij zijn mobiel nergens kon vinden en dacht dat hij hem misschien ergens in de bar had laten liggen. Hij vroeg me zijn nummer te

draaien zodat de telefoon over zou gaan en hij hem hopelijk kon vinden.'

Gregg pauzeerde en keek naar de jury. 'Hij gaf me zijn
nummer en ik toetste het in. Ik kon hem horen overgaan
in mijn mobiel maar niet in de bar. Ik liet hem ongeveer
vijftien minuten overgaan zodat hij rond kon lopen om te
kijken of hij hem ergens kon vinden. Ik herinner me nog
dat hij kennelijk geen voicemail had, want het ding bleef
gewoon overgaan. Ongeveer dertig seconden later, terwijl
hij nog steeds overging, nam hij op en bedankte me. Hij
zei dat hij hem in de heren-wc teruggevonden had. Dat
was de laatste keer dat ik ooit iets van hem hoorde of zag
tot hij gearresteerd werd voor inbraak en de politie dat ri-
dicule verhaal vertelde.'

'En heeft iemand anders voor zover u weet gehoord dat
hij u vroeg om zijn nummer te draaien?'

'Ik denk het niet. Het was erg lawaaierig in de bar. Ik
kende er verder niemand. Easton kwam twee jaar later ineens met die idiote leugen op de proppen. Ik zou niet eens
weten wie ik moest bellen om te vragen of ze zich nog iets
herinnerden.'

'Heeft Mr. Easton u overigens ooit verteld dat hij een
beroepscrimineel was die erg moeilijk aan een baan kon
komen?'

'Zeker niet!' antwoordde Gregg.

'Op vrijdag, 13 maart, tweeënhalf jaar geleden,' vervolgde Moore, 'ging u naar Natalie kijken in de laatste
voorstelling van *A Streetcar Named Desire*. Getuigen hebben
bevestigd dat u op de achterste rij zat met een volkomen
uitdrukkingsloos gezicht en niet meedeed aan de staande
ovatie. Hoe verklaart u dat?'

'Ik was niet van plan geweest het stuk te gaan zien, maar
ik hoorde er zoveel over dat ik de verleiding niet kon
weerstaan erheen te gaan. Met opzet kocht ik een kaartje
voor een stoel op de achterste rij. Ik wilde niet dat Natalie

me zag omdat ik bang was dat het haar van streek zou maken. Ik sprong niet overeind om te applaudisseren omdat ik te emotioneel was. Ik realiseerde me denk ik weer eens wat een fantastische actrice ze was.'

'Ontving u de volgende ochtend een telefoontje van haar?'

'Ik ontving een bericht van haar op mijn mobiel waarin ze zei dat ze naar Cape Cod was gegaan, dat ze op onze afspraak voor maandag zou verschijnen en me vroeg haar dat weekend niet te bellen.'

'Hoe reageerde u op dat bericht?'

'Ik geef toe dat ik inderdaad van streek was. Natalie had eerder gesuggereerd dat ze iemand anders ontmoet had. Het was erg belangrijk voor me te weten of dat waar was. En dus besloot ik naar Cape Cod te rijden. Ik had voor mezelf besloten dat als ik haar met iemand anders zag, ik zou moeten accepteren dat ons huwelijk voorbij was.'

Vraag hem waarom hij geen privédetective inhuurde om dit uit te zoeken, schreef Emily op haar blocnote.

'Waarom huurde u een auto, een groene Toyota, om naar de Cape te rijden als uw eigen auto, een Mercedes-Benz, zich in de garage van uw appartementencomplex bevond?'

'Nou, Natalie zou natuurlijk mijn auto herkennen. Op de nummerplaten stonden ons beider initialen. Ik wilde niet dat zij of wie dan ook wist dat ik haar aan het controleren was.'

'Wat deed u toen u bij de Cape aankwam, Mr. Aldrich?'

'Ik ging naar een klein motel in Hyannis. We kennen een hoop mensen die op de Cape wonen en ik had geen zin een van hen tegen te komen. Het enige wat ik wilde was zien of Natalie alleen was.'

'Bent u verschillende keren langs haar huis gereden?'

'Ja, jaren geleden was de garage veranderd in een recreatieruimte en het was er nooit van gekomen om een nieuwe te bouwen. Er was geen garage waar zich een andere auto in bevonden kon hebben. Iedere keer dat ik langs het huis reed zag ik steeds alleen haar auto op de inrit en dus wist ik dat ze alleen was.'

Stel dat ze onderweg iemand had meegenomen? schreef Emily op haar blocnote. Hoe kon u er zomaar van uitgaan dat ze alleen was, alleen op grond van het feit dat er geen andere auto stond?

'Wat deed u toen, Mr. Aldrich?' vroeg Moore.

'Ik reed op zaterdag in de middag en laat op de avond langs haar huis en drie keer op zondag. Haar auto was altijd de enige op de inrit. Het was allebei de dagen bewolkt en er waren lichten aan in huis, zodat ik aannam dat ze er was. Toen, zondagavond om acht uur, ving ik de terugreis naar Manhattan aan. Er was een akelige storm voorspeld en ik wilde naar huis.'

'Had u op dat moment al besloten of u nog door zou gaan met uw pogingen een verzoening tot stand te brengen met Natalie Raines?'

'Op de weg terug naar huis, weet ik nog, moest ik denken aan iets wat ik had gelezen. Ik weet niet zeker of dat over Thomas Jefferson gezegd was, maar ik dacht van wel. Hoe dan ook, het citaat luidde: "Nooit minder alleen dan alleen."'

'"Nooit minder alleen dan alleen." Besloot u dat dat waar was wat Natalie betrof?' vroeg Moore.

'Ja, ik geloof dat ik op weg terug naar huis op zondagavond me neerlegde bij die waarheid.'

'Hoe laat kwam u thuis?'

'Tegen enen. Ik was uitgeput en ging meteen naar bed.'

'Wat deed u op maandagochtend?'

'Ik ging joggen in Central Park. Daarna bracht ik de huurauto terug.'

'Hoe laat ging u joggen?'

'Ongeveer om kwart over zeven of zo.'

'En u bracht de auto terug om 10.05 uur.'
'Ja.'
'Was dat ongewoon voor u? Om zo lang hard te lopen?'
'Meestal loop ik ongeveer een uur en wandel ik aansluitend soms nog even door. Af en toe, en dan vooral als ik over dingen na aan het denken ben, verlies ik elk besef van tijd.'
Natuurlijk doe je dat! dacht Emily.
'Hoe vaak komt het voor, Mr. Aldrich, dat u ieder besef van tijd kwijt bent wanneer u aan het hardlopen of wandelen bent?' vroeg Richard Moore meelevend.
'Daar valt geen patroon in te ontdekken. Maar het gebeurt vooral als ik veel aan mijn hoofd heb.' Gregg herinnerde zich wat er die ochtend gebeurd was. Ik was voor halfzes het appartement uit gegaan en pas om halfacht weer terug. Ik moest me haasten om te douchen en me te verkleden zodat ik hier op tijd zou zijn. Dat ga ik niet tegen de jury zeggen. Ze zullen denken dat ik gek ben.

Er is geen patroon, maar het gebeurde toevallig wel op de ochtend dat Natalie doodging, dacht Emily. Wat handig.

De volgende vragen van Richard Moore gingen over Gregg Aldrich' reactie toen hij gebeld werd met het nieuws dat Natalie dood was.

'Ik kon het niet geloven. Het leek gewoon onmogelijk. Ik was kapot.'

'Wat deed u zodra u het nieuws gehoord had?'

'Ik ging meteen van kantoor naar Natalies moeder.' Gregg keek Alice Mills, die op de derde rij zat, recht aan. Hoewel de getuigen zich niet in de rechtszaal ophielden was het haar toegestaan om na afloop van haar getuigenis de rest van het proces te volgen. 'We waren compleet in de war en geschokt. We huilden samen. Alice' eerste gedachte gold Katie.' Zijn stem klonk gespannen. 'Ze wist hoe gek Katie en Natalie op elkaar waren. Ze stond erop dat ik meteen het nieuws aan Katie ging vertellen voor ze het van iemand anders hoorde.'

Het was bijna vier uur. Moore gaat dit net zo lang rekken tot de juryleden het hele weekend medelijden met Gregg zitten te hebben, dacht Emily.

Ontzettend teleurgesteld dat ze pas maandag met haar kruisverhoor zou kunnen beginnen, deed ze haar best daar niets van aan de buitenwereld te laten merken.

26

Die avond was het *Courtside*-panel van Michael Gordon het erover eens dat Gregg Aldrich zich prima gehouden had tijdens het verhoor door zijn advocaat. Als hij dat vol wist te houden tijdens het kruisverhoor door de openbare aanklager, had hij een redelijke kans op een verdeelde jury en misschien zelfs vrijspraak.

'De uitspraak in deze zaak hangt af van de getuigenis van een misdadiger,' herinnerde de gepensioneerde rechter Bernard Reilly het panel eraan. 'Vind een redelijke verklaring voor hoe Jimmy Easton kan hebben geweten dat die la knarste en de jury zal gerede twijfel hebben. De rest van het bewijs berust puur op Eastons woord tegenover dat van Aldrich.' Hij glimlachte. 'Ik heb ook wel eens in een bar met iemand een ruzie zitten wegdrinken. Als die kerel dan vervolgens op de proppen zou komen met het verhaal dat ik hem verteld had dat ik mijn vrouw wilde vermoorden zou het zijn woord tegen dat van mij zijn geweest. En ik moet u zeggen dat ik Aldrich' verklaring van het telefoontje naar Easton heel plausibel en heel wel mogelijk vond.'

Michael Gordon voelde zich ineens emotioneel worden en hij besefte dat hij ergens nog steeds verwachtte dat zijn vriend in het gelijk gesteld zou worden.

'Ik ga jullie iets voorleggen,' hoorde Gordon zichzelf zeggen. 'Toen Jimmy Easton ineens opdook, dacht ik echt dat hij waarschijnlijk de waarheid vertelde, dat Gregg Aldrich de moord gepleegd had. Ik was er verschillende keren getuige van hoe gek Gregg op Natalie was en hoezeer hun scheiding hem van streek maakte. Ik dacht echt dat hij door het lint gegaan was en haar vermoord had.'

Gordon keek om naar de vragende gezichten van het panel. 'Ik weet dat dit voor het eerst is dat ik zoiets doe. Het is altijd mijn beleid geweest om neutraal te zijn tijdens een proces en in deze zaak ben ik daar zonder meer te ver in gegaan. Zoals ik heb laten weten, waren Gregg en Natalie goede vrienden van me. Ik ben opzettelijk uit de buurt van Gregg gebleven sinds hij was aangeklaagd en nu ik hem gehoord heb in de getuigenbank en de rest van het bewijs gezien heb, spijt het me dat ik aan hem getwijfeld heb. Ik geloof dat Gregg de waarheid vertelt. Ik geloof dat hij onschuldig is en dat die hele aanklacht een enorme tragedie is.'

'Wie heeft Natalie Raines dan doodgeschoten volgens jou?' vroeg Reilly.

'Ze kan een inbreker betrapt hebben,' suggereerde Gordon. 'Ook al was er niks weggenomen, de insluiper zou in paniek geraakt kunnen zijn en op de vlucht geslagen nadat hij haar vermoord had. Of misschien was het wel een gestoorde fan. Er zijn zoveel mensen die zo'n nepkei met reservesleutels in de tuin hebben. Elke inbreker met een beetje ervaring zou meteen weten dat hij daarnaar moest zoeken.'

'Misschien zouden we Jimmy Easton moeten vragen of hij er ooit naar eentje gezocht heeft,' stelde Brett Long, forensisch psycholoog voor.

Terwijl iedereen lachte, herinnerde Michael Gordon de kijkers eraan dat maandag Emily Wallace, de mooie jonge aanklager, Gregg Aldrich een kruisverhoor zou afnemen.

'Hij zal de laatste getuige van de verdediging zijn. Daarna, als de raadslieden hun slotpleidooien afleggen en de rechter de jury instrueert aangaande de wet, zal de zaak verder bij de jury liggen. Wanneer zij gaan beraadslagen, zullen we opnieuw een peiling starten op onze website. Denkt u nog eens goed na over de bewijzen die op tafel zijn gekomen en breng uw stem uit. Bedankt dat u naar *Courtside* gekeken hebt. Goedenavond.'

Het was tien uur. Na een paar woorden met de vertrekkende panelleden gewisseld te hebben ging Michael naar zijn kantoor en toetste het nummer in dat hij zeven maanden lang niet ingetoetst had. Toen Gregg antwoordde zei hij: 'Heb je misschien toevallig net gekeken?'

Gregg Aldrich' stem klonk schor: 'Ja. Dank je, Mike.'

'Heb je al gegeten?'

'Ik had geen honger.'

'Waar is Katie?'

'Naar de film met een van haar vriendinnen.'

'Jimmy Neary sluit de keuken pas laat. Daar valt niemand je lastig. Wat vind je ervan?'

'Klinkt goed, Mike.'

Terwijl Michael Gordon de hoorn neerlegde, besefte hij dat zijn ogen vochtig waren.

Ik had er al die tijd voor hem moeten zijn, dacht hij. Hij klinkt zo alleen.

27

Emily nipte onder het kijken naar *Courtside* aan een glas wijn. Ik ben het met hem eens, dacht ze, terwijl ze naar het commentaar van de gepensioneerde rechter luisterde. Mijn zaak staat of valt met de verklaring van een getuige die de gladste persoon is die ik ooit heb ontmoet.

Ze was zich ervan bewust hoe ontmoedigd en terneergeslagen ze zich voelde. Ik weet waarom, zei ze tegen zichzelf. Ik had mezelf zo opgepept dat ik Aldrich ging pakken. Toen slaagde Richard erin om de getuigenverklaringen te rekken van de buurvrouw uit Jersey City, de secretaresse, de nanny, die allemaal dachten dat Gregg Aldrich nooit iets verkeerd deed. Het was goed dat ik hen verder met rust gelaten heb. Als ik had geprobeerd om hen in een kwaad daglicht te stellen dan was dat een grote fout geweest.

En Leo Kearns, de andere agent? Had ik hem het vuur meer na aan de schenen moeten leggen? Niemand is zo altruïstisch als hij een cliënt kwijtraakt. Het valt vast niet mee om een theateragent te zijn. Kearns doet net of het een tenniswedstrijd is – nul-nul.

Gregg Aldrich. De pijn op zijn gezicht toen hij het over zijn eerste vrouw had... Ik word week, dacht Emily. In hem merkte ik dezelfde soort pijn op die ik voelde toen ik hoorde dat Mark dood was.

'Way up on the mountain, there's a new chalet... and Jean so brave and true... has built it all anew.' Een liedje uit haar kindertijd speelde door haar hoofd. Gregg Aldrich had zijn leven weer opnieuw proberen op te bouwen, dacht ze. Hij was hertrouwd. Hij was duidelijk erg verliefd op Natalie. Toen ze vermoord was, was hij niet alleen in de rouw maar moest hij zich bovendien verdedigen tegen de agenten die ervan uitgingen dat hij haar had vermoord.

Ze sloeg de rest van de wijn achterover. Mijn god, wat is er met me aan de hand? vroeg ze zichzelf boos af. Het is mijn taak deze man te vervolgen.

Toen, aan het einde van *Courtside*, sprak Michael Gordon zijn steun uit voor Aldrich. Ze wist dat Gordon als een rechtvaardig analyticus werd beschouwd en ze was geschokt.

Maar ineens voelde ze haar wilskracht terugkomen. Als hij typerend is voor de mensen die naar dit programma kij-

ken en voor de richting waarin de jury denkt, dan zal ik
mijn handen vol hebben, dacht ze.

28

'Nou, is dat geen verrassing?' vroeg Isabella Garcia aan haar
echtgenoot, terwijl ze in hun kleine woonkamer aan East
Twelfth Street in Manhattan naar *Courtside* hadden zitten
kijken. Ze was helemaal opgegaan in het programma en
kon haar oren nauwelijks geloven toen Michael Gordon
de rest van het panel vertelde dat hij er nu van overtuigd
was dat Gregg Aldrich onschuldig was aan de moord op
Natalie Raines. Maar al was ze dan oprecht geschokt, ze zei
tegen Sal dat als je er goed over nadacht het heel zinnig was
wat Gordon zei.

Sal zat een biertje te drinken en las de sportpagina van de
krant. Met uitzondering van het nieuws, baseball- of foot-
ballwedstrijden gaf hij niks om tv-kijken en hij had het talent om zich als hij zat te lezen zowel voor het beeld als het
geluid af te sluiten.

Hij had gisteren niet echt opgelet toen Belle zei dat hij
naar de opnames moest kijken die ze van die schurk, Jimmy Easton, in de getuigenbank lieten zien. Hij had maar
even een blik op het scherm geworpen, en toch het gevoel
gehad dat de man hem op de een of andere manier bekend
voorkwam. Maar hij kon zich niet herinneren waar hij
hem ontmoet zou kunnen hebben en trouwens, het kon
hem ook niets schelen.

Hij wist dat nu het programma voorbij was, Belle zou
willen praten en Sal liet plichtsgetrouw zijn krant zakken.
Nadat ze *Courtside* gezien had vond ze het leuk om haar
mening te ventileren over wat er die dag tijdens het proces
gebeurd was. Helaas was haar bejaarde moeder op een

cruise in het Caribische gebied met een aantal vriendinnen, ook weduwen, en was dus niet beschikbaar voor hun gebruikelijke langdurige babbeltjes over de telefoon.

'Ik moet zeggen dat Gregg het er erg goed van af heeft gebracht,' begon Belle. 'Hij maakt zo'n aardige indruk. Waarom Natalie eigenlijk bij hem weg wou is moeilijk te vatten. Als ze ónze dochter was dan zou ik een hartig woordje met haar gewisseld hebben en haar gezegd hebben dat een erg wijze man ooit schreef: "Er is geen mens die aan het einde van zijn leven zegt dat hij er spijt van heeft niet meer tijd op kantoor doorgebracht te hebben."'

'Ze stond op het toneel, ze zat niet op kantoor,' wees Sal haar terecht. Je zou denken dat men in deze zaak volledig afhankelijk was van Belles mening, dacht hij, half geamuseerd en half geïrriteerd terwijl hij door de kamer naar de vrouw keek met wie hij al vijfendertig jaar getrouwd was. Ze verfde haar haren al tientallen jaren zodat het nu ze zestig was nog steeds even koolzwart was als toen hij haar voor het eerst ontmoet had. Ze was iets dikker geworden, maar niet veel. Haar mondhoeken wezen omhoog omdat ze zo gemakkelijk lachte. Hij probeerde niet te vergeten God te danken dat Belle altijd zo goedgemutst was. Zijn broer was getrouwd met een echte helleveeg.

'Toneel, kantoor, je weet best wat ik bedoel.' Belle wuifde Sals opmerking weg. 'En Katie is zo'n mooi meisje. De opnamen van haar die Michael in het programma laat zien vind ik altijd zo leuk.'

Belle had de neiging om over mensen te praten alsof het goede vrienden waren, of waren geweest, dacht Sal. Soms als ze hem een verhaal vertelde duurde het een aantal minuten voor hij begreep dat ze het niet had over iemand waar ze goed mee bevriend waren. Michael Gordon, de presentator van *Courtside*, was altijd alleen 'Michael'. Natalie Raines was 'Natalie'. En de man die van moord beschuldigd was werd natuurlijk vol genegenheid 'Gregg' genoemd.

Ook al was het twintig over tien, Belle was nog steeds klaarwakker. Ze had het erover dat het maar goed was dat Suzie, de huishoudster die in de buurt werkte waar Natalie woonde, zo nieuwsgierig geweest was dat ze naar binnen was gegaan en Natalie stervend op de keukenvloer aan had getroffen. 'Ik weet niet of ik daar de moed voor gehad zou hebben,' zei Belle.

O alsjeblieft, dacht Sal. Elke open deur was voor Belle een uitnodiging om op onderzoek uit te gaan. Hij kwam overeind. 'Nou, ik weet zeker dat jij te hulp zou zijn geschoten als je in de gelegenheid was geweest,' zei hij vermoeid. 'Oké, ik heb het gehad. We hebben morgenvroeg een vrachtje in Staten Island. Mensen die naar Pearl River verhuizen.'

Toen hij vijftien minuten later in bed stapte, schoot de naam Jimmy Easton weer door zijn hoofd. Geen wonder dat die man hem bekend voorkwam, dacht hij. Hij heeft af en toe voor ons gewerkt, een paar jaar geleden.

Niet erg betrouwbaar.

Geen blijvertje.

29

Op zaterdagochtend gluurde Zach als elke morgen door de jaloezieën terwijl Emily aan het ontbijt zat. Het was al half-negen. Ze gunde zichzelf kennelijk een paar uur extra slaap, dacht hij. Gisteren was ze om halfzeven 's ochtends van huis gegaan. Vandaag nam ze de tijd voor een tweede kop koffie terwijl ze de krant las. Haar hond Bess zat op haar schoot. Hij haatte die hond. Hij benijdde haar dat ze in de intieme nabijheid van Emily verkeerde.

Toen Emily naar boven ging om zich aan te kleden voelde hij de vertrouwde teleurstelling dat hij haar niet kon zien of horen. Hij bleef ongeveer twintig minuten bij het raam staan tot hij haar in haar auto zag stappen. Het was een warme dag aan het begin van oktober en ze droeg een spijkerbroek en een trui. Als ze in het weekend naar kantoor ging kleedde ze zich heel casual. Hij was er zeker van dat ze weer aan haar zaak ging werken.

Hij wist precies wat hij die dag zou doen tot ze weer thuiskwam – de eerste bladeren waren gevallen en hij bracht de ochtend door met het bijeenharken ervan om ze vervolgens in plastic zakken voor de vuilophaaldienst te stoppen.

Zach wist zeker dat Emily niet terug zou zijn voor het einde van de middag. Nadat hij een boterham gegeten had, reed hij naar het plaatselijke tuincentrum en koos daar wat herfstplantjes uit. Vooral de gele chrysanten bevielen hem en hij besloot die aan weerszijden langs het tuinpad van de inrit naar de veranda te planten, ook al zou hij niet lang genoeg meer hier zijn om ervan te genieten.

Terwijl hij de planten in een boodschappenkarretje deed, voelde hij het verlangen in zich opkomen er een paar voor Emily te kopen. Ze zouden langs haar tuinpad ook mooi staan. En zij werkt zo hard dat ze nauwelijks tijd voor zichzelf over heeft, laat staan voor haar tuin, maar hij wist dat als hij een dergelijk aardig gebaar zou maken ze dat niet goed zou opvatten. En dan…

Ach, wat kan het ook schelen, besloot hij terwijl hij de caissière betaalde. Zíj zal er ook niet lang meer zijn om ervan te genieten! Hij was nog steeds boos op zichzelf dat hij een paar weken geleden zo stom was geweest nog op de overdekte veranda te zitten toen ze thuiskwam. Het had een einde gemaakt aan hun beginnende vriendschap en nu ontweek ze hem volledig.

Hij was blij dat hij in ieder geval dat mooie nachtponnetje uit de onderste la van haar kast had meegenomen, de laatste keer dat hij haar huis doorsnuffeld had. Hij wist zeker dat ze het niet zou missen. Ze had minstens acht van die dingen in haar la, en aan de inhoud van haar wasmand te zien sliep ze meestal in een lang T-shirt.

Hij reed het korte stuk naar huis, en dacht eraan hoe hij in de afgelopen weken, sinds Emily hem had afgewezen, met de voorbereidingen van zijn vertrek uit New Jersey was begonnen.

Zodra hij haar vermoord had.

Zijn huis werd per maand verhuurd. Hij had de eigenaars laten weten dat hij op 1 november zou verhuizen. Hij had bovendien met ingang van eind oktober ontslag genomen op zijn werk. Hij vertelde hun allemaal dat zijn bejaarde moeder in Florida ernstige gezondheidsproblemen had en dat hij bij haar wilde zijn.

Zach wist dat hij zich uit de voeten gemaakt moest hebben zodra Emily dood was en voordat haar lichaam gevonden zou worden. Hij wist zeker dat de politie alle buren zou gaan ondervragen en men had hem ongetwijfeld gezien terwijl hij haar hond uitliet. En het was altijd mogelijk dat Emily wel eens tegen familie of vrienden had gezegd dat ze de man die naast haar woonde maar een rare vond en dat hij haar een ongemakkelijk gevoel gaf. Je kunt ervan op aan dat ze dat de politie gaan vertellen, dacht hij.

Hij dacht eraan hoe Charlotte, zijn derde vrouw, hem uit zijn eigen huis had gegooid. Daarna had ze tegen haar nieuwe vriend gezegd dat hij raar was en dat hij haar bang maakte. Je had gelijk dat je bang voor me was, schatje, zei hij gniffelend bij zichzelf. Ik heb er alleen spijt van dat ik niet tegelijk mijn vroegere beste vriend, jouw vriendje, opgeruimd heb.

Hij kocht zesentwintig chrysanten in totaal. Hij had een hele plezierige namiddag met het planten ervan. Zoals hij verwacht had, kwam Emily thuis om vijf uur. Ze zwaaide naar hem toen ze uit de auto stapte maar haastte zich toen snel haar huis in.

Hij kon zien dat ze er moe en gestrest uitzag. Hij was er aardig zeker van dat ze vanavond thuis zou zijn en haar eigen avondeten klaar zou maken. Dat hoopte hij in ieder geval. Maar om twintig over zes hoorde hij door het open zijraam het geluid van haar auto die gestart werd. Hij was net op tijd bij het raam om haar achteruit de inrit af te zien rijden en ving een glimp op van een zijden blouse, parels, en grote oorringen.

Helemaal opgetut, dacht hij bitter. Ze ging waarschijnlijk met vrienden uit eten. Er was niemand haar op komen halen, dus een afspraakje was het waarschijnlijk niet. Hij voelde zijn woede toenemen. Ik wil niet dat er iemand anders in haar leven is. Níémand!

Hij voelde dat hij erg overstuur raakte. Hij wist dat het hem maar een minuut kostte om een ruitje eruit te snijden zodat hij haar in haar huis op kon wachten als ze thuiskwam. Haar alarm zou geen probleem zijn. Het was een goedkoop simpel systeem. Dat kon hij van buitenaf makkelijk uitzetten.

Nog niet, riep hij zichzelf tot de orde. Je bent nog niet zover. Je hebt een andere auto nodig, en je moet een nieuwe woning huren in North Carolina. Daar vestigden zich voortdurend een hoop nieuwe mensen en met zijn nieuwe identiteit wist hij dat hij niet op zou vallen.

Vastbesloten om zich niet langer bezig te houden met wat Emily aan het doen was, ging hij naar zijn keuken, haalde het pakje hamburgers tevoorschijn dat hij gekocht had voor het avondeten en zette de tv aan. Er waren een aantal programma's op zaterdagavond op tv waar hij dol op was, en dan vooral *Fugitive Hunt*, dat om negen uur begon.

In de afgelopen paar jaar was er twee keer een reportage aan hem gewijd. Hij had het leuk gevonden ernaar te kijken en de spot te drijven met de computerbeelden waarvan ze beweerden dat hij erop zou lijken.

Echt niet, had hij gegicheld.

30

Ted Wesley had Emily uitgenodigd om op zaterdagavond bij hem thuis te komen eten. 'Er komen alleen wat vrienden,' legde hij uit. 'We willen nog een keer gezellig samen zijn met mensen om wie we écht geven, voor we verhuizen.'

Op 5 november zou hij met zijn nieuwe baan in Washington beginnen. Emily wist dat het huis in Saddle River al te koop stond.

Het was de eerste keer dat ze een uitnodiging om te komen eten ontving van Ted en Nancy Wesley. Ze wist dat het een gevolg was van de goede publiciteit die ze had gekregen tijdens het proces. Ted vond het prettig om met mensen om te gaan die in het middelpunt van de belangstelling stonden. Succésvolle mensen!

Of ik nou win of verlies, de kranten die nu vol staan met mijn foto's liggen volgende week in de papierbak, dacht ze, terwijl ze door Saddle River reed en Foxwood Road in draaide. Als ik verlies, duurt het een hele lange tijd voor ik nog eens uitgenodigd word, waarschuwde ze zichzelf.

Teds huis was een van de grootste stadsvilla's aan de slingerende weg. Dit heeft hij echt niet gekocht van het salaris van een officier van justitie, dacht Emily. Natuurlijk, hij was, voordat hij openbare aanklager werd, partner geweest in het advocatenkantoor van zijn schoonvader, maar het echte geld, wist ze, kwam via zijn vrouw, Nancy. Nancy's grootvader aan moeders kant had een keten van betere warenhuizen gevestigd.

Emily parkeerde de auto vlak bij de rotonde aan het einde van de inrit naar het huis. Het was inmiddels kil geworden en toen ze uit de auto stapte ademde ze een paar keer diep de frisse lucht in. Dat voelde goed. Ik ben de laatste tijd veel te weinig naar buiten gegaan voor wat zuivere buitenlucht in mijn longen, dacht ze. Toen versnelde ze haar pas. Ze had geen jasje meegenomen en had er nu wel een kunnen gebruiken.

Maar ze was blij dat ze besloten had de zijden blouse met het kleurige vlekkenpatroon aan te trekken. Ze wist dat de vermoeidheid, die het gevolg was van de lange uren die ze maakte, op haar gezicht te zien was. Zorgvuldig aangebrachte make-up verborg deze een beetje. En zo ook de levendige kleuren van de blouse. Als dit proces achter de rug is, dan neem ik een paar dagen vrij, besloot ze toen ze aanbelde, het kan me niet schelen hoeveel werk er nog op mijn bureau ligt.

Ted deed zelf de deur open, liet haar binnen en zei toen op bewonderende toon: 'U ziet er erg glamoureus uit vanavond, raadsvrouw.'

'Dat ben ik met je eens,' zei Nancy Wesley. Ze was haar echtgenoot gevolgd naar de deur. Een tengere blondine van eind veertig, aan wie onmiskenbaar te zien was dat ze in een rijk en voornaam milieu geboren was. Maar haar glimlach was oprecht en ze nam Emily's handen in de hare terwijl ze haar vluchtig op de wang kuste. 'We hebben drie anderen uitgenodigd, niet meer. Ik weet zeker dat je ze aardig zult vinden. Kom binnen, dan kun je ze ontmoeten.'

Emily wierp snel, terwijl ze achter de Wesleys aan liep, een blik om zich heen in de hal. Heel indrukwekkend, dacht ze. Een dubbele trap van marmer. Galerij. Antieke kroonluchter. En ik heb de juiste kleren aan. Nancy Wesley droeg een zwartzijden broek met een blouse net als zij. Het enige verschil was dat de kleur van haar blouse pastelblauw was.

Drie andere mensen, dacht Emily. Ze was bang dat de Wesleys misschien een alleenstaande man hadden uitgenodigd als tafelheer voor haar. In het afgelopen jaar was dat een aantal keren onder andere omstandigheden gebeurd. Aangezien ze Mark nog steeds zo erg miste was dat niet alleen irritant geweest, maar ook pijnlijk. Ik hoop dat ik op een dag weer zover zal zijn, peinsde ze, maar nu nog niet. Ze probeerde een grijns te onderdrukken. Zelfs al wás ik er klaar voor geweest, zei ze bij zichzelf, de grapjassen die ze tot nu toe voor me geregeld hadden waren niet veel zaaks!

Ze was opgelucht om te zien dat de drie mensen in de woonkamer een man en een vrouw waren van om en nabij de vijftig, die op een bank bij de open haard zaten, en nog een vrouw van eind zestig die in een oorfauteuil zat. Ze herkende de man, Timothy Moynihan, hij was een acteur in een serie die al sinds jaar en dag 's avonds op de buis te zien was. Hij speelde de rol van hoofdchirurg in een ziekenhuissoap.

Ted stelde zijn vrouw Barbara en hem aan Emily voor.

Nadat ze zijn vrouw begroet had vroeg Emily, glimlachend, aan Moynihan: 'Moet ik u met dokter aanspreken?'

'Ik heb geen dienst dus Tim is voldoende.'

'Dat geldt ook voor mij. Noem me alsjeblieft geen "aanklager".'

Ted keerde zich vervolgens naar de oudere vrouw: 'Emily, dit is nog een goede vriendin van ons, Marion Rhodes – en zij is een echte dokter, een psycholoog.'

Emily knikte naar haar en voor ze het wist zat ze in hun midden een glas wijn te drinken. Ze voelde hoe ze zich begon te ontspannen. Wat is dit heerlijk beschaafd, dacht ze. Er is echt nog leven buiten de zaak-Aldrich, al is het dan maar voor één avond.

Toen ze naar de eetkamer gingen en Emily de prachtig gedekte tafel zag, dacht ze even aan de soep of sandwich die ze bij wijze van lunch aan haar bureau verorberde, of de afhaalmaaltijden 's avonds, háár haute cuisine van de afgelopen paar maanden.

Het eten was heerlijk en de gesprekken zowel aangenaam als amusant. Tim Moynihan was een bedreven causeur en vertelde verhalen over wat er achter de schermen van zijn soap gebeurde. Terwijl ze luisterde en lachte merkte Emily op dat hij beter was dan de glossy's. Ze vroeg hoe Ted en hij elkaar voor het eerst hadden ontmoet.

'We waren kamergenoten op de campus van Carnegie Mellon,' legde Wesley uit. 'Tim deed drama, en geloof het of niet maar ik heb zelf ook in een paar stukken meegespeeld. Mijn ouders wilden niet dat ik acteur werd omdat ze dachten dat ik dan om zou komen van de honger. En dus ging ik rechten doen, maar ik denk wel dat dat beetje acteren me in de rechtszaal geholpen heeft, als advocaat en als openbare aanklager eveneens.'

'Emily, Nancy en Ted hebben ons gewaarschuwd dat dit voor jou een avondje vrij was,' zei Moynihan. 'Maar ik moet je wel zeggen dat Barbara en ik de zaak op *Courtside* met grote aandacht gevolgd hebben. Na de opnamen die ik van jou in de rechtszaal gezien heb is het mij duidelijk dat je een erg succesvolle actrice geweest zou zijn. Je zelfverzekerde optreden is indrukwekkend en er is nog iets anders – de manier waarop je de vragen stelt en je reacties op de antwoorden zijn enorm veelzeggend voor de kijker. Ik zal je een voorbeeld geven: de vernietigende blik die je Gregg Aldrich een aantal keren toewierp tijdens Eastons getuigenverklaring sprak boekdelen.'

'Ik weet niet of ik nu op mijn kop krijg van Ted, omdat ik dit ter sprake breng,' zei Barbara Moynihan, ietwat aarzelend. 'Maar, Emily, het feit dat Michael Gordon verklaarde te geloven dat Gregg Aldrich onschuldig is zal je niet veel plezier gedaan hebben.'

Emily kon voelen dat Marion Rhodes, de psychologe, haar antwoord vol belangstelling afwachtte. En ze was zich er terdege van bewust dat al was dit dan een avondje onder vrienden, haar baas, de officier van justitie van het district, ook aan tafel zat.

Ze koos haar woorden zorgvuldig. 'Ik zou en kon nooit deze zaak op me genomen hebben, als ik er niet van overtuigd was dat Gregg Aldrich zijn vrouw vermoord had. De tragedie voor hem en zijn dochter en ook Natalie Raines' moeder is dat hij waarschijnlijk écht heel veel van Natalie hield. Maar ik weet zeker dat dr. Rhodes in de loop der jaren vaak heeft meegemaakt dat mensen die anders door en door fatsoenlijk zijn, vreselijke dingen kunnen doen wanneer ze erg jaloers of verdrietig zijn.'

Marion Rhodes knikte instemmend. 'Daar heb je gelijk in, Emily. Uit alles wat ik gehoord en gelezen heb, maak ik op dat Natalie Raines waarschijnlijk nog steeds van haar man hield. Als ze in relatietherapie waren gegaan en echt de problemen hadden uitgepraat die veroorzaakt werden door haar regelmatige afwezigheid had het allemaal heel anders kunnen gaan.'

Ted Wesley keek naar zijn vrouw en zei verrassend openhartig: 'Dankzij Marion heeft dat voor ons zo gewerkt. Wij kregen van haar de hulp die we nodig hadden toen Nancy en ik jaren geleden een moeilijke periode doormaakten. Kijk eens wat we allemaal misgelopen zouden zijn als we toen uit elkaar gegaan waren. Onze jongens zouden nooit geboren zijn. We zouden niet op het punt staan naar Washington te verhuizen. En na de therapie werd Marion een goede vriendin.'

'Soms, als mensen in een persoonlijke relatie getraumatiseerd raken of een conflict meemaken, kan het helpen om een goede therapeut te raadplegen,' zei Rhodes rustig. 'Natuurlijk kunnen niet alle problemen opgelost worden en het is onmogelijk en ook niet wenselijk om alle relaties te redden. Maar happy endings komen voor.'

Emily had het ongemakkelijke gevoel dat Marion Rhodes die opmerkingen tot haar richtte. Was het mogelijk dat Ted haar niet met een man maar een therapeut wilde laten kennismaken? Gek genoeg nam ze hem dat niet kwalijk. Ze was er zeker van dat Ted en Nancy de anderen ingelicht hadden over Marks dood en haar operatie. Ze herinnerde zich dat Ted haar ooit gevraagd had of ze wel eens naar een therapeut gegaan was om over alles wat ze meegemaakt had te praten. Ze had tegen hem gezegd dat ze een nauwe band had met haar familie en rijk gezegend was met goede vrienden. Ze had hem verteld dat de beste therapie voor haar haar werk was zoals voor zoveel mensen die een verlies hebben meegemaakt. Hard werken.

Misschien heeft Ted ook wel tegen Marion gezegd dat zowel mijn vader als mijn broer verhuisd zijn, dacht Emily. En Ted weet ook dat met mijn werkschema de laatste tijd er heel weinig tijd over is geweest om met vrienden door te brengen. Ik weet dat hij erg meeleeft met alles wat me overkomen is. Maar zoals ik eerder vanavond dacht toen ik hier arriveerde: als ik deze zaak verlies dan zullen er toch echt wel kritische vragen gesteld worden over het feit dat hij hem aan mij heeft toegewezen. Laten we maar eens zien hoeveel hij om me geeft als dát gebeurt.

Om tien uur gingen ze uit elkaar. Tegen die tijd wilde Emily dolgraag weer naar huis. De korte ontsnapping waar ze de afgelopen paar uren van genoten had was voorbij. Ze wilde naar bed en lekker slapen voor ze op zondagochtend vroeg weer op kantoor was. Na de gunstige indruk die Gregg Aldrich had gemaakt in de getuigenbank, begon ze zich ernstig zorgen te maken over het kruisverhoor.

Of was het meer dan dat? vroeg ze zichzelf af terwijl ze naar huis reed. Zijn het echt het kruisverhoor en de juryuitspraak waar ik me zorgen over maak?

Of ben ik eigenlijk doodsbang dat we een verschrikkelijke vergissing begaan hebben en dat iemand anders Natalie vermoord heeft?

3 I

Zaterdagavond om negen uur ging Zach in de woonkamer van zijn huurhuis in een stoel zitten van waaruit hij Emily's inrit kon zien en veranderde van kanaal om naar *Fugitive Hunt* te kijken. Een paar biertjes hadden zijn zenuwen gekalmeerd en hij was fysiek moe van het werken in de tuin en het planten van de chrysanten. Hij vroeg zich af of Emily toen ze terugkwam van haar werk of toen ze even later weer wegging opgemerkt had hoe fraai die chrysanten langs zijn inrit eruitzagen.

De tune van *Fugitive Hunt* klonk. 'Vanavond hebben we drie reportages over een oude zaak,' begon presentator Bob Warner. 'Onze eerste reportage betreft een update van de twee jaar oude zoektocht naar de man wiens laatst bekende naam Charley Muir was. U zult zich misschien nog twee eerdere reportages over hem herinneren – een vlak na de meervoudige moord in Des Moines, Iowa, twee jaar geleden, en een vervolgreportage vorig jaar.

De politie heeft te kennen gegeven dat Muir erg verbitterd was wat de scheiding betrof, en dat hij razend was toen de rechter het huis aan zijn vrouw toewees. Ze zeggen dat dat zijn motief was voor de moord op zijn vrouw, haar kinderen en haar moeder. Tegen de tijd dat de lichamen gevonden werden was hij verdwenen en sindsdien is hij niet meer gezien.

Verder onderzoek heeft verbijsterend nieuw bewijs aan het licht gebracht, namelijk dat hij ook verantwoordelijk is voor de moord op twee andere vrouwen, van wie we nu weten dat ze zijn eerste en tweede vrouw waren. De eerste, Lou Gunther, overleed in Minnesota, tien jaar geleden. De tweede, Wilma Kraft, stierf zeven jaar geleden in Massachusetts. Hij had in alle drie de huwelijken een andere identiteit aangenomen en veranderde ook steeds zijn uiterlijke verschijning. In Minnesota stond hij bekend als

Gus Olsen en in Massachusetts als Chad Rudd. Zijn echte naam kennen we niet eens.'

Walter pauzeerde even, en de klank van zijn stem veranderde. 'Blijft u bij ons voor de rest van dit ongelooflijke verhaal. We zijn na de reclame bij u terug.'

Ze zijn er nog steeds mee bezig, dacht Zach geringschattend. Maar ik moet het ze nageven, ze hebben inmiddels wel het verband tussen mij en de andere twee gelegd. Zover waren ze de laatste keer nog niet. Maar laten we eens kijken hoe ik er verondersteld word nu uit te zien.

Tijdens de reclame stond Zach op om nog een biertje te halen. Hij was helemaal klaar om eens goed te lachen om de foto's die ze zouden laten zien, maar hij voelde zich toch wat ongemakkelijk. Het feit dat ze een link hadden gelegd tussen hem en de moorden in Minnesota en Massachusetts baarde hem zorgen.

Met een biertje in zijn hand ging hij weer voor de tv zitten. Het programma werd hervat. Warner liet eerst foto's zien van Zachs derde vrouw, Charlotte, met haar kinderen en haar moeder, gevolgd door foto's van Lou en Wilma. Hij beschreef hun gewelddadige dood. Charlotte en haar familie waren doodgeschoten. Lou en Wilma waren allebei gewurgd.

Tot Zachs groeiende ontzetting liet Warner foto's van hem zien die door familieleden van zijn slachtoffers waren verstrekt. De foto's bestreken een periode van tien jaar, van Minnesota, Massachusetts tot Iowa, en maakten duidelijk dat hij zowel een baard had gehad als bij tijd en wijle gladgeschoren was geweest. Zijn haar was lang of heel kortgeknipt. Er waren foto's van hem met een bril met dikke glazen, een omabrilletje of helemaal geen bril. De foto's lieten ook zien dat zijn gewicht van heel mager tot mollig tot opnieuw heel mager had gevarieerd.

Warner ging verder met het tonen van door de computer ouder gemaakte afbeeldingen van Zach, rekening hou-

dend met de mogelijke verschillen in hoofd- en gezichts-
haar, gewicht en bril. Tot Zachs verschrikking was er eentje bij die echt leek op hoe hij er nu uitzag. Maar iedereen
die naar het programma kijkt ziet alle foto's tegelijk, probeerde hij zichzelf gerust te stellen – ze zouden hem echt
niet herkennen.

'Profilers van de FBI zijn van mening dat op grond van
zijn eerdere baantjes hij waarschijnlijk in een magazijn of
fabriek zal werken,' vervolgde Warner. 'Hij heeft ook korte tijd als hulpje van een elektricien gewerkt. De enige
hobby die we van hem kennen is dat hij ervan hield in zijn
tuin te werken en trots was op de resultaten die hij boekte.
We hebben foto's gekregen van zijn huizen en zullen ze u
nu laten zien. Alle drie de foto's waren in de herfst genomen en zoals u ziet was hij erg dol op gele chrysanten. Hij
plantte er altijd heel veel aan weerszijden langs de inrit of
tuinpad naar de voordeur.'

Zach sprong uit zijn stoel alsof hij afgeschoten werd. Als
een dolle rende hij naar buiten, greep een schop en begon
de planten uit te graven. Beseffend dat de lamp van de veranda het tuinpad behoorlijk verlichtte, haastte hij zich die
uit te doen. Hij werkte in het halfduister verder, snel in en
uit ademend, klauwde naar de planten en propte ze in grote plastic zakken. Hij wist dat Emily elk moment haar inrit
op kon komen rijden en wilde niet dat ze hem bezig zag.

Hij wist ook dat ze vanmiddag de planten moest hebben
gezien en zich af zou vragen waarom ze weg waren. Het
eerste wat hij morgenochtend zou doen was nieuwe planten kopen voor in de borders om deze te vervangen.

Wat zou er door Emily's hoofd gaan? Zou ze iemand op
kantoor over dit programma horen praten? Zouden ze het
over de chrysanten hebben? Zou iemand op zijn werk, of
in de straat die ene stomme foto zien en aan het denken gezet worden over het feit dat hij hier nu twee jaar werkte en
woonde – precies de tijd dat hij uit Des Moines weg was?

Zach had net de laatste bloemen uit de grond gerukt toen Emily's auto de inrit op kwam rijden. Hij hurkte neer in de donkere schaduw van het huis en keek toe hoe ze uit de auto stapte, zich naar haar voordeur haastte en naar binnen ging. Was het mogelijk dat ze, waar ze ook was geweest, naar dit programma had gekeken? Zelfs al had ze er alleen maar een blik op geworpen, dan zouden op een gegeven moment haar professionele instincten toch wakker worden. Was het niet meteen, dan in ieder geval heel gauw.

Zach wist dat hij het tempo van zijn voorbereidingen moest versnellen en veel eerder dan hij gepland had klaar moest zijn voor vertrek.

32

Uiteindelijk bracht Michael Gordon het grootste deel van het weekend door met Gregg en Katie. Tijdens het etentje bij Neary op vrijdagavond was de gewoonlijk gereserveerde Gregg verrassend openhartig geweest. Michaels herhaalde verontschuldigingen dat hij aan zijn onschuld getwijfeld had wegwuivend, zei Gregg: 'Mike, ik heb veel zitten denken aan iets wat me overkomen is toen ik zestien was. Ik kreeg een ernstig auto-ongeluk en lag zes weken op de intensive care. Ik kan me er helemaal niets van herinneren. Achteraf vertelde mijn moeder me dat ik de laatste drie weken erg depressief was en hun voortdurend smeekte al die buisjes uit me te halen. Ze zei tegen me dat ik dacht dat de verpleegster mijn oma was die stierf toen ik zes was.'

'Dat heb je nooit eerder verteld,' zei Mike.

'Wie wil er nou praten over zijn bijna-doodervaring?' Gregg glimlachte — een wrang lachje — en voegde eraan toe: 'En wie wil ernaar luisteren trouwens? Er is al genoeg ellende in de wereld zonder dat iemand je de oren van het hoofd praat over de pech die hij zesentwintig jaar geleden heeft gehad. Nou ja, laten we van onderwerp veranderen.'

'Zolang jij maar blijft eten,' antwoordde Mike. 'Gregg, hoeveel kilo ben je afgevallen?'

'Net genoeg om te zorgen dat mijn kleren beter passen.'

Zaterdagochtend vroeg had Michael Gregg en Katie opgehaald en waren ze naar zijn skiverblijf in Vermont gereden. Het was nog twee maanden te vroeg om te skiën maar Gregg en Katie waren 's middags een lange wandeling gaan maken terwijl Mike verder werkte aan zijn boek over de grote misdrijven van de twintigste eeuw.

Voor het avondeten reden ze naar Manchester. Zoals gewoonlijk was het in Vermont aanzienlijk kouder dan in New York en elk van hen koesterde zich zowel emotioneel als fysiek in de warmte van het hoog oplaaiende haardvuur in de eetzaal van de knusse herberg.

Laat op de avond, nadat Katie met een boek onder haar arm naar bed gegaan was, ging Gregg de studeerkamer van Mike binnen waar die na het eten verder was gegaan met werken. 'Volgens mij heb jij me ooit verteld dat je ook een hoofdstuk zou wijden aan Harry Thaw, de miljonair die Stanford White, de architect, doodschoot in Madison Square Gardens in New York?'

'Dat klopt.'

'Hij schoot hem neer voor de ogen van een menigte mensen en kwam weg met een ontoerekenbaarverklaring, hè?'

Michael vroeg zich af waar Gregg heen wou. 'Ja, maar Thaw moest wel degelijk een tijd naar een inrichting,' zei hij.

'En toen hij uit de inrichting kwam betrok hij, als ik me goed herinner, niet erg lang daarna een mooi groot huis aan Lake George.'

'Oké Gregg, waar wil je heen?'

Gregg schoof zijn handen in zijn zakken. Hij maakte op Mike een merkwaardig kwetsbare indruk. 'Mike, na dat ongeluk toen ik klein was, waren er lange periodes waarin ik me niet kon herinneren wat er gebeurd was. Dat is wel overgegaan maar wat niet wegging was mijn tijdsbesef. Ik kan zo opgaan in iets dat ik niet besef dat er al een paar uur voorbij zijn gegaan.'

'Dat noemen ze het vermogen je te kunnen concentreren,' zei Mike.

'Bedankt, maar het gebeurde ook de ochtend dat Natalie doodging. Dat was op een dag in maart. Het weer was slecht. Het is één ding om achter je bureau te zitten en je niet bewust te zijn van de tijd, maar iets heel anders als je buiten bent in beroerde weersomstandigheden. Het punt is dat ik weet dat ik Natalie niet vermoord kan hebben. Mijn god, wat hield ik veel van haar! Maar ik wou dat ik me die twee uren kon herinneren. Ik weet nog dat ik die huurauto terugbracht. Als ik twee uur heb gerend, was ik dan zo depressief dat ik niet eens de kou heb gevoeld of buiten adem raakte?'

De twijfel en verwarring die hij op het gezicht van zijn vriend zag maakten Mike droevig en hij pakte Gregg bij de schouders. 'Gregg, luister naar me. Je hebt het gisteren geweldig gedaan in de getuigenbank. Ik geloof je waar het die Jimmy Easton betreft en de reden dat je Natalie vaak belde. Ik herinner me nog dat ik wel eens diep met jou in gesprek verwikkeld was en dat je dan ineens de groene toets van je mobiel in kon drukken voor een gesprekje van tien seconden met haar.'

'Natalie, ik houd van je,' zei Gregg, zonder enige emotie in zijn stem. 'Einde bericht.'

33

Emily stond zichzelf toe om op zondagochtend uit te slapen, tot halfacht. Ze was van plan om halfnegen naar kantoor te gaan en daar de rest van de dag door te brengen. 'Bess, je hebt veel geduld met me gehad. Ik weet dat ik je verwaarloosd heb,' verontschuldigde ze zich terwijl ze Bess van het andere kussen oppakte. Ze verlangde naar een kop koffie maar bij het zien van de klagerige blik in de ogen van haar hondje, trok ze een spijkerbroek en een jasje aan en kondigde aan: 'Bess, je gaat vanochtend niet alleen maar de achtertuin in. Ik ga met je wandelen.'

Bess' staartje zwaaide woest heen en weer toen ze naar beneden liepen. Emily pakte de riem en maakte die vast aan haar halsband. Ze stak een sleutel in haar jaszak en liep naar de voordeur. Aangezien ze op de verandadeur een grendel had aangebracht, was het gemakkelijker om aan die kant naar buiten te gaan.

Terwijl Bess opgewonden aan de riem trok, begonnen ze het tuinpad af te lopen. Toen stond Emily ineens stil en staarde verbaasd opzij. 'Wat is hier in godsnaam aan de hand,' vroeg ze hardop terwijl ze de vers omgespitte aarde zag waar ze gister nog de pas geplante chrysanten had bewonderd.

Zaten ze soms vol luizen? vroeg ze zich af. Is dat mogelijk? Ik bedoel: dit is echt raar. Hij had ze pas gisteren aan weerszijden van het pad geplant. En wanneer heeft hij ze er uitgetrokken? Ze stonden hier nog toen ik gisteravond wegreed om naar het etentje bij de Wesleys te gaan. Ik heb helemaal niet gemerkt dat ze er niet meer stonden toen ik thuiskwam. Dat was even na tienen.

Ze voelde dat er aan de riem gerukt werd en keek omlaag. 'Sorry Bess. Oké, we gaan lopen.'

Bess besloot linksaf de stoep op te gaan waardoor Emily langs Zachs huis kwam. Hij moet thuis zijn, dacht ze, want zijn auto staat op de inrit. Als het niet zo'n enge vent was dan zou ik straks bij hem aanbellen en hem vragen wat er aan de hand is. Maar ik wil hem geen enkele reden geven om weer met me aan te pappen.

Het beeld van Zach die in de stoel op haar overdekte veranda zat te schommelen kwam haar weer voor de geest. Het was meer dan een ongemakkelijk gevoel, besloot ze. *Hij maakte me bang.*

En dat doet hij nog steeds, gaf ze toe, toen ze op de terugweg, een kwartier later, weer langs zijn huis kwam. Ik ben zo helemaal in deze zaak opgegaan dat me dat niet meteen duidelijk was, denk ik.

34

This is the day the Lord has made, dacht Gregg Aldrich grimmig terwijl hij maandagochtend om zes uur uit het raam keek. Buiten stortregende het, maar zelfs als dat niet zo was geweest zou hij niet zijn gaan hardlopen. Ik mag toch hopen dat ik niet zo stom ben om nou net vandaag mijn tijdsbesef kwijt te raken, maar ik neem liever geen risico.

Zijn mond was droog en hij slikte. Hij had gisteravond een lichte slaappil genomen en zeven uur achter elkaar geslapen zonder wakker te worden. Maar hij voelde zich niet uitgerust en zelfs een beetje suf. Dat gaat wel over met een kop sterke koffie, beloofde hij zichzelf.

Hij greep in de kleerkast naar een badjas. Terwijl hij hem aantrok stak hij zijn voeten in slippers, en liep over de vloerbedekking in de gang naar de keuken. De geur van vers gezette koffie kwam hem tegemoet en kikkerde hem op.

Het weekend met Mike in Vermont had zijn leven gered, dacht hij terwijl hij zijn favoriete beker uit het kastje boven het koffiezetapparaat pakte. Het was geruststellend geweest om met Mike over de ochtend waarop Natalie stierf te praten, toen hij zich zelfs nadat hij twee uur gejogd had niet bewust was geweest van de kou. En op dat moment had Mike hem eraan herinnerd dat hij het vandaag net zo goed moest doen in de getuigenbank als op vrijdag. Tijdens de rit van Vermont naar huis gistermiddag, was Mike er weer over begonnen. 'Gregg, laat diezelfde vastberadenheid zien als vrijdag. Je antwoorden kwamen volkomen natuurlijk over. Je hebt rechter Rcilly in mijn programma gehoord die zei dat als hij in een bar met een vreemde had zitten praten, het zijn woord tegen dat van die ander zou zijn dat hij geen deal met hem zou hebben gesloten om zijn vrouw te vermoorden. Door het hele land hebben de mensen Reilly dat horen zeggen en ik ben ervan overtuigd dat een hoop mensen het met hem eens waren.'

Mike had even gezwegen en was toen verdergegaan. 'Dit zijn het soort omstandigheden waarin iedereen de ander van van alles en nog wat kan beschuldigen. En vergeet niet dat Jimmy Easton een grote beloning krijgt voor zijn getuigenis tegen jou. Hij hoeft zich er niet langer druk over te maken dat hij oud zal worden in een gevangenis.'

Ik wees Mike op de kleinigheid die hij over het hoofd zag, dacht Gregg. De vrouw van de rechter werd uiteindelijk niet doodgeschoten.

Vertrouwen, dacht hij bitter. Dat heb ik niet. Hij schonk koffie in de beker en nam die mee naar de woonkamer. Kathleen en hij hadden het appartement gekocht toen ze Katie verwachtten. Het was wel een grote sprong om ons ervoor in te schrijven, dacht Gregg. Maar in die tijd was ik er zeker van dat ik het helemaal zou maken als agent. Nou, dat heb ik ook gedaan en wat heeft het me opgeleverd?

Kathleen was blij als een kind geweest tijdens het uitkiezen van de kleuren, meubels en tapijten. Ze had van nature een goede smaak en een echte neus voor koopjes. Haar vaste grapje was geweest dat ze net als hij geboren was met een zilveren lepel in andermans mond. Hij stond in de woonkamer terwijl hij eraan terugdacht.

Als ze was blijven leven, dacht Gregg, was ik nooit bij Natalie betrokken geraakt. En dan zou ik nu niet op weg zijn naar de rechtbank om een jury proberen te overtuigen dat ik geen moordenaar ben. Een vloedgolf van nostalgische gevoelens spoelde over hem heen. Op dat moment verlangde hij zowel fysiek als emotioneel erg naar haar. 'Kathleen,' fluisterde hij, 'bescherm me vandaag. Ik ben bang. En als ik veroordeeld word wie zal dan voor onze Katie zorgen?'

Een lange tijd probeerde hij vergeefs de brok in zijn keel weg te slikken, en beet toen op zijn lip. Hou hiermee op, zei hij tegen zichzelf. Hou ermee op! Ga terug en maak het ontbijt voor Katie klaar. Ze kan er niet tegen je zo te zien.

Op weg naar de keuken kwam hij langs het tafeltje met de la waarvan Jimmy Easton had beweerd dat hij er het voorschot van vijfduizend dollar in had bewaard voor de moord op Natalie. Hij bleef staan, stak zijn hand uit naar de handgreep en trok hem open. Toen hij dat deed was het schorre geknars dat Jimmy Easton zo precies beschreven had een aanslag op zijn zintuigen. Met een klap mepte hij de la weer dicht.

35

'Klaar voor de strijd, hoop ik.'

Emily keek op. Het was maandagochtend halfacht en ze was op kantoor. Rechercheur Billy Tryon stond in de deuropening. Niet bepaald een van mijn meest favoriete medemensen, dacht ze, geïrriteerd door wat zij interpreteerde als zijn neerbuigende toontje.

'Is er vanochtend iets wat ik voor je kan doen, Emily? Ik weet dat het vandaag de grote dag in de rechtbank voor je is.'

'Ik geloof dat ik er wel klaar voor ben, Billy, maar bedankt.'

'Zoals Elvis zou zeggen "It's now or never". Veel succes met Aldrich vandaag. Ik hoop dat je geen spaan van hem heel laat in de getuigenbank.'

Emily vroeg zich af of Tryon echt het beste met haar voor had of dat hij hoopte dat ze onderuit zou gaan. Op dit moment kon het haar niets schelen. Daar denk ik later wel over na, besloot ze.

Maar Tryon was niet van plan al weg te gaan. 'Vergeet niet dat je daar ook voor Jake en mij staat,' zei hij. 'We hebben er een hoop werk in zitten en die vent Aldrich is een moordenaar, dat weten we allemaal.'

Ze begreep dat hij naar een complimentje aan het vissen was en dus antwoordde Emily niet erg enthousiast: 'Ik weet dat Jake en jij veel werk verzet hebben en ik hoop echt dat de jury net zo denkt als jullie.'

Je bent eindelijk naar de kapper geweest, dacht ze. Als je eens wist hoeveel beter je eruitzag zou je er vaker heen gaan. Ze moest toegeven dat wanneer hij er niet zo slordig bij liep Tryon een bepaalde stoerejongensflair had die veel vrouwen waarschijnlijk aantrekkelijk vonden. Er werd op kantoor verteld dat hij een nieuw vriendinnetje had dat in een nachtclub zong. Waarom verbaasde haar dat niet?

Het werd haar ineens zonneklaar dat hij haar ook van top tot teen stond op te nemen.

'Je hebt je flink opgetut voor de camera vandaag, Emily. Je ziet er geweldig uit.'

Eerder die ochtend had Emily in een bijgelovig moment het jasje en de rok die ze van plan was geweest aan te doen weer terug in de kast gehangen. Ze had in plaats daarvan de antracietgrijze broek en de helderrode coltrui tevoorschijn gehaald die ze, wist ze, op de dag dat Ted Wesley haar de zaak had toegewezen aangehad had. 'Ik heb me niet opgetut,' zei ze scherp. 'Deze outfit is twee jaar oud en ik heb hem al heel vaak aangehad naar de rechtbank.'

'Ach, ik probeer je een compliment te maken. Je ziet er geweldig uit.'

'Billy, ik denk dat ik je moet bedanken, maar zoals je duidelijk kunt zien, ben ik mijn aantekeningen aan het nakijken en over iets minder dan een uur moet ik naar de rechtbank om te zorgen dat er een moordenaar veroordeeld wordt. Dus als je het niet erg vindt?'

'Tuurlijk, tuurlijk.' Met een glimlach en een zwaaiend gebaar draaide hij zich om en ging weg, de deur achter zich sluitend.

Emily was wat uit haar doen. Heb ik me al te zeer opgetut voor de camera? vroeg ze zichzelf af. Nee, dat is niet zo. Is die rode coltrui te fel van kleur? Nee, dat is hij niet. Vergeet het. Je wordt een beetje raar, net als Zach. Ze dacht weer aan de ontbrekende chrysanten. Hij moet een groot deel van de zaterdag besteed hebben aan het planten ervan. Ze zagen er prachtig uit. En toen ik gisterochtend Bess uitliet waren ze weg. Waar ze gestaan hadden was alleen nog omgewoelde aarde. Maar toen ik om vijf uur thuiskwam stonden er allemaal asters en viooltjes langs zijn tuinpad. Ik vond die chrysanten mooier, dacht ze. Maar die vent is echt raar. Erop terugkijkend denk ik dat het waarschijnlijk een zegen is geweest dat ik hem toen om tien uur 's avonds onderuitgezakt in een stoel in mijn huis aangetroffen heb. Net op tijd!

Zonder verder nog een gedachte aan haar kleding of rare buurman te besteden richtte Emily haar blik omlaag en bestudeerde nogmaals haar aantekeningen voor haar kruisverhoor van Gregg Aldrich.

Het proces werd prompt om negen uur hervat. Rechter Stevens instrueerde Gregg Aldrich dat hij opnieuw in de getuigenbank plaats moest nemen.

Aldrich droeg een donkergrijs pak, een wit overhemd en een zwart met grijze das. Je zou zweren dat hij naar een begrafenis moest, dacht Emily. Ik wed dat Richard Moore hem gezegd heeft dit aan te trekken. Hij probeert het beeld van de diepbedroefde echtgenoot over te brengen op de jury. Maar veel zal hij er niet aan hebben, als het aan mij ligt.

Ze wierp een snelle blik over haar schouder. Een agent van de parketpolitie had haar verteld dat de gang volgepakt stond met zogenaamde toeschouwers, lang voordat de deuren naar de rechtszaal opengingen. Het was duidelijk dat elke stoel bezet was. Katie Aldrich zat op de eerste rij vlak achter haar vader. Aan de andere kant van het gang pad, direct achter Emily, zat Alice Mills vergezeld door haar twee zusters.

Emily had Alice al begroet voor ze haar plaats achter de tafel van de raadslieden ingenomen had.

Rechter Stevens liet voor de goede orde vastleggen dat de getuige al ingezworen was en zei toen: 'Aanklager, u kunt nu met het kruisverhoor beginnen.'

Emily stond op en zei: 'Dank u wel, uwe edelachtbare.' Ze liep naar de uitstekende richel aan de andere kant van de jurytribune. 'Mr. Aldrich,' begon ze, 'u hebt verklaard dat u erg veel van uw vrouw, Natalie Raines, hield. Is dat juist?'

'Dat is juist,' zei Gregg Aldrich zachtjes.

'En u hebt verklaard dat u haar agent was. Is dat juist?'

'Dat is juist.'

'En als haar agent had u recht op vijftien procent van haar inkomen. Is dat juist?'

'Dat is juist.'

'En klopt het als ik zeg dat Natalie Raines zowel voor als

tijdens uw huwelijk een gewaardeerde actrice was en inmiddels een sterrenstatus bereikt had?'

'Dat is juist.'

'En klopt het dat als Natalie in leven was gebleven ze hoogstwaarschijnlijk nog steeds heel erg succesvol zou zijn?'

'Daar ben ik van overtuigd.'

'En klopt het dat als u haar agent niet meer was, u geen percentage van haar inkomen meer zou krijgen?'

'Dat is waar, maar ik was al jaren voor ik met Natalie trouwde een succesvol theateragent en dat ben ik nog steeds.'

'Mr. Aldrich, nog één vraag wat dit aangaat. Is uw inkomen substantieel hoger geworden toen u met Natalie trouwde en haar agent werd?'

'Ja, maar niet substantieel.'

'Maar hebt u op dit moment cliënten die even succesvol zijn als Natalie Raines?'

'Ik heb een aantal cliënten, vooral platenartiesten, die heel wat meer geld verdienen dan Natalie.' Gregg Aldrich aarzelde. 'We hebben het hier over een ander soort succes. Natalie was hard op weg de mantel over te nemen die ooit gedragen was door wijlen Helen Hayes: "First lady van de Amerikaanse theaterwereld."'

'U wilde heel graag dat ze in dat licht gezien werd?'

'Ze was een fantastische actrice. Ze verdiende dat eerbetoon.'

'Aan de andere kant deed het u verdriet dat ze om haar carrière te promoten voor langere periodes op tournee ging, toch, Mr. Aldrich? Klopt het dat u haar voortdurend aan haar hoofd zeurde omdat u zowel het een als het ander wilde?' Terwijl ze steeds harder begon te praten liep Emily dichter naar de getuigenbank toe.

'Zoals ik al verklaard heb en nogmaals aan u zal vertellen, mijn zorg was dat Natalie steeds weer rollen accepteerde waarvan ik het gevoel had dat ze haar carrière konden schaden. Natuurlijk miste ik haar als ze weg was. We waren erg verliefd op elkaar.'

'Natuurlijk was u dat. Maar is het niet ook zo dat u zó boos en gefrustreerd raakte vanwege de regelmatige scheidingen dat het een kwelling werd voor Natalie, zo erg zelfs dat ze uiteindelijk een einde aan het huwelijk maakte?'

'Dat was absoluut niet de reden waarom ze wilde scheiden.'

'Maar als u dan geen problemen had met Natalies rooster, behalve dan dat u het niet eens was met de rollen die ze aannam, waarom nam ze dan een andere agent in dienst? Waarom smeekte ze u om op te houden met haar te bellen? Waarom éíste ze ten slotte dat u zou ophouden haar te bellen?'

Terwijl Emily Gregg Aldrich stevig onder handen nam, kon ze merken dat men in de rechtszaal het gevoel kreeg dat zijn zelfbeheersing hem in de steek begon te laten. Zijn antwoorden werden steeds aarzelender. Hij ontweek haar blik.

'Natalie heeft voor de laatste keer gebeld op zaterdagochtend, 14 maart, tweeënhalf jaar geleden. Ik herhaal wat u onder ede gezegd heeft over dit telefoontje.' Ze keek omlaag naar het papier dat ze in haar hand had en las toen: 'Ik ontving een boodschap van haar op mijn mobiel waarin ze zei dat ze naar Cape Cod gegaan was, dat ze op onze afgesproken ontmoeting op maandag aanwezig zou zijn en me verzocht haar niet in het weekend te bellen.'

Emily staarde Gregg aan. 'Ze wilde met rust gelaten worden, is het niet Mr. Aldrich?'

'Ja.' Er begon zich een dun laagje zweet op het voorhoofd van Gregg Aldrich te vormen.

'Maar in plaats dat u haar wensen respecteerde, huurde u meteen een auto en volgde haar naar Cape Cod, klopt dat?'

'Ik respecteerde haar wensen. Ik heb haar niet gebeld.'

'Mr. Aldrich, dat is niet wat ik vroeg. U volgde haar naar Cape Cod, toch?'

'Ik was niet van plan om met haar te praten. Ik moest gewoon zien of ze alleen was.'

'En moest u daarvoor in een huurauto rijden die niemand zou herkennen?'

'Zoals ik vorige week al uitlegde,' antwoordde Gregg, 'wilde ik daar zo onopvallend mogelijk heen gaan zonder haar van streek te maken of te confronteren. Ik wilde gewoon weten of ze alleen was, dat was alles.'

'Als u erachter wilde komen of ze iemand anders had, waarom huurde u dan geen privédetective in?'

'Dat is nooit bij me opgekomen. Mijn beslissing om naar Cape Cod te rijden was spontaan. Ik zou nooit iemand ingehuurd hebben om mijn vrouw te bespioneren. Dat vind ik een weerzinwekkende gedachte,' zei Gregg met trillende stem.

'U hebt verklaard dat u er op zondag, tegen de avond, van overtuigd was dat ze alleen was omdat u geen andere auto's op de inrit zag staan. Hoe wist u dat ze niet iemand opgepikt had voor u daar aankwam? Hoe kon u er zo zeker van zijn dat er niemand anders binnen was?'

'Ik was er zeker van.' Gregg Aldrich begon steeds harder te praten.

'Hoe kon u daar zo zeker van zijn? Dit was het belangrijkste probleem van uw leven. Hoe kon u daar zo zeker van zijn?'

'Ik keek door het raam. Ik zag dat ze alleen was. Zo kwam ik erachter.'

Emily, die verbijsterd was bij deze nieuwe onthulling, zag meteen in dat Gregg Aldrich zojuist een grote fout begaan had. Richard Moore weet het ook, dacht ze.

'Bent u uw auto uit gegaan en over het gazon naar haar raam gelopen om naar binnen te kijken?'

'Ja,' zei Gregg Aldrich uitdagend.

'Door welk raam hebt u naar binnen gekeken?'

'Het raam van de studeerkamer aan de achterkant van het huis.'

'En op welk moment van de dag of de avond deed u dit?'

'Op zaterdagavond vlak voor middernacht.'

'Dus u verstopte zich in de struiken bij haar huis midden in de nacht?'

'Zo zag ik dat niet,' antwoordde Gregg. Er klonk nu geen opstandigheid meer door in zijn stem maar vooral aarzeling. Hij leunde naar voren in de getuigenbank. 'Begrijpt u dan niet dat ik me bezorgd om haar maakte? Begrijpt u dan niet dat als ik daar iemand anders aangetroffen had ik geweten had dat ik weg moest gaan?'

'En wat dacht u dan toen u haar daar alleen zag?'

'Ze zag er zo kwetsbaar uit. Ze lag als een kind opgekruld op de bank.'

'En hoe denkt u dat ze gereageerd zou hebben als ze iemand om middernacht voor het raam had gezien?'

'Ik zorgde er goed voor dat ze me niet zag. Ik wilde haar niet bang maken.'

'Was u blij dat ze alleen was?'

'Jawel.'

'Waarom bent u dan op zondag nogmaals verschillende keren langs haar huis gereden?' wilde Emily weten. 'Dit hebt u toegegeven toen u eerder verhoord werd.'

'Ik maakte me zorgen om haar.'

'Oké, dus als ik het wel heb,' zei Emily, 'hebt u ons in de eerste plaats gezegd dat u daar in uw huurauto naartoe ging om erachter te komen of ze alleen was. Daarna hebt u ons verteld dat u blij was dat ze alleen was nadat u om middernacht in de struiken door haar raam naar binnen had staan gluren. Nu vertelt u ons dat u op zondag, zelfs al gelóófde u dat ze alleen was, een groot deel van de dag en avond zelfs nog door haar buurt gereden bent. Heb ik dat zo goed?'

'Ik heb gezegd dat ik me zorgen om haar maakte en dat

is de reden dat ik daar op zondag was.'

'En waar was u dan zo bezorgd om?'

'Ik was bezorgd om de emotionele staat waarin Natalie verkeerde. De manier waarop ze opgekruld op die bank had gelegen maakte me duidelijk dat ze erg van streek was.'

'Is het ooit bij u opgekomen dat de reden dat ze van streek was misschien wel met u te maken had, Mr. Aldrich?'

'Jawel. Dat was de reden, denk ik, dat ik, zoals ik vrijdag verklaarde, op de weg terug van de Cape naar huis, me erbij neerlegde dat het voorbij was tussen ons. Het is moeilijk uit te leggen maar mijn redenering was als volgt: als ik degene was die haar van streek maakte dan moest ik haar met rust laten.'

'Mr. Aldrich, u trof uw vrouw niet met een andere man aan. En toen op de weg terug naar huis, om u te citeren, besloot u dat Natalie een van die mensen was die "nooit minder alleen dan alleen zijn"? Is wat u dit hof vertelt dat u haar hoe dan ook verloren had?'

'Nee.'

'Mr. Aldrich, is het niet eerlijker om te zeggen dat ze u gewoon niet meer wilde? En dat als er iets anders was wat haar dwarszat ze niet naar u toe ging voor hulp. Is het niet zo dat ze wilde dat u uit haar leven verdween?'

'Ik herinner me dat ik tijdens de rit vanaf de Cape het gevoel had dat het geen zin had nog langer te hopen dat Natalie en ik ooit weer samen zouden komen.'

'En dat maakte u van streek, is het niet?'

Gregg Aldrich keek in Emily's ogen. 'Natuurlijk was ik van streek. Maar er was ook iets anders, een gevoel van opluchting dat ik nu zeker wist dat het voorbij was. Ik zou in ieder geval niet langer meer zo door haar geobsedeerd worden.'

'U zou niet meer zo door haar geobsedeerd worden. Was dat uw oplossing?'

'Zo zou u het kunnen zeggen.'

'En u reed niet de volgende dag naar haar huis om haar neer te schieten?'

'Zeer zeker niet. Zeer zeker niet.'

'Mr. Aldrich, onmiddellijk nadat het lichaam van een vrouw was gevonden, werd u ondervraagd door de politie. Klopt het dat ze u vroegen of u hun de naam van in ieder geval één persoon kon geven die u had kunnen zien joggen in Central Park, tussen, ik citeer, "ongeveer 7:15 uur en 10:05 uur, toen ik de huurauto terug ging brengen".'

'Ik heb niet naar iemand gekeken die dag. Het was koud en winderig. Op zulk soort dagen is iedereen die aan het hardlopen of joggen is helemaal ingepakt. Sommige mensen hebben een koptelefoon op. Wat ik maar wil zeggen is: het is geen sociale bijeenkomst. Mensen gaan helemaal in zichzelf op.'

'Wilt u beweren dat u tweeënhalf uur lang op een koude en winderige dag in maart helemaal in uzelf opging?'

'Vroeger deed ik mee aan de marathon in november. En ik heb cliënten die professionele footballspelers zijn geweest. Die zeggen dat hoe koud het ook was, de adrenaline door hun lijf begon te stromen zodra ze het veld op gingen en dat ze de kou niet voelden. Dat ging voor mij die ochtend ook op.'

'Mr. Aldrich, ik wil u vragen of het volgende scenario klopt. Ik wijs erop dat de adrenaline door uw lijf stroomde die maandagochtend toen u, zoals u zelf toegeeft, besloten had dat u uw vrouw, Natalie Raines, voorgoed kwijt was. Ik opper dat u in de wetenschap dat ze die ochtend thuis zou komen in de huurauto stapte, de rit van dertig minuten naar Closter aflegde, de verstopte sleutel, waarvan u wist dat die daar was, tevoorschijn haalde en in haar keuken op haar wachtte. Is het zo niet gegaan?'

'Nee. Nee. Nooit.'

Emily's ogen schoten vuur en ze wees met haar vinger

naar de getuigenbank. Op luide en sarcastische toon zei ze: 'U hebt die ochtend uw vrouw vermoord, is het niet? U hebt haar neergeschoten en bent toen weggegaan in de veronderstelling dat ze al dood was. U reed terug naar New York en rende daar misschien een rondje in Central Park in de hoop dat u gezien zou worden. Is dat niet juist?'

'Nee, dat is het niet!'

'En toen bracht u een tijdje later de huurauto terug die u gebruikt had om uw vrouw te bespioneren. Is dat niet juist, Mr. Aldrich?'

Gregg Aldrich stond nu overeind en schreeuwde: 'Ik heb Natalie nooit pijn gedaan. Ik zou Natalie nooit pijn kunnen doen.'

'Maar u hebt Natalie pijn gedaan. U hebt meer gedaan. U hebt haar vermoord,' schreeuwde Emily terug naar hem.

Moore schoot overeind. 'Bezwaar, uwe edelachtbare, bezwaar. De aanklager valt de getuige lastig.'

'Bezwaar toegestaan. Aanklager, demp uw stem en stel de vraag opnieuw in andere bewoordingen.' Rechter Stevens was duidelijk geïrriteerd.

'Hebt u uw vrouw vermoord, Mr. Aldrich?' vroeg Emily nu zachter.

'Nee. Nee.' Gregg Aldrich protesteerde, zijn stem brak. 'Ik was gek op Natalie, maar...'

'Maar u had tegenover uzelf toegegeven...' begon Emily.

'Bezwaar, uwe edelachtbare,' donderde Moore. 'Ze laat hem zijn antwoorden niet afmaken.'

'Bezwaar toegestaan,' zei rechter Stevens. 'Ms Wallace, ik vraag u dringend de getuige de gelegenheid te geven zijn antwoorden af te maken. Laat me u niet weer tot de orde hoeven roepen.'

Emily knikte ten teken dat ze de instructies van de rechter begrepen had. Ze keerde zich weer naar Aldrich. Ze liet haar stem zakken en zei: 'Mr. Aldrich, is het niet zo dat u naar Cape Cod gegaan bent omdat Jimmy Easton de afspraak om uw vrouw voor u te vermoorden niet nagekomen was?'

Gregg schudde wanhopig zijn hoofd. 'Ik heb Jimmy Easton in een bar ontmoet, heb vijf minuten met hem gepraat en hem daarna nooit meer gezien.'

'Maar u had hem betaald om haar te besluipen en te vermoorden. Is het zo niet gegaan?'

'Ik heb Jimmy Easton niet ingehuurd en ik zou Natalie nooit pijn kunnen doen!' protesteerde Gregg met schokkende schouders. Er stonden tranen in zijn ogen. 'Kunt u dat niet begrijpen? Kan niemand dat dan begrijpen?' Zijn stem kraakte en hij barstte in een droog gekweld snikken uit.

'Uwe edelachtbare, mag ik om een reces verzoeken?' drong Moore aan.

'We houden vijftien minuten pauze,' verordonneerde rechter Stevens, 'om de getuige de kans te geven zichzelf weer onder controle te krijgen.'

Even later werd het proces hervat. Gregg was gekalmeerd en teruggekeerd naar de getuigenbank. Hij zag er bleek uit en leek zich erbij neergelegd te hebben dat hij Emily's vernietigende kruisverhoor nog langer moest zien te verdragen. 'Ik heb nog maar een paar vragen, uwe edelachtbare,' zei Emily terwijl ze langs de tribune naar de getuigenbank liep. Daar aangekomen hield ze halt en keek hem lange tijd indringend aan.

'Mr. Aldrich, tijdens het directe getuigenverhoor bevestigde u dat u een bijzettafeltje heeft in de woonkamer van uw appartement in New York met daarin een laatje dat als het geopend wordt een hard en doordringend knarsend geluid laat horen.'

'Ja, dat klopt,' antwoordde hij zwakjes.

'En zou het juist zijn om te stellen dat Jimmy Easton die tafel en dat geluid accuraat beschreven heeft?'

'Ja, maar hij is nooit bij mij thuis geweest.'

'Mr. Aldrich, u hebt tegen ons gezegd dat u in uw gezin grapjes maakt over deze la, en dat u er allemaal naar verwijst als "een boodschap van de overledenen".'

'Ja, dat klopt.'

'Meneer, kende Jimmy Easton andere gezinsleden voor zover u weet?'

'Nee, voor zover ik weet.'

'Hebben u en Mr. Easton gemeenschappelijke vrienden die in zijn aanwezigheid grapjes over deze la gemaakt kunnen hebben?'

'Voor zover ik weet hebben wij geen gemeenschappelijke vrienden.'

'Mr. Aldrich, hebt u er dan een verklaring voor hoe Jimmy Easton zo nauwkeurig dit meubelstuk heeft kunnen beschrijven en het geluid dat het maakte als hij nooit in uw woonkamer geweest is?'

'Ik heb mijn hersens afgepijnigd om een verklaring te vinden en ik heb geen idee.' Greggs stem begon weer schor te worden.

'Nog één ding, Mr. Aldrich. Werd in de artikelen die in verscheidene tijdschriften over Natalie verschenen zijn, melding gemaakt van deze la?'

'Nee,' zei hij wanhopig. Hij klampte de leuningen van de getuigenbank met zijn handen vast, richtte zich tot de jury en schreeuwde: 'Ik heb mijn vrouw niet vermoord. Geloof me alstublieft. Ik... Ik...' Niet in staat om verder te gaan begroef Gregg zijn hoofd in zijn handen en huilde.

Zonder acht te slaan op de totaal ontredderde figuur in de getuigenbank, zei Emily kort: 'Uwe edelachtbare, ik heb geen vragen meer', en liep toen terug naar haar stoel aan de tafel voor de raadslieden.

Moore en zijn zoon overlegden snel fluisterend met elkaar en besloten verder zelf geen vragen meer te stellen. Richard Moore stond op. 'Uwe edelachtbare, de verdediging staakt de bewijsvoering.'

Rechter Stevens keek naar Gregg Aldrich. 'Meneer, u mag terug naar uw plaats.'

Gregg stond vermoeid op en mompelde: 'Dank u, uwe edelachtbare,' en langzaam, alsof elke stap hem pijn deed, ging hij terug naar zijn stoel.

Rechter Stevens wendde zich vervolgens tot Emily. 'Hebt u nog iets toe te voegen?'

'Nee, uwe edelachtbare,' zei Emily.

Toen richtte de rechter het woord tot de jury. 'Dames en heren, we zijn aan het einde gekomen van de getuigenverklaringen in deze zaak. Ik las een pauze in van drie kwartier om de raadslieden in staat te stellen hun gedachten te ordenen voor hun slotpleidooi. Volgens de regels van deze rechtbank neemt eerst de advocaat het woord, en dan de aanklager. Afhankelijk van de lengte van de pleidooien zal ik u mijn laatste wettelijke instructies aan het einde van deze middag of anders morgenochtend geven. Nadat ik daarmee klaar ben, zullen we door middel van willekeurige selectie de substituut-leden uitkiezen en vervolgens zullen de twaalf definitieve juryleden zich terugtrekken voor beraad.'

36

Toen de rechtbank op maandagmiddag uiteenging, had Emily zojuist haar krachtige slotpleidooi afgerond. Moore deed zijn best, dacht ze, maar hij kon niet om die la heen. Ze had de rechtszaal met de voorzichtig optimistische overtuiging verlaten dat Gregg Aldrich binnenkort in een gevangeniscel zou zitten. De zaak werd morgen aan de jury overgedragen. Hoe lang zouden ze nodig hebben om tot een uitspraak te komen? vroeg ze zich af. En hopelijk kómen ze tot een uitspraak. De gedachte aan een verdeelde jury deed haar huiveren. Dan zouden ze weer helemaal opnieuw moeten beginnen.

Op weg naar huis ging ze bij de supermarkt langs, alleen van plan wat basisdingen mee te nemen als melk, soep, en brood. Maar toen ze langs het vlees kwam stopte ze. De gedachte aan biefstuk met gebakken aardappeltjes voor het avondeten was ineens erg aantrekkelijk, vooral na al het afhaaleten van de afgelopen paar maanden.

Ze voelde zich ineens moe worden tot op het bot toen ze met haar boodschappen naar de kassa liep. Tegen de tijd dat ze een kwartier later haar inrit op reed, vroeg ze zich af of ze nog wel de energie zou hebben om de biefstuk te grillen.

Zachs auto was nergens te bekennen en ze herinnerde zich dat hij tegen haar gezegd had dat zijn werkuren veranderd waren. De nieuwe bloembedden waren helemaal soppig van de striemende regen die het grootste deel van de dag gevallen was. Ze vond het een nogal verontrustende aanblik.

Terwijl ze haar boodschappentas uitpakte, liet ze Bess een paar minuten in de achtertuin rondrennen, en ging toen naar boven naar haar slaapkamer. Ze trok een oude joggingbroek aan en een t-shirt met lange mouwen en ging op bed liggen. Bess kroop lekker tegen haar aan en ze trok de sprei over hen beiden heen. 'Bess, ik heb hard voor de goede zaak gevochten. Laten we nu maar afwachten wat er verder gebeurt,' zei ze terwijl ze haar ogen sloot.

Ze sliep twee uur lang en werd toen wakker door haar eigen stem die jammerde: 'Alsjeblieft nee... niet doen, alsjeblieft, niet doen...'

Ze schoot overeind. Ben ik gek geworden? vroeg ze zichzelf af. Wat heb ik in vredesnaam gedroomd?

Toen herinnerde ze het zich. Ik was bang en ik probeerde iemand tegen te houden die me pijn wou doen.

Ze besefte dat ze bibberde.

Ze zag dat Bess ook merkte dat ze van streek was. Ze legde haar dicht tegen zich aan. 'Bess, ik ben blij dat je bij me bent. Die droom was zo echt. En behoorlijk eng ook. De enige persoon die ik ken die me echt kwaad zou willen doen is Gregg Aldrich, maar ik ben toch echt niet bang voor hem.'

Ze werd getroffen door een plotselinge gedachte. En Natalie ook niet. Zij geloofde ook niet dat hij haar ooit pijn zou doen.

Mijn hemel, wat is er met me aan de hand? vroeg ze zich ongeduldig af. Ze keek op de klok. Het was tien over acht. Tijd om een gezonde maaltijd klaar te maken, de achterstallige kranten te lezen en daarna naar *Courtside* te kijken.

Na alles wat er vandaag is voorgevallen, dacht ze, ben ik benieuwd of Michael Gordon er nog altijd zo van overtuigd is dat zijn vriendje onschuldig is.

37

'Deze procesdag verliep niet goed voor Gregg,' zei Michael Gordon somber tijdens de openingsbeelden van *Courtside*. 'Een kennelijk geloofwaardige Gregg Aldrich, die afgelopen vrijdag vol zelfvertrouwen was tijdens het verhoor door de verdediging, kwam vandaag heel anders over. Iedereen in de zaal was verbijsterd toen hij voor het eerst toegaf zich rond middernacht verstopt te hebben in de struiken buiten het huis van zijn vrouw op Cape Cod en naar haar had gekeken terwijl zij daar alleen was. Dit vond plaats precies tweeëndertig uur voordat Natalie Raines in de keuken van haar woning in New Jersey doodgeschoten werd, nadat ze teruggekomen was van de Cape.'

Het panel van *Courtside* knikte instemmend. Rechter Bernard Reilly, die vrijdagavond had aangegeven dat hij wel begreep waarom een toevallige ontmoeting in een bar tot bizarre en onrechtvaardige conclusies kon leiden, gaf nu toe dat Gregg Aldrich' optreden tijdens het verzengende kruisverhoor hem grote zorgen baarde. 'Ik had met Richard Moore te doen toen Aldrich toegaf dat hij om middernacht met zijn neus tegen het raam gedrukt had gezeten. Ik durf te wedden dat hij Moore nooit verteld heeft dat hij dat gedaan heeft.'

Georgette Cassotta, eveneens forensisch psycholoog, zei: 'Luister, de vrouwen in de jury huiverden bij dat beeld. En je kunt er vergif op innemen dat de mannen in de jury er ook heftig op reageerden. Van de bezorgde echtgenoot tijdens het directe getuigenverhoor werd hij tijdens het kruisverhoor ineens een gluurder. En dat hij op zondag nogmaals langs haar huis reed, nadat hij toegegeven had dat hij er zaterdag al van overtuigd was dat ze alleen was, zou heel wel zijn lot bezegeld kunnen hebben.'

'En er is nog iets wat het OM vandaag in de kaart gespeeld heeft,' voegde rechter Reilly eraan toe. 'Volgens mij was Emily Wallace heel doeltreffend in de manier waarop ze het punt van de knarsende la oppakte. Ze bood Aldrich alle gelegenheid om met een mogelijke oplossing te komen voor de vraag hoe Easton van die tafel en die la kon weten. Maar hij kon niets bedenken. Hij en Moore moesten weten dat ze daarop door zou gaan. Het probleem is dat hij niet overkwam als iemand die gewoon echt geen verklaring had. Hij kwam over als iemand die in een hoek gedreven was.'

'Maar als hij het echt niet gedaan heeft,' zei Gordon, 'en als hij het echt niet weet, dan kan het heel goed de reactie zijn geweest van een man die zich in de val gelokt en wanhopig voelt.'

'Ik denk dat Gregg Aldrich' beste kans op dit moment is dat een of twee juryleden inderdaad zo reageren en de jury verdeeld is,' antwoordde rechter Reilly. 'Ik kan me eerlijk gezegd niet voorstellen dat alle twaalf juryleden hem niet-schuldig zullen verklaren.'

Vlak voor het einde van het programma herinnerde Michael Gordon zijn kijkers eraan dat zodra rechter Stevens de wettelijke instructies afgerond had, de jury in conclaaf zou gaan. 'Waarschijnlijk om elf uur,' zei hij. 'En op dat tijdstip kunt u op onze website laten weten of u denkt dat Gregg Aldrich schuldig of niet-schuldig bevonden zal worden aan de moord op zijn vrouw. Of dat u gelooft dat er voor geen van beide uitspraken een eensgezinde jury zal zijn, wat zou leiden tot een verdeelde jury en een nieuwe rechtszaak.

Ik betwijfel ernstig dat er morgen een uitspraak is tegen de tijd dat we de lucht in gaan,' vervolgde Michael. 'U kunt uw stem blijven uitbrengen tot het moment waarop de jury rechter Stevens laat weten dat ze tot een uitspraak gekomen is. Als er morgenavond nog geen uitspraak gedaan is, dan gaan we de uitslag van de peiling tot dat moment bespreken. En voor nu wensen we u allemaal een goedenacht toe.'

38

'Vandaag ging het helemaal niet goed,' zei Belle Garcia somber tegen haar echtgenoot, Sal, toen Michael Gordon zijn kijkers goedenacht wenste. 'Ik bedoel, afgelopen vrijdag nog maar, bekende Michael dat hij dacht dat Gregg onschuldig was. Maar vanavond geeft hij toe dat Greggs optreden niet bepaald bevorderlijk was voor zijn zaak.'

Sal keek over zijn bril. 'Optreden? Ik dacht dat acteurs optraden.'

'Je weet wat ik bedoel. Ik bedoel dat hij niet overkwam alsof hij het niet gedaan had. Hij raakte in de war en struikelde over zijn woorden. Hij begon te huilen toen Emily hem op de huid zat over Jimmy Easton en die lawaaierige la. Ik wed dat hij nu wilde dat hij hem geolied had. En om het allemaal nog erger te maken, begon hij te snotteren en moesten ze een pauze inlassen. Ik had wel medelijden met hem, maar aangezien ik volkomen neutraal ben moet ik zeggen dat hij vandaag op mij de indruk maakte van iemand die er spijt van had zijn vrouw vermoord te hebben.'

Zich er terdege van bewust dat Belle zich opmaakte voor een ernstig gesprek over het proces, wist Sal dat het tijd was om zijn krant neer te leggen. Hij stelde Belle een vraag waarvan hij wist dat die een lang antwoord aan haar zou ontlokken en slechts een minimale respons van hem zou vergen.

'Belle, als jij in de jury zat, hoe zou jij dan nu stemmen?'

Met een nadenkende en bezorgde blik op haar gezicht, schudde ze haar hoofd. 'Nou... Het is moeilijk, het is allemaal zo droevig. Ik bedoel, wat gaat er dan met Katie gebeuren? Maar, o Sal, als ik deel uitmaakte van die jury, het doet me pijn het te zeggen maar dan zou ik toch schuldig moeten zeggen. Op vrijdag dacht ik echt dat Gregg met een zinnige verklaring op de proppen kwam voor wat, dat moest zelfs de grootste sukkel beamen, een heel verdachte indruk maakte. Die knarsende la baarde me zorgen, maar het is voor iedereen zonneklaar dat Jimmy Easton een geboren leugenaar is. Toen ik zonet die beelden van Gregg op *Courtside* zag, kreeg ik het gevoel of ik naar een man zat te kijken die te biecht gaat. Je weet wel wat ik bedoel, niet zozeer biechten in de zin van "toegeven dat je iets gedaan hebt waar je niet trots op bent" maar biechten in de zin van "uitleggen hoe het is gegaan", als je snapt wat ik bedoel.'

Jimmy Easton, dacht Sal.

Belle keek hem recht aan en hij hoopte dat ze de ongerustheid niet kon zien die de naam van Jimmy in hem wakker maakte. Hij had niet tegen Belle gezegd dat Rudy Sling die middag gebeld had. Bijna drie jaar geleden had zijn verhuisploeg zijn oude vrienden Rudy en Reeney Sling van hun appartement in East Tenth Street naar Yonkers overgebracht.

'Hé Sal, heb jij misschien toevallig dat programma *Courtside* gezien over die hotemetoterige theateragent die zijn vrouw in de Garden State dood heeft geschoten?' had Rudy gevraagd.

'Zelf kijk ik er niet echt naar maar Belle wil er geen moment van missen. En dus moet ik er voortdurend alles over horen.'

'Die kerel Jimmy Easton maakte deel uit van die verhuisploeg van jou toen je ons drie jaar geleden overbracht naar Yonkers.'

'Dat herinner ik me niet. Hij viel af en toe in als we het druk hadden,' antwoordde Sal voorzichtig.

'De reden dat ik je dit vertel is om iets wat Reeney vanochtend zei. Ze herinnerde me eraan dat toen jij ons verhuisd hebt, je tegen ons zei dat we de laden dicht konden tapen zodat we er niet alles uit hoefden te halen.'

'Ja, dat klopt, dat heb ik inderdaad gezegd.'

'Nou, en toen die Easton de tape verwijderde van de ladekasten in de slaapkamer, betrapte Reeney hem terwijl hij erin zat te snuffelen. Er was niets weg volgens haar, maar ze heeft altijd geloofd dat hij op zoek was naar iets wat de moeite waard was om te stelen. Dat is de reden dat we ons allebei zijn naam nog herinneren. Jij was er niet bij die dag. Weet je nog dat ik je belde en zei dat je voor hem op moest passen?'

'Rudy, ik heb hem nooit meer ingehuurd. Maar wat dan nog?'

'Niks, ik bedoel alleen dat het wel interessant is dat een vent die voor jou gewerkt heeft nu op alle voorpagina's te vinden is omdat hij verklaart ingehuurd te zijn door Aldrich om zijn vrouw te vermoorden. Reeney vroeg zich af of hij misschien iets voor jou bij Aldrich heeft bezorgd en aan die la gezeten heeft, en dat dát de reden is dat hij wist dat hij knarste.'

Easton is bovendien een van de vele mannen die zwart voor me werkte, dacht Sal nerveus. 'Rudy,' zei hij, 'ik heb je aardig gematst met die verhuizing, hè?'

'Sal, je was geweldig. Je hebt ons verhuisd zonder dat we een cent betaald hadden en hebt twee maanden gewacht tot we je je geld konden geven.'

'En ik heb nooit niks bezorgd op Park Avenue waar die vent Aldrich woont,' snauwde Sal boos. 'Ik zou het erg op prijs stellen als je het met niemand verder over Easton had. Ik zal eerlijk zijn. Ik heb hem zwart uitbetaald. Ik zou in de problemen kunnen komen.'

'Tuurlijk, tuurlijk,' antwoordde Rudy. 'Je bent mijn vriend en ik bedoelde er verder ook niets mee. Ik dacht alleen dat jij misschien de held zou zijn als je hun eerlijk kon vertellen dat Easton iets bij het appartement van Aldrich bezorgd heeft. En je weet hoe fantastisch Belle het zou vinden als jullie foto in de krant zou komen.'

Mijn foto in de krant! dacht Sal vol afgrijzen. Daar zit ik nou echt op te wachten!

Het was dit gesprek met Rudy dat door Sals hoofd flitste toen Belle klaar was met vertellen hoe Emily, de aanklager, zojuist Gregg volledig afgemaakt had in de getuigenbank. 'Ze leek wel zo'n wraakengel,' zei Belle.

Toen zuchtte ze, stak haar hand omlaag in de richting van de poef en trok die naar zich toe. Ze legde haar voeten erop en ging toen verder.

'De camera's waren soms ook op Alice Mills, de moeder van Natalie gericht. O, dat moet ik er wel bij zeggen, Sal.

Natalies echte naam was Mills maar dat leek haar niet zo'n goede artiestennaam dus veranderde ze hem in Raines. Het was een eerbetoon aan Luise Rainer, een actrice die de eerste twee Academy Awards won die ooit zijn uitgereikt. Dat stond vandaag in *People Magazine*. Ze wou niet precies dezelfde naam aannemen maar wel een die er erg op leek.'

39

Op maandagmiddag, na afloop van die rampzalige dag in de rechtbank, liep Cole Moore met zijn vader naar hun respectievelijke auto's op de parkeerplaats. 'Waarom komen Robin en jij niet rond halfzeven langs voor het avondeten?' stelde Richard zachtjes voor. 'En dan drinken we wat. Dat kunnen we allebei wel gebruiken.'

'Goed idee,' antwoordde Cole. Toen hij het autoportier voor zijn vader opendeed, zei hij: 'Pappa, je hebt alles gedaan wat je kon. En geef nog niet op. Ik denk dat we nog steeds een goede kans op een verdeelde jury maken.'

'Daar hadden we een goede kans op tot hij toegaf een gluurder te zijn,' zei Richard boos. 'Ik kan niet geloven dat hij me daar nooit iets over verteld heeft. Dan hadden we het in ieder geval kunnen bespreken zodat hij het wat beter uit had kunnen leggen. En als we de kans hadden gehad om hem voor te bereiden, dan zou hij niet zo van de wijs geraakt zijn. Ik begin me af te vragen wat hij me verder nog niet verteld heeft.'

'Ik ook,' zei Cole. 'Tot straks, pap.'

Om zeven uur die avond zaten Richard en zijn vrouw Ellen en Cole en diens vrouw Robin aan de eettafel en bespraken somber het proces.

Tijdens hun veertigjarige huwelijk was Ellen altijd een

klankbord van onschatbare waarde geweest voor Richard wat zijn zaken betrof. Ellen was een eenenzestigjarige vrouw met zilvergrijs haar en het lichaam van een goed getrainde atleet. Haar lichtbruine ogen keken bezorgd. Ze wist wat deze zaak van haar man vroeg. Het is wel een zegen dat Cole er samen met hem aan gewerkt heeft, dacht ze.

Robin Moore, een achtentwintigjarige jurist in onroerendgoedzaken met kastanjebruin haar was nu twee jaar met Cole getrouwd. Ze schudde gefrustreerd haar hoofd. 'Pappa,' zei ze, 'ik ben er vast van overtuigd dat Easton ooit een keer in dat appartement is geweest. Volgens mij ligt daar het verschil tussen een veroordeling en vrijspraak. Dat ellendige tafeltje zal het knelpunt in het juryberaad worden.'

'Daar ben ik het helemaal mee eens,' antwoordde Richard. 'Zoals je weet is onze eigen privédetective, Ben Smith, met een vlooienkam door Eastons verleden heen gegaan. Hij heeft nooit een echte baan gehad, wanneer hij niet in de gevangenis zat. Dus als hij niet genoeg kon stelen om zichzelf in leven te houden, moet hij zwart gewerkt hebben.'

'Robin, we hebben een lijst van elke winkel die regelmatig iets bij dat appartement bezorgd heeft,' zei Cole gefrustreerd. 'Je weet wel, de wasserette, de stomerij, de supermarkt, de apotheek, noem maar op. Niemand geeft toe dat hij hem ooit ingehuurd heeft, zwart noch wit.'

Hij pakte zijn glas pinot noir op en nam nog een slok. 'Volgens mij heeft Easton nooit voor een van die plaatselijke winkels gewerkt. Als hij ooit een voet in dat appartement gezet heeft dan is het misschien om een enkele bezorging gegaan voor een verkoper die hem zwart betaald heeft. En vergeet niet dat we Eastons foto niet aan de huishoudster van Aldrich konden laten zien nadat hij zeven maanden geleden was gearresteerd en met dit scenario op de proppen kwam. Ze was al met pensioen en stierf ongeveer een jaar nadat Natalie doodging.'

'Bestaat er een kans dat hij daar op een keer heeft ingebroken?' vroeg Robin. Richard Moore schudde zijn hoofd. 'De beveiliging is te goed. Maar als Jimmy Easton er ooit in geslaagd was daar in te breken, dan zou hij echt wel wat gestolen hebben en die diefstal zou opgevallen zijn. Geloof me, hij zou niet met lege handen weggegaan zijn.'

'Natuurlijk heeft iedereen op de club het erover,' zei Ellen. 'Richard, je weet dat ik nooit uit de school klap, maar soms kan het helpen om te horen hoe andere mensen reageren.'

'En hoe reageren ze dan?' vroeg Richard. Zijn gezichtsuitdrukking verried dat hij wist wat ze zou gaan zeggen.

'Tara Wolfson en haar zus, Abby, zaten gisteren in ons foursomes. Tara zei dat ze misselijk werd bij de gedachte aan Gregg Aldrich die zijn hand in die la stak en vijfduizend dollar aftelde als voorschot voor de moord op Natalie. Ze hoopt dat hij levenslang krijgt.'

'Wat vond Abby ervan?' vroeg Robin.

'Abby was er net zo hard van overtuigd dat Aldrich onschuldig was. Ze zaten er gisteren zoveel over te praten dat ze zich nog maar nauwelijks op het spel concentreerden. Maar Abby belde me zojuist, vlak voor jij thuiskwam. Nadat ze in de nieuwsuitzendingen gehoord had wat er vandaag in de rechtbank voorgevallen was, veranderde ze van mening. Ze denkt nu ook dat hij schuldig is.'

Even was het volkomen stil aan tafel, en toen vroeg Robin: 'Als Gregg Aldrich veroordeeld wordt, zal de rechter hem dan naar huis laten gaan om zijn zaken te kunnen regelen voor hij de gevangenis in moet?'

'Ik twijfel er niet aan dat rechter Stevens zijn borgtocht onmiddellijk in zal trekken,' antwoordde Cole. 'Pappa heeft een paar keer geprobeerd om hem van die mogelijkheid te doordringen en in ieder geval alvast wat voorzichtige voorzieningen voor Katie te treffen.'

'Hij kapt me altijd meteen af zodra ik dit onderwerp ter sprake breng,' legde Richard uit, berustend. 'Hij heeft zijn kop in het zand gestoken en weigert de consequenties onder ogen te zien voor als hij schuldig wordt bevonden. Als ze morgen met een uitspraak komen – en ik denk niet dat dat zo snel al het geval zal zijn – dan weet ik zelfs niet of hij geregeld heeft dat Katie van de rechtbank terug naar huis gebracht wordt. Erger nog, ik betwijfel het zelfs dat hij een voogd heeft aangesteld om voor die arme meid te zorgen. Gregg was enig kind en Katies moeder ook. En behalve een paar verre neven in Californië die hij bijna nooit ziet, is er verder geen familie.'

'Moge God dat kind bijstaan,' zei Ellen Moore bedroefd.

'Moge God hen allebei bijstaan.'

40

Nadat *Courtside* afgelopen was, liep Michael Gordon van Rockefeller Center naar Greggs appartement aan Park Avenue ter hoogte van Sixty-sixth Street. Het was iets meer dan anderhalve kilometer maar hij liep snel en nu het was opgehouden met regenen vond hij de koele, vochtige lucht prettig op zijn gezicht en in zijn haar.

Die middag toen hij de rechtbank verliet had Gregg gezegd: 'Ik eet vanavond met Katie in ons appartement, alleen wij tweeën. Het is misschien de laatste keer dat we dat kunnen doen. Maar zou je na je programma langs willen komen? Ik moet met je praten.'

'Tuurlijk, Gregg.' Mike stond net op het punt iets geruststellends tegen Gregg te zeggen maar toen hij het strakke, ongelukkige gezicht van zijn vriend zag hield hij zich in. Het zou beledigend zijn geweest. Greggs gezichtsuitdrukking zei hem duidelijk dat hij er zich pijnlijk van bewust was dat hij met zijn getuigenis zijn zaak bepaald geen goed gedaan had.

Natalie.

Haar gezicht kwam in Michaels gedachten toen hij Park Avenue overstak en naar het noorden begon te lopen. Als ze gelukkig was, was ze grappig en hartelijk en fantastisch om bij in de buurt te zijn. Maar was ze gedeprimeerd omdat een repetitie niet goed gegaan was of omdat ze onenigheid had met een regisseur over hoe een rol geïnterpreteerd moest worden, dan was ze onmogelijk. Gregg had het geduld van een heilige gehad waar het haar betrof. Hij was zowel haar vertrouweling als beschermer.

En was dat niet wat hij duidelijk had proberen te maken toen hij getuigde dat hij door het raam van het huis op Cape Cod gekeken had? Was dat niet wat hij had proberen uit te leggen toen Emily Wallace er maar op bleef hameren dat hij de dag erna rond haar huis gereden had? Hoe luidden de woorden ook weer die hij in zijn antwoord gebruikt had? Hij had gezegd: 'Ik maakte me zorgen om haar emotionele toestand.'

Als je Natalie kende dan wist je wat hij bedoelde, dacht Michael.

De aanklager, Emily Wallace, had Gregg van streek gemaakt. Hij had dat met zoveel woorden toegegeven het afgelopen weekend in Vermont. Het was niet zozeer dat Wallace op Natalie leek. O ja, er was op een bepaalde manier misschien wel iets van een gelijkenis, bedacht Michael, dat viel mij ook al op.

Het waren allebei mooie vrouwen. Ze hadden beiden prachtige ogen en gebeeldhouwde trekken. Maar Natalies ogen waren groen geweest en die van Emily Wallace waren donkerblauw. Ze waren allebei tenger maar Emily Wallace was zo'n tien centimeter langer dan Natalie was geweest.

Aan de andere kant had Natalie zo'n kaarsrechte, elegante houding gehad, kin omhoog, dat ze er veel langer uitzag dan ze in werkelijkheid was.

Wallaces perfecte houding maakte haar eveneens tot een indrukwekkende aanwezigheid. En ze gebruikte haar ogen op een manier die veel effect had. Die zijdelingse blikken naar de jury, alsof ze wist dat ze haar minachting deelden voor Greggs aarzelende antwoorden waren ronduit dramatisch.

Maar er was niemand die beter van zijdelingse blikken gebruik had weten te maken dan Natalie...

Het was weer begonnen te miezeren en Michael versnelde zijn pas. Daar gaat de voorspelling van onze weerman, dacht hij. De voorspellingen van de vorige die we hadden waren wel beter. Of die gokte gewoon beter, dacht hij wrang.

Een andere gelijkenis tussen Emily en Natalie die hem was opgevallen was de manier waarop Wallace liep. Ze bewoog zich tussen de jurytribune en de getuigenbank als een actrice op het toneel.

Halverwege het blok voor Greggs appartement werd de regenbui een regelrechte wolkbreuk. Michael begon te rennen.

De portier die er al sinds jaar en dag werkte zag hem aan komen rennen en hield de deur voor hem open. 'Goedenavond, Mr. Gordon.'

'Hallo, Alberto.'

'Mr. Gordon, ik denk niet dat ik Mr. Aldrich vanavond nog zie. En ik heb morgenochtend geen dienst als hij naar de rechtbank gaat. Wilt u hem mijn beste wensen overbrengen? Hij is zo'n echte heer. Ik werk hier al twintig jaar. Zelfs nog voor hij hier kwam wonen. In mijn baan leer je de mensen wel kennen. Het is een regelrechte schande dat zo'n verdraaide leugenaar als Jimmy Easton een jury kan laten denken dat Mr. Aldrich hem ooit meegenomen heeft hiernaartoe.'

'Dat ben ik met je eens, Alberto. We moeten maar flink voor hem duimen.'

Terwijl Michael door de smaakvol ingerichte hal liep en de lift in stapte, hoopte hij dat er in ieder geval één jurylid dezelfde mening als Alberto zou zijn toegedaan.

Gregg stond te wachten bij de deur toen de lift op de vijftiende verdieping stopte. Hij keek naar Mikes druipende regenjas. 'Krijg je geen taxigeld bij dat tv-station?' vroeg hij met iets wat voor een glimlach moest doorgaan.

'Ik vertrouwde de weersvoorspelling van onze weerman en besloot te gaan lopen. Een grote fout.' Michael knoopte zijn jas los en liet hem van zich afglijden. 'Ik hang hem wel boven de badkuip,' opperde hij. 'Ik wil niet dat hij hier op de vloer hangt te druipen.'

'Goed idee. Katie en ik zijn in de studeerkamer. Ik stond op het punt mijn tweede whisky in te schenken.'

'Als je toch bezig bent, schenk er dan ook een voor mij in.'

'Oké.'

Toen Mike even later de studeerkamer in kwam, zat Gregg in zijn clubfauteuil. Katie zat, met gezwollen ogen van het huilen, op de poef bij zijn voeten. Ze stond op en rende naar Mike toe. 'Mike, pappa zei dat hij denkt dat hij veroordeeld gaat worden.'

'Wacht even, wacht even,' zei Gregg terwijl hij overeind kwam. 'Mike, je drankje staat daar.' Hij wees naar een tafeltje naast de bank. 'Kom terug, Katie.'

Ze gehoorzaamde hem, en nestelde zich dit keer naast hem in zijn stoel.

'Mike, ik weet vrij zeker dat je je best hebt gedaan om iets vrolijks te bedenken dat je tegen me zou kunnen zeggen. Ik zal je de moeite besparen,' zei Gregg rustig. 'Ik weet hoe slecht ik ervoor sta. En ik weet dat ik ongelijk heb gehad door het feit niet onder ogen te zien dat ik misschien veroordeeld zou worden.'

Mike knikte. 'Ik wilde het onderwerp niet ter sprake brengen, Gregg, maar ja, ik heb me ongerust gemaakt.'

'Maak jezelf geen verwijten.' Richard Moore heeft maandenlang zijn best gedaan en ik heb niet naar hem willen luisteren. Dus laten we nu ter zake komen. Zou jij in overweging willen nemen om Katies wettige voogd te worden?'

'Dat spreekt voor zich. Ik zou het een eer vinden.'

'Ik bedoel daar natuurlijk niet mee dat Katie bij jou zou moeten wonen. Dat zou niet juist zijn, ook al zou ze de komende drie jaar het grootste deel van de tijd in Choate doorbrengen. Ik heb vrienden die het hebben aangeboden maar het is nog niet zo gemakkelijk te bedenken wat nou het beste is voor Katie.'

Katie zat stilletjes te huilen en Greggs ogen waren vochtig maar zijn stem klonk beheerst. 'Wat de zakelijke kant betreft, ik heb vanavond toen ik terugkwam van de rechtbank wat telefoontjes gepleegd. Ik heb met mijn twee beste krachten in het agentschap gesproken. Ze zijn bereid me voor een goede prijs uit te kopen. Dat betekent dat ik genoeg geld heb om in hoger beroep te gaan. En dat zal er komen. Richard en Cole hebben hun best gedaan, maar toen we vandaag de rechtbank verlieten had ik het gevoel dat ze anders naar me keken. Misschien moet ik de volgende keer andere raadslieden inhuren.'

Hij verstevigde zijn greep om zijn dochter. 'Er staat een trustfonds op Katies naam dat ervoor zorgt dat ze aan een van de beste universiteiten kan gaan studeren, als ze dat wil.'

Michael had het gevoel alsof hij stond toe te kijken hoe een dodelijk zieke man zijn testament aan het opmaken was. Hij wist ook dat Gregg nog niet klaar was met het onthullen van zijn plannen.

'Ik heb genoeg achter de hand om dit appartement op zijn minst nog een paar jaar aan te houden. Tegen die tijd hoop ik hier weer terug te zijn.'

'Gregg, ik ben het met je eens dat het niet juist is als Katie en ik samen zouden wonen, maar ze kan toch ook echt niet hier in haar eentje wonen als ze niet op school is,' protesteerde Michael. 'En ik ben echt nog niet overtuigd dat dat dit worstcasescenario ook echt plaats zal vinden,' voegde hij er haastig aan toe.

'Ze zal niet alleen zijn,' reageerde Gregg. 'Er is een fantastische dame die van haar houdt en bij haar wil zijn.'

Terwijl Michael hem aankeek, leek Gregg Aldrich sterker te worden. 'Mike, ik weet dat ik vandaag in de ogen van de meeste mensen in de rechtszaal en de meeste mensen in het publiek een verschrikkelijk slechte indruk gemaakt heb. Maar er was één persoon, een heel belangrijk persoon die me geloofde.'

Gregg trok aan het haar van zijn dochter. 'Kom op, Katie, niet zo somber. We hebben iemand aan onze kant staan die helaas niet in de jury zit maar wier mening heel veel voor ons betekent. Ze heeft vanaf het begin elke dag in die rechtszaal gezeten. Van alle mensen was zij degene die er emotioneel gezien het meest aan gelegen was dat Natalie recht gedaan zou worden.'

Michael wachtte, even totaal uit het veld geslagen, af.

'Mike, Alice Mills belde toen Katie en ik zaten te eten. Alice zei tegen me dat ze begreep wat ik bedoelde toen ik vandaag in de getuigenbank zat. Ze gelooft zonder meer dat ik Natalie wilde beschermen, en niet bespioneren. Ze huilde en zei dat ze Katie en mij zo gemist had en er vreselijk veel spijt van had ooit te hebben kunnen denken dat ik Natalie pijn zou hebben kunnen doen.'

Mike zag dat er zich een verandering in Gregg had voorgedaan: er was een soort kalmte over hem gekomen.

'Alice zei tegen me dat ze Katie altijd als haar kleindochter heeft beschouwd. Als ik veroordeeld word wil ze bij Katie blijven. Ze wil voor haar zorgen. Ik zei tegen Alice dat ze een geschenk uit de hemel was. We hebben een paar

minuten zitten praten. Ze was het ermee eens dat ze hiernaartoe zou verhuizen als het niet goed afloopt in de
rechtszaal.'

'Gregg, ik denk dat ik stomverbaasd zou moeten zijn
maar dat ben ik eigenlijk niet,' zei Michael, zijn stem schor
van emotie. 'Ik kon wel merken toen Alice getuigde, en ik
heb haar elke dag in de rechtbank gezien, dat ze het verschrikkelijk vond. Ik kon bijna vóélen dat ze je te hulp wilde schieten toen Emily Wallace maar op je in bleef beu-
ken.'

'Ik weet dat het idioot klinkt, Mike,' zei Gregg zacht,
'maar wat me vandaag zo van streek maakte was vooral het
gevoel dat ik had alsof ik Natalie aan het uitleggen was
waarom ik haar gevolgd was naar Cape Cod.'

41

Zach had een verhaaltje in elkaar gedraaid dat hij Emily en
de andere buren zou kunnen wijsmaken als ze nieuwsgierig
kwamen informeren waarom hij andere planten langs zijn
tuinpad had gezet. Hij was van plan te zeggen dat het de
eerste keer was dat hij ooit chrysanten had geplant, dat hij er
een vreselijke astma-aanval door had gekregen en dat een
van zijn vrienden ze voor hem had uitgegraven. Hij was er
bijna zeker van dat, aangezien het donker was geweest toen
hij ze weggehaald had, niemand hem gezien kon hebben.

Een heel geloofwaardige smoes, dacht hij nerveus – nou
ja, het was de beste die hij kon bedenken.

Op dinsdagochtend zat Emily vlak voor zevenen aan
haar ontbijt. Als altijd was ze tegen Bess aan het praten. Het
opnameapparaatje dat hij boven de ijskast had geplaatst begon kuren te vertonen, maar hij kon nog steeds wel het
meeste horen van wat ze zei.

'Bess, nadat de rechter de jury vanochtend heeft geïnstrueerd gaan ze in beraad. Ik ben er vrij zeker van dat ze hem schuldig gaan verklaren maar ik wou dat ik me er goed over voelde. Om de een of andere reden blijf ik denken dat er een andere kant aan het verhaal zit. Ik vind het heel onplezierig te weten hoeveel er afhangt van Jimmy Eastons getuigenverklaring. Ik wou dat ik, al was het maar een spátje, DNA had dat onomstotelijk bewees dat Gregg Aldrich de schuldige is.'

Als ik ooit voor het gerecht moet komen zal de aanklager dát probleem in ieder geval niet hebben, peinsde Zach, terwijl hij terugdacht aan de aflevering van *Fugitive Hunt*. De presentator had het gehad over het DNA dat een verband legde tussen hem en de moorden op zijn drie vrouwen.

Toen Emily's stem begon te kraken en langzaam onhoorbaar werd, morrelde hij aan de volumeknop van zijn ontvanger. Ik raak haar kwijt, dacht hij gefrustreerd. Ik moet op de een of andere manier weer binnen zien te komen om de microfoon bij te stellen.

Hij wachtte tot twintig voor acht toen Emily naar de rechtbank vertrok voor hij in zijn eigen auto stapte om naar zijn werk te rijden. Madeline Kirk, de oudere vrouw, die tegenover hem woonde, was net haar stoepje aan het vegen. Hij zwaaide vriendelijk naar haar toen hij achteruit zijn inrit afreed.

Ze zwaaide niet terug. In plaats daarvan keek ze de andere kant op.

Weer een vrouw die hem afwees. Ze zijn allemaal hetzelfde, dacht Zach bitter. Die ouwe heks groet me niet eens. De paar andere keren dat hij haar buiten had gezien, had hij het idee gehad dat ze in ieder geval in zijn richting geknikt had.

Hij drukte met zijn voet het gaspedaal in en de auto schoot brullend langs haar heen. Misschien heeft ze naar dat programma gekeken? Het is duidelijk dat ze niks beters te doen heeft. Ze woont alleen en ze heeft nooit bezoek, lijkt het wel. Misschien heeft ze de chrysanten gezien toen ik ze geplant had en vraagt ze zich af waar ze gebleven zijn.

Zou ze naar het programma bellen met een tip? Of zou ze er eerst nog over nadenken? Praat ze wel eens met iemand aan de telefoon? Zou ze dat op kunnen brengen?

Hij reed te snel. Waar ik nu echt op zit te wachten is dat een agent me aanhoudt, dacht hij zenuwachtig. Hij remde af tot de snelheidslimiet van veertig kilometer per uur en bleef maar doormalen over de manier waarop Madeline Kirk hem had geschoffeerd.

En over wat hij eraan ging doen.

42

Op woensdagochtend om negen uur begon rechter Stevens zijn wettelijke instructies aan de jury. Hij legde opnieuw uit, zoals hij dat al gedaan had tegen de jury die in eerste instantie gekozen was, dat Gregg Aldrich aangeklaagd werd wegens inbraak in het huis van Natalie Raines, moord op Natalie Raines en bezit van een vuurwapen voor illegale doeleinden. Hij instrueerde hen dat om Gregg Aldrich te kunnen veroordelen ze eensgezind ervan overtuigd moesten zijn dat de aanklager zijn schuld buiten gerede twijfel vastgesteld had.

'Ik zal voor u uiteenzetten wat we verstaan onder "buiten gerede twijfel",' ging de rechter verder. 'Dat betekent dat om tot een veroordeling te kunnen komen u er vast van overtuigd moet zijn dat de aangeklaagde schuldig is. Als u niet helemaal overtuigd bent van zijn schuld, dan moet u zeggen dat hij niet schuldig is.'

Emily luisterde terwijl de rechter uitlegde wat deze bewijslast inhield.

Je moet er vast van overtuigd zijn dat Gregg Aldrich schuldig is, dacht Emily. Bén ik daar vast van overtuigd? Of heb ik wel gerede twijfel? Ik heb me nog nooit zo gevoeld tijdens een zaak. Ik heb nog nooit een jury proberen te overtuigen dat ze iemand moesten veroordelen als ik daar zelf niet compleet zeker van was. Maar de waarheid is, dacht ze, dat ik soms inderdaad gerede twijfel heb wat Aldrich betreft en soms niet.

Ze keek naar hem. Voor een man die gisteren zo'n verwarde indruk had gemaakt, en de mogelijkheid onder ogen moest zien dat hij vanavond in een gevangeniscel zou zitten als de jury snel tot een uitspraak kwam, leek hij opvallend beheerst. Hij droeg een vlotte pantalon met een colbertje, een blauw overhemd en een blauw met rood gestreepte das, een wat meer casual outfit dan hij tijdens het proces aan had gehad. Het staat hem goed, dacht ze onwillekeurig.

Rechter Stevens sprak nog steeds tot de juryleden. 'U moet zorgvuldig de geloofwaardigheid van elke getuige afwegen. U moet de manier waarop ze hun verhaal gedaan hebben overdenken en of ze belang hebben gehad bij de uitkomst van deze zaak.'

Hij zweeg even en zijn stem klonk nog ernstiger. 'U hebt de getuigenverklaring van Jimmy Easton gehoord. U hebt gehoord dat hij een strafblad heeft. U hebt ook gehoord dat hij meegewerkt heeft met de aanklager en voor die medewerking een beloning ontvangt. Het levert hem een behoorlijke strafvermindering op bij zijn eigen vonnis.'

Emily bestudeerde de zeven mannen en zeven vrouwen op de jurytribune. Ze vroeg zich af welke twee door het toeval aangewezen zouden worden als substituut-lid nadat rechter Stevens klaar was met zijn verhaal. Ze hoopte dat het juryleden vier en acht waren. Beide vrouwen leken in-een te krimpen wanneer de rechter sprak over het verminderen van Eastons straf. Ze wist dat ze zich voorstelden hoe hij hun huis overhoophaalde. Ze betwijfelde of ze een woord geloofden van wat hij had gezegd.

Ze keek weer op naar rechter Stevens. Ze was dankbaar voor de zakelijke toon waarop hij over Jimmy Easton sprak. Als de juryleden zelfs maar het geringste spoor van afkeuring in zijn verhaal opmerkten dan zou dat erg schadelijk zijn.

'U zult bij de evaluatie van zijn getuigenverklaring rekening houden met die substantiële strafvermindering,' zei de rechter, 'evenals met de verdere omstandigheden. Zijn getuigenis moet zeer zorgvuldig onderzocht worden. Net als met andere getuigen is het mogelijk dat u er niets van gelooft. Of u gelooft er iets van en de rest niet. Nogmaals, dames en heren, de uiteindelijke beslissing aangaande de geloofwaardigheid van zijn getuigenis is geheel aan deze jury.'

Deze ochtend was de rechtszaal minder dan halfvol. Voor de toeschouwers is er weinig opwindends aan om naar de wettelijke instructies voor de jury te luisteren, dacht Emily. Het echte drama zit hem in de getuigenverhoren tijdens het proces – en in het moment waarop de jury terugkeert met de uitspraak.

Rechter Stevens glimlachte naar de jury. 'Dames en heren, ik ben aan het einde gekomen van mijn wettelijke instructies aan u. We hebben nu het punt bereikt waarop ik weet dat twee van u erg teleurgesteld gaan worden. We zullen nu de substituut-leden kiezen. De kaartjes met namen van de juryleden zijn in deze doos gedaan en de griffier zal er nu willekeurig twee uitkiezen. Als uw naam genoemd wordt, neemt u dan alstublieft plaats op de eerste rij, dan zal ik u verdere instructies geven.'

Emily hield onder tafel haar vingers gekruist en bad dat

de nummers vier en acht gekozen werden. De griffier, een tengere vrouw van rond de vijftig, draaide met een onbewogen en professionele uitdrukking op haar gezicht aan de doos en opende de deksel toen hij tot stilstand was gekomen. Ze keek een andere kant op zodat de juryleden er zeker van konden zijn dat het inderdaad willekeurig ging. Ze haalde er het eerste kaartje uit. 'Jurylid nummer veertien,' las ze, 'Donald Stern.'

'Mr. Stern, neemt u alstublieft plaats op de eerste rij in de rechtszaal,' droeg rechter Stevens hem op. 'De griffier zal nu het tweede substituut-lid aanwijzen.'

Ook nu keek de griffier een andere kant op, stak haar hand in de doos en haalde er een tweede kaartje uit. 'Jurylid nummer twaalf, Dorothy Winters,' las ze.

'Ms Winters, gaat u alstublieft in de rechtszaal zitten, op de eerste rij,' zei rechter Stevens.

Een duidelijk onwillige en zichtbaar gefrustreerde Dorothy Winters stond op en kwam hoofdschuddend de jurytribune af. Ze ging op de eerste rij naast Donald Stern zitten.

Wat een ongelooflijke mazzel dat ik van die dame af ben, dacht Emily. Gezien de manier waarop ze vol sympathie naar Aldrich en Katie zat te kijken, had ze waarschijnlijk op vrijspraak aangestuurd.

Emily luisterde maar met een half oor toen rechter Stevens de substituut-leden toesprak en tegen hen zei dat ze wel aanwezig zouden blijven. Hij legde uit dat als een van de beraadslagende juryleden ziek werd of door familieomstandigheden niet in staat was om verder te gaan het belangrijk was dat de substituut-leden ingezet konden worden.

'U wordt geacht de zaak niet onderling of met wie dan ook te bespreken tot het achter de rug is. U kunt zolang in de grote jurykamer op de vierde verdieping verblijven terwijl het beraad plaatsvindt.'

Moge God verhoeden dat een van de juryleden een probleem krijgt waardoor Winters alsnog meedoet aan het beraad, dacht Emily. Misschien dat ik haar totaal verkeerd beoordeel, maar ik vermoed dat ze op zijn minst voor een verdeelde jury zou zorgen. En ik denk dat de Moores dat allebei weten. Ze zien eruit alsof ze zojuist hun beste vriend verloren hebben.

Rechter Stevens richtte zich vervolgens tot jurylid nummer een, een gezette, kalende man van begin veertig. 'Mr. Harvey, het reglement van de rechtbank voorziet erin dat jurylid nummer een de voorzitter van de jury is. U zult verantwoordelijk zijn voor het toezicht op de beraadslagingen en de uitspraak overbrengen wanneer de jury tot een beslissing gekomen is. Als de jury tot een uitspraak gekomen is, laat u mij dit weten via een briefje dat u aan de vlak buiten de jurykamer gestationeerde agent van de parketpolitie geeft. Geef in dit briefje niet aan hoe uw uitspraak luidt, maar alleen dát er een uitspraak is. Het vonnis zal dan door u tijdens een openbare rechtszitting kenbaar gemaakt worden.

De rechter keek op zijn horloge. 'Het is nu kwart over elf. Om ongeveer halfeen zal de lunch bij u bezorgd worden. Vandaag mag u beraadslagen tot halfvijf. Als u tegen die tijd nog niet tot een uitspraak gekomen bent, – en ik wil benadrukken dat u alle tijd neemt die u er redelijkerwijs voor nodig heeft om beide partijen recht te doen –, laat ik u gaan tot morgen wanneer u om negen uur uw beraad zult hervatten.'

Hij wendde zich tot Emily. 'Ms Wallace, is al het bewijsmateriaal klaar om naar de jurykamer gebracht te worden?'

'Ja, uwe edelachtbare, het is allemaal hier.'

'Dames en heren, ik wil u nu vragen om de jurykamer in te gaan. De agent zal u direct het bewijsmateriaal komen brengen. Zodra hij de kamer uit is, kunt u met uw beraad aanvangen.'

Bijna als één man stonden de juryleden op en liepen langzaam achter elkaar de aangrenzende jurykamer binnen. Emily lette er goed op of er door een van hen ook meelevende dan wel vijandig gezinde blikken naar Gregg Aldrich werden geworpen. Maar iedereen keek recht voor zich uit en liet niets blijken van wat ze misschien mochten denken.

Rechter Stevens herinnerde vervolgens de raadslieden en Gregg Aldrich er snel aan dat ze binnen tien minuten hier moesten kunnen zijn voor het geval er een oproep dan wel een uitspraak van de jury was. 'De zitting is geschorst,' besloot hij en tikte zachtjes met zijn hamer op de balie.

De overige toeschouwers begonnen in een rij naar buiten te stromen. Emily wachtte tot de Moores, Gregg Aldrich en Katie de rechtszaal hadden verlaten. Toen stond ze op om weg te gaan. Buiten in de gang voelde ze dat er aan haar mouw getrokken werd en ze draaide zich om. Het was Natalies moeder, Alice Mills. Ze was alleen.

'Ms Wallace, kan ik u even spreken?'

'Natuurlijk.' Emily voelde een diep medeleven in zich opwellen toen ze naar de roodomrande ogen van de oudere vrouw keek. Ze heeft erg veel zitten huilen, dacht ze. Het moet een kwelling voor haar zijn om hier dag in dag uit dit alles aan te moeten horen. 'Waarom gaan we niet naar mijn kamer en drinken een kopje thee?' stelde ze voor.

De lift was overvol. Emily merkte de geïnteresseerde blikken van andere mensen op toen ze de moeder van Natalie herkenden.

Terwijl ze naar haar kamer liepen, zei Emily: 'Mrs. Mills, ik weet dat dit een kwelling voor u geweest moet zijn, ik ben zo blij dat het nu bijna afgelopen is.'

'Ms Wallace…' begon Alice.

'Noem me alstublieft Emily, Mrs. Mills,' glimlachte Emily. 'Dat weet u toch?'

'Goed,' antwoordde Alice. 'En dan moet jij niet vergeten me Alice te noemen.' Alice' lippen trilden.

'Ik ga even thee voor ons halen,' vroeg Emily. 'Wat wilt u erin?'

Toen ze een paar minuten later terugkwam, leek Alice Mills zichzelf weer in de hand te hebben. Met een gemompeld dankjewel pakte ze de kop aan en nam een slok. Emily wachtte. Het was duidelijk dat Natalies moeder zenuwachtig was over wat ze van plan was te gaan zeggen.

'Emily, ik weet niet goed hoe ik dit onder woorden moet brengen. Ik weet dat je keihard gewerkt hebt en dat je wilt dat Natalie recht gedaan wordt. God weet dat ik dat ook wil. Ik weet dat gisteren toen je Gregg aan het ondervragen was, hij op een hoop mensen een vreselijke indruk maakte. Maar dat was niet wat ik zag.'

Emily voelde hoe haar keel dichtgeknepen werd. Ze had gedacht dat Alice Mills mee was gekomen om haar te vertellen hoezeer ze Emily's pogingen om Gregg veroordeeld te krijgen op prijs had gesteld. Dat was duidelijk niet het geval.

'Ik herinnerde me al die keren dat Natalie moest repeteren en zich zorgen maakte over hoe het ging. Gregg glipte altijd stiletjes het theater binnen om naar haar te kijken. Soms wist ze dat niet eens, omdat hij haar niet wilde onderbreken of afleiden. Andere keren, als ze op tournee was, liet hij alles voor wat het was en nam hij een vliegtuig om haar te zien. Hij wist dat ze geruststelling nodig had. Gisteren, toen hij in de getuigenbank uitlegde wat hij op Cape Cod gedaan had, besefte ik dat Gregg daar gedaan had, wat Gregg altijd deed. Hij beschermde Natalie.'

'Maar, Alice, dat was toch onder heel andere omstandigheden? Was dat niet vóór Natalie van hem wegging en een scheiding aanvroeg?'

'Gregg is nooit opgehouden van haar te houden en is haar altijd blijven beschermen. De Gregg die ik gisteren in de getuigenbank zag is de Gregg die ik altijd gekend heb. Emily, ik heb hier zo lang over nagedacht dat ik bijna niet meer kan denken. Het is absoluut onmogelijk dat Gregg Natalie ooit pijn zou doen en dan gewoon weg zou gaan terwijl ze op sterven lag. Dat zal ik blijven geloven tot de dag van mijn dood.'

'Alice,' zei Emily vriendelijk, 'ik zeg dit met het grootst mogelijke respect voor jou. Als een tragedie als deze plaatsvindt en er wordt een familielid beschuldigd is het vaak bijna onmogelijk te accepteren dat dat familielid verantwoordelijk zou kunnen zijn. Hoe verschrikkelijk en droevig ook, het is op de een of andere manier in zaken als deze draaglijker als het misdrijf door een vreemde gepleegd is. Dan kan de familie van het slachtoffer het in ieder geval samen verwerken.'

'Emily, andere zaken kunnen me niet schelen. Ik smeek je om als Gregg schuldig bevonden wordt de zaak verder te onderzoeken. Zie jij dan niet wat voor mij zo overduidelijk is? Jimmy Easton is een leugenaar.'

Alice stond op en keek haar uitdagend aan.

'En waarom denk ik dat jij dat weet, Emily?' vroeg ze.

43

Op dinsdagavond begon Michael Gordon de paneldiscussie op *Courtside* door erop te wijzen dat de jury op de eerste dag van haar beraad nog niet tot een uitspraak was gekomen. 'We gaan nu de resultaten van de peiling op onze website onthullen om te zien waar onze kijkers staan wat betreft de vraag of Gregg Aldrich schuldig is of niet.'

Hij keek om zich heen naar de andere leden van het panel. 'En om eerlijk te zijn denk ik dat we allemaal verbaasd zijn. Gisteravond na Greggs kruisverhoor, waarvan we allemaal vonden dat hij er een puinhoop van gemaakt had, verkeerden we volledig in de veronderstelling dat in de uitslagen de uitspraak schuldig duidelijk de overhand zou hebben.'

Duidelijk opgemonterd door zijn eigen woorden, kondigde Gordon aan dat zevenenveertig procent van de vierhonderdduizend respondenten niet-schuldig gestemd had. 'Er is maar drieënvijftig procent bereid om hem te veroordelen,' zei hij dramatisch.

'Na al deze jaren in het vak denk je dat je er een aardig idee van hebt hoe de mensen reageren, en dan komt er zo'n resultaat,' zei rechter Bernard Reilly en schudde zijn hoofd. 'Maar er is nóg iets wat je leert als je zo lang in het vak zit: je weet het nooit.'

'Als de openbare aanklager, Emily Wallace, toevallig kijkt vanavond, dan zal ze wel niet erg blij zijn. Een krappe meerderheid, dat is niet genoeg in de rechtbank,' zei Michael Gordon. 'Iedere uitslag, schuldig of niet schuldig moet unaniem zijn, hoe dan ook twaalf tegen nul.

Als de juryleden net zo denken als onze kijkers, dan is het resultaat een verdeelde jury en een nieuw onderzoek.'

44

Op woensdag om negen uur hervatten de juryleden hun beraadslagingen. Emily probeerde zich te concentreren op een aantal van haar andere dossiers maar slaagde daar niet in. Haar gesprek gisteren met Alice Mills had haar een woelige nacht bezorgd.

Tegen twaalven ging ze naar de cafetaria in de rechtbank voor een sandwich en nam die mee terug naar haar bureau. Maar toen ze er aankwam had ze er spijt van dat ze niet een van de anderen op kantoor gevraagd had om voor haar te gaan. Gregg Aldrich, zijn dochter Katie, Richard en Cole Moore en Alice Mills zaten aan een tafeltje waar ze langs moest op weg naar de vitrine. 'Goedemiddag,' mompelde ze zachtjes toen ze langsliep. Ze probeerde direct oogcontact met hen te vermijden maar zag desondanks het angstig betraande gezicht van de jonge Katie.

Dit heeft ze niet verdiend, dacht Emily. Geen enkele veertienjarige verdient dit. Ze is slim genoeg om te begrijpen dat we elk moment naar de rechtszaal teruggeroepen kunnen worden om daar de uitspraak te horen die haar vader heel wel voor de rest van zijn leven naar de gevangenis kan sturen.

Emily bestelde een kalkoensandwich en een cola light. Terug in haar kamer knabbelde ze wat aan haar sandwich en legde hem toen neer. Ook al had ze een paar minuten geleden nog honger gehad, bij het zien van Katie Aldrich was haar eetlust volkomen verdwenen.

Alice Mills. Emily's gedachten gingen weer naar haar terug. Als ze toen ik haar hier in april voor het eerst sprak overtuigd was geweest van zijn onschuld, zou ik de zaak dan anders aangepakt hebben? vroeg ze zich af.

Dat was een mogelijkheid die haar beangstigde. Billy en Jake hadden het grootste deel van het onderzoek in deze zaak gedaan, waaronder ook het verhoor van Jimmy Easton en het natrekken van de laatste details van zijn verhaal. Er bestond geen twijfel over dat Gregg Aldrich hem gebeld had en er bestond ook geen twijfel over dat hij Aldrich' woonkamer correct beschreven had.

Maar er was zoveel in de rest van zijn verhaal dat niet bevestigd kon worden. Gregg Aldrich ontkende ten enenmale dat hij ooit een brief van Easton gehad had waarin deze aangaf de belofte om Natalie te vermoorden niet langer na te willen komen.

Easton lijkt gewoon niet het type dat een brief schrijft,

dacht Emily. Het zou meer iets voor hem zijn om een cryptische boodschap achter te laten op Aldrich' mobiel waarin hij meldde dat hij de stad uit ging en niet langer beschikbaar was.

Maar misschien had Easton helemaal geen zin in een echt gesprek met Gregg gehad en hij kon er niet op rekenen alleen de voicemail te krijgen, redeneerde Emily. Dus schreef hij een brief.

Ik ben klaar met deze zaak, herinnerde ze zichzelf eraan. Laat het los. Er zijn karrenvrachten aan bewijs tegen Gregg Aldrich. Wat de jury ook beslist, ik kan ermee leven.

Om halfvijf die middag stuurde rechter Stevens de jury naar huis, en herinnerde hen eraan de zaak niet met elkaar of met iemand anders te bespreken.

Ze hadden nu twaalf uur beraadslaagd, dacht Emily toen ze de jury met sombere gezichten naar buiten zag lopen. Dat verbaast me niet. Ik hoop alleen dat we een uitspraak hebben eer het vrijdagmiddag is. Ze glimlachte berouwvol. Nadat ze gisteravond naar *Courtside* gekeken had en de stemuitslagen gehoord had was het laatste wat ze wilde dat de juryleden in het weekend blootgesteld werden aan vrienden en familie die dolgraag hun mening op de zaak met hen wilden delen.

Richard Moore was in de rechtszaal achtergebleven nadat Cole Gregg en Katie naar buiten gebracht had met Alice Mills in hun kielzog. Hij kwam naar Emily toe. 'De juryleden maken het ons niet makkelijk, Emily,' merkte hij hartelijk op.

'Dat idee heb ik ook, Richard,' was Emily het met hem eens. 'Maar ik heb altijd wel gedacht dat het een paar dagen zou gaan duren.'

'Ik begrijp dat Alice Mills je gisteren op is komen zoeken.'

'Dat klopt,' antwoordde Emily. 'Ze is een lieve vrouw die een vreselijke periode heeft doorgemaakt, maar ik ben erg blij dat ze geen deel uitmaakt van de jury.'

Richard Moore grinnikte. 'Dat kan ik me voorstellen.' Toen was het plotselinge vleugje humor weer verdwenen. 'Emily, ik zweer je dat je de verkeerde vent hebt. Misschien dat je hem inderdaad veroordeeld krijgt maar als dat zo is gaan we verder zoeken naar de manier waarop Easton aan zijn informatie gekomen is, vooral wat die verdraaide, knarsende la betreft. Er moet een andere verklaring zijn.'

'Richard, je hebt geweldig voor hem gevochten. Ik heb naar eer en geweten de vervolging ingesteld. Als er ooit legitiem nieuw bewijs boven tafel komt ben ik de eerste die het wil zien.'

Ze liepen samen de rechtszaal uit. 'Ik zie je morgen,' zei Richard.

'Hou je haaks,' antwoordde Emily.

Toen ze weer in haar kantoor aankwam lag er een briefje op haar bureau. 'Em,' stond er, 'kom om halfzeven naar Solari. Billy Tryon is jarig en we nemen hem mee uit eten. Ted Wesley komt ook langs.' Het briefje was ondertekend door Trish, een aan het kantoor verbonden opsporingsambtenaar.

Trish had er een opgewekt PS aan toegevoegd: 'En dan ben je op tijd terug voor je favoriete programma *Courtside*!!!!'

De gedachte om naar een verjaardagsfeestje voor Billy Tryon te gaan stond haar bijzonder tegen, maar het was onmogelijk om af te zeggen, vooral omdat Ted Wesley, Tryons neef, ook zou komen.

Het is bijna vijf uur, besefte ze. Aangezien ik hier niet onderuit kom, kan ik maar beter gaan zodat ik Bess nog te eten kan geven en haar even kan uitlaten. En dan trek ik ook dit pak en deze hoge hakken uit om iets gemakkelijkers aan te schieten.

181

Een uur later, nadat ze Bess op een wandeling van twintig minuten had getrakteerd, haalde Emily haar eten tevoorschijn, ververste het water in haar bak, en ging naar boven. Bess had zo graag naar buiten gewild dat ze niet de tijd genomen had om zich om te kleden toen ze thuis was gekomen.

45

Rechercheur Billy Tryon genoot duidelijk van het etentje ter gelegenheid van zijn drieënvijftigste verjaardag in Solari, het populaire restaurant om de hoek van de rechtbank van Bergen County. Met zijn arm op de rugleuning van de stoel van zijn nieuwste vriendinnetje, Donna Woods, merkte hij op dat het prettig was de spanning van het wachten op de uitspraak in de zaak-Aldrich even te kunnen doorbreken.

'Jake en ik hebben hier echt zoveel werk in zitten,' zei hij, ietwat opschepperig. 'Jammer dat hij hier vanavond niet kon zijn. Zijn zoon moet ergens spelen of zo.'

'Billy, ik dacht dat je Jake helemaal niet leuk vond,' protesteerde Donna ernstig. 'Waarom zou je dan willen dat hij hier was?'

Tot haar grote plezier zag Emily dat Tryon duidelijk gegeneerd was en een boze blik op zijn vriendinnetje wierp. Ze voelde meteen een gevoel van verwantschap met Jake. Jammer dat ik geen kind heb dat ergens moet spelen. Ik zou bijna overal liever zijn dan hier.

De anderen aan tafel waren twee hulpofficieren van justitie, twee door de wol geverfde rechercheurs en opsporingsambtenaar Trish Foley, die het briefje had achtergelaten waarin Emily uitgenodigd werd voor het dinertje.

Trish is een goede meid, dacht Emily, maar ze heeft niet

echt een idee van wat ik van Billy Tryon vind. Ik weet zeker dat ze me uitgenodigd heeft omdat ze denkt dat ik me zorgen maak om de Aldrich-jury. Ze denkt dat het goed voor me is een avondje uit te gaan. Ik zou liever thuiszitten met Bess, zuchtte ze.

Ze had Ted Wesley die dag nog niet gezien maar ze wist dat hij op kantoor was geweest. Het verbaasde haar enigszins dat hij niet langsgekomen was om even dag te zeggen. Dat was niets voor hem als de jury bij een grote zaak nog aan het beraadslagen was.

Billy Tryon, die nog steeds in verlegenheid gebracht was door Donna's indiscrete opmerking over zijn gevoelens voor Jake, probeerde van onderwerp te veranderen. 'Hé, Em, maak je niet druk. Met zo'n modelburger als kroongetuige is het een eitje om een veroordeling los te krijgen,' grapte hij. 'Vond je Eastons verhaal niet geweldig, over de brief die hij naar Aldrich had gestuurd waarin hij zei dat hij van hun afspraak af wou en het "niet-terugvorderbare voorschot" zou houden. Dat was mijn tekst. Er werd hard om gelachen in de rechtszaal.'

'Dat was jóuw tekst!' roep Emily geschokt uit.

'Nou ja, je weet wel wat ik bedoel. Toen ik hem de eerste keer ondervroeg zei hij tegen me dat hij in zijn brief aan Aldrich geschreven had dat hij niet van plan was het geld terug te betalen. Ik zei voor de grap tegen hem dat het een soort niet-terugvorderbaar voorschot was. En dat is precies zoals hij het formuleerde toen hij moest getuigen.'

'Hallo allemaal.' Ted Wesley trok een stoel naar achteren en ging zitten. Ze hadden hem niet aan zien komen maar het was duidelijk dat hij Billy's opmerking gehoord had. 'Laten we het over iets anders hebben,' zei hij kortaf. 'Het is niet nodig problemen te creëren.'

En hartelijk gefeliciteerd, Billy, dacht Emily sarcastisch. Ze bestudeerde het gezicht van de officier van justitie. Er zit Ted iets dwars, dacht ze. Ik vraag me af of hij gisteravond naar *Courtside* heeft gekeken. Ik wed van wel. En het maakt hem vast niet gelukkig wanneer de helft van de kijkers van mening is dat zijn kantoor een onschuldig man vervolgt. Dat is niet bepaald het beeld dat een aankomend minister van Justitie, de hoogste verantwoordelijke voor de ordehandhaving in het land, wil uitstralen.

Ze was zich ervan bewust dat Teds begroeting de hele tafel had gegolden en dat hij niet zoals anders haar even apart warm had toegeknikt. Natuurlijk, dat had ik wel kunnen verwachten, herinnerde ze zichzelf eraan. Ik weet dat Ted een mooiweervriend is, niet alleen wat mij maar wat bijna iedereen betreft. Als Aldrich veroordeeld wordt dan voorspel ik dat er meer dan genoeg mooi weer zal zijn – niets dan zachte briesjes en heel veel zonneschijn. Trish probeerde de feeststemming er weer in te krijgen die door Donna's onthulling verstoord was. 'En, Billy, wat wil je nou echt voor je verjaardag?' vroeg ze vrolijk.

'Wat ik wil? Eh, even denken.' Tryon probeerde duidelijk elke verwijzing naar Easton te vermijden. 'Blijven doen wat nodig is om de boeven te kunnen vangen. De loterij winnen zodat ik een chic appartement kan kopen in een gebouw aan Park Av. En mijn neef, de nieuwe minister van Justitie opzoeken in Washington.' Hij keek naar Ted en glimlachte. 'Ik wil weten hoe het voelt om mijn voeten op jouw bureau te leggen.'

Ted Wesley was duidelijk niet in de stemming voor grapjes. 'Zoals ik je eerder al zei, ik kon maar heel even langskomen. Heb nog een leuke avond verder.'

Abrupt stond hij op.

Hij heeft zijn neef zelfs nog niet eens gefeliciteerd, merkte Emily op. De ober deelde menu's rond. Ze bestelden en iedereen begon zich te ontspannen, behalve de jarige, die, zo zag Emily duidelijk, nog steeds van slag was door zowel de stomme opmerking van zijn vriendin als de kilheid van zijn neef. Gelukkig voor Donna was ze zich van dit alles niet bewust en had ze het prima naar haar zin. Het eten was heerlijk. Naarmate de avond vorderde leek Billy over zijn woede heen te komen. Hij grapte dat Donna, die alleen spa zat te drinken, zijn bob was en nam zelf vier grote glazen wijn. Het toetje bestond uit Billy's verjaardagstaart met koffie. Toen ze klaar waren met eten en opstonden om weg te gaan, zei Trish tegen hen dat de officier haar die middag had gebeld en had gezegd het etentje op zijn rekening te laten zetten.

Billy glimlachte en zei: 'Typisch mijn neef, mijn beste maatje sinds we klein waren.'

En hij schaamt zich dood voor jou, dacht Emily. Ik hoop maar dat je uiteindelijk geen blok aan zijn been wordt. Ze besefte dat ze echt geschokt was door wat ze tijdens dit etentje gehoord had. Ten eerste lag hij duidelijk overhoop met zijn partner, Jake Rosen, een prima en consciëntieuze opsporingsambtenaar. Ten tweede had hij Easton een handig citaat aan de hand gedaan voor de jury over het niet teruggeven van het geld aan Aldrich.

En ten slotte was een van zijn verjaardagswensen geweest: 'Alles blijven doen wat nodig is om de boeven te vangen.'

Alles wat nodig is, dacht ze.

En wat bedoelt hij daarmee?

46

Donderdagochtend ontving Emily om kwart over elf een telefoontje van de secretaresse van rechter Stevens. De jury had een berichtje naar de rechter gestuurd. 'Is er een uitspraak?' vroeg Emily gespannen.

'Nee, nog niet,' antwoordde de secretaresse. 'Rechter

Stevens ziet u en de Moores graag over vijf minuten in zijn kamer.'

'Prima, ik kom eraan.'

Emily belde even snel naar Ted Wesleys kantoor om hem te laten weten dat er iets aan de hand was.

Ted kwam aan de telefoon: 'Uitspraak?'

'Nee,' zei Emily. 'Het zou een verzoek kunnen zijn om een herlezing of het kan om een verdeelde jury gaan. Als ze zeggen dat ze verdeeld zijn weet ik zeker dat Moore erop aan zal sturen dat de zaak geseponeerd wordt.'

Voor ze haar zin kon afmaken viel Wesley haar boos in de rede: 'Dan maak je daar bezwaar tegen. Ze zijn nog maar een paar dagen in beraad, na weken van procesvoering.'

Emily probeerde niet geïrriteerd te klinken. 'Dat is precies wat ik van plan was te doen. Natuurlijk zal ik betogen dat ze geïnstrueerd moeten worden om door te gaan met hun beraad. Ik denk trouwens niet dat rechter Stevens daar ook al zo gauw mee akkoord zou gaan.'

'Oké. Goed. Het is nog te vroeg voor hen om nu al de handdoek in de ring te gooien. Ik zie je daar.'

Een paar minuten later waren Emily en de Moores in de kamer van rechter Stevens. De rechter had het briefje in zijn hand en las het voor: 'Uwe edelachtbare, we zouden graag de getuigenverklaring van Jimmy Easton en Gregg Aldrich nog eens horen. Dank u.' Het briefje was ondertekend door jurylid nummer een.

'Ik heb de griffier op de hoogte gebracht en ze zal er over ongeveer een kwartier heen gaan,' zei rechter Stevens tegen hen. 'Beide getuigen hebben een lange verklaring afgelegd en ik stel me zo voor dat het herlezen daarvan de rest van de dag in beslag zal nemen.'

Emily en de beide Moores waren het met hem eens. Ze bedankten de rechter en gingen naar de rechtszaal. Ted Wesley stond bij de tafel van de openbare aanklager. 'Ze gaan zowel Eastons als Aldrich' getuigenis herlezen,' liet Emily hem weten.

Hij keek opgelucht. 'Nou, dat is in ieder geval beter dan een verdeelde jury. Als dit de hele dag duurt en de rechter stuurt hen naar huis, dan is het duidelijk dat er vandaag geen uitspraak meer gedaan zal worden. Oké. Ik ben ervandoor,' zei hij kortaf.

De jury zat inmiddels weer op de jurytribune en was een en al aandacht. Als eerste werd Eastons verklaring teruggelezen. Emily kromp in elkaar toen ze zijn gevatte antwoorden hoorde over het niet-terugvorderbare voorschot. Dit wordt verondersteld Eastons verklaring te zijn maar ik vraag me af hoeveel ervan in werkelijkheid van Billy Tryon is, vroeg ze zich af.

De griffier was om 13.15 uur klaar met het herlezen van Eastons verklaring. Rechter Stevens gaf aan dat er een lunchpauze van drie kwartier zou zijn en dat ze om twee uur verdergingen met de herlezing van de getuigenverklaring van Gregg Aldrich.

Emily gaf er de voorkeur aan niet weer door de cafetaria te moeten lopen waar ze Gregg en Katie Aldrich en Alice Mills opnieuw tegen zou komen, en vroeg een jonge stagiaire op kantoor om wat soep voor haar te halen. Ze zat in haar kantoor, met de deur op slot. Het feit dat de griffier de verklaringen op onderkoelde en professionele manier had herlezen, stelde haar gerust.

Dat was in opvallend contrast met Eastons gevatte en zelfgenoegzame manier van doen toen híj had moeten getuigen. Hopelijk zouden die juryleden die, begrijpelijk genoeg, van hem walgden, beseffen dat hij wel degelijk belangrijke en ondersteunende informatie had verstrekt. Ze klopte tegen het hout van haar bureau.

Om tien voor twee stapte ze weer de lift in om omhoog te gaan naar de rechtszaal. Ze wist dat het niet makkelijk zou zijn om nog een keer Gregg Aldrich' gekwelde getuigenis aan te moeten horen. Ze bedacht dat waar zij hopelijk had geprofiteerd van de zakelijke manier waarop Eastons verklaring was herlezen, het heel goed mogelijk was dat Aldrich eveneens zou profiteren van een net zo zakelijke herlezing van zíjn verklaring, die niets zou weergeven van de trillende aarzeling in zijn stem en manier van doen.

Het herlezen begon om twee uur precies toen iedereen weer op zijn plek zat. De juryleden leken volkomen geconcentreerd en aandachtig ieder woord in te drinken. Een paar van hen keken af en toe naar Gregg Aldrich, en van hem naar Alice Mills, die de afgelopen paar dagen naast Katie had gezeten en regelmatig een arm om haar heen had geslagen.

Ze maakt de jury duidelijk dat ze van gedachten veranderd is, wist Emily. En de juryleden hebben haar waarschijnlijk de afgelopen dagen toen ze naar huis gingen bij Gregg en de Moores in de hal zien staan. Ik vraag me af hoe dat die leden zal beïnvloeden die nog steeds niet weten waar ze staan.

We zullen waarschijnlijk morgen wel ergens een uitspraak krijgen of een verdeelde jury, dacht Emily. Ze wist uit ervaringen in het verleden dat een jury die zojuist naar een langdurige herlezing van de belangrijkste getuigen heeft geluisterd gewoonlijk vrij snel tot een uitspraak komt of besluit dat ze het niet eens kan worden.

De griffier rondde om 16.05 uur af. 'Goed, dames en heren, we schorsen de zitting tot morgenochtend negen uur,' zei rechter Stevens tegen de jury. Toen Emily zich omdraaide om weg te gaan zag ze Alice Mills naar haar staren.

Ze had duidelijk het gevoel dat Alice haar al een hele tijd had zitten bestuderen.

Terwijl Emily daar stond, stak Natalies moeder haar armen over het hek en legde teder haar handen op Greggs schouders, een gebaar dat Emily vreemd bekend voorkwam.

De tranen terugdringend die in haar ogen begonnen te prikken haastte Emily zich de rechtszaal uit, in een poging het overweldigende en onverklaarbare gevoel van heimwee te ontvluchten dat ze plotseling voelde toen ze naar die drie onthutste mensen keek: Alice, Gregg en Katie.

47

'Wat gok jij?' vroeg Gregg Aldrich aan Richard Moore, vrijdagochtend om tien voor negen toen ze terugkeerden naar hun maar al te vertrouwde zitplaatsen aan de tafel van de verdediging.

'Vandaag ergens,' antwoordde Moore.

Cole Moore knikte instemmend.

Prompt om negen uur kwam rechter Stevens binnen. Hij verordonneerde dat de juryleden in de jurytribune plaats zouden nemen en dat hun aanwezigheid door naamafroeping werd gecontroleerd. Toen beval hij hun hun beraad te hervatten.

Toen ze opnieuw achter elkaar de jurykamer in liepen, merkte Gregg op: 'Richard, gisteravond was zevenenveertig procent van de kijkers op mijn hand bij die peiling op Mikes *Courtside*. Heb je dat toevallig gezien?'

'Nee, Gregg.'

'Ik betwijfel of je je ooit in dezelfde hachelijke situatie als ik zult bevinden, maar mocht dat zo zijn, en Mike doet er verslag van in zijn programma, dan is het echt een goed idee om te kijken. Je zult erachter komen dat het net is of je twee mensen tegelijk bent. Je bent de vent die voor de leeuwen gegooid is en tegelijkertijd ben je een toeschouwer in de arena waar gewed wordt of de man in het midden sneller is dan die dieren. Het is eigenlijk best een heel interessante positie om je in te bevinden.'

Ik klets maar wat, dacht Gregg. Ik denk dat ik uitgeput ben. Het is idioot dat ik gisteren zo goed geslapen heb, maar vanochtend werd ik wakker met het verschrikkelijke gevoel dat ik veroordeeld zal worden. De hele tijd dacht ik dat het enige wat ik wilde was dat dit achter de rug was, en nu smeek ik God voor op zijn minst een verdeelde jury. In hoger beroep gaan duurt jaren en ik merk wel dat Richard van mening is dat ik niet veel kans maak.

Een veroordeelde moordenaar.

Dan krijg je een nummer toegewezen, toch?

Ik wil mijn leven terug. Ik wil 's ochtends opstaan en naar mijn werk gaan. Ik wil naar Katies school rijden en naar haar kijken als ze moet voetballen. Ik wil golfen. Ik heb deze zomer nauwelijks gespeeld en als ik ging kon ik me niet concentreren.

De rechter liep bij de balie vandaan. Gregg keek naar de tafel van het OM. Emily Wallace zat nog steeds op haar stoel. Vandaag droeg ze een donkergroen jasje over een zwarte coltrui met een zwarte rok. Ze had haar benen onder tafel over elkaar geslagen en hij kon zien dat ze hoge hakken aanhad zoals gewoonlijk. Het getik van haar hakken toen ze vanochtend de rechtszaal binnen was gekomen had hem herinnerd aan Natalies hakken als ze rond elven thuiskwam na een voorstelling en het stil was in het appartement.

Ik wachtte altijd op haar, dacht Gregg, tenzij ik haar af ging halen in het theater. Ik schrok altijd wakker van het getik van die hakken op de hardhouten vloer in de gang.

En daarna haalde ik dan een drankje voor ons beiden en maakte wat te eten voor haar klaar als ze honger had. Dat vond ik leuk om te doen, ook al maakte zij zich er dan weer druk over dat ze me wakker hield en dat dat niet eerlijk was.

Natalie, waarom maakte je je altijd zo druk over dingen die helemaal geen probleem waren? Waarom was je zo verschrikkelijk onzeker dat je het gewoon niet kon accepteren dat ik van je hield en graag dingen voor je deed?

Terwijl Gregg opnieuw naar de tafel van het OM keek, zag hij een van de rechercheurs naar Emily Wallace toe lopen die hem vlak na de dood van Natalie en zeven maanden geleden vlak nadat Easton was gearresteerd opnieuw had ondervraagd.

Tryon, dacht Gregg. Wat was zijn voornaam ook weer? O ja, Billy. Het was duidelijk toen hij tijdens het proces gehoord werd, dat hij denkt dat hij James Bond is. Terwijl Gregg naar hen keek, zag hij dat Tryon zijn hand op een vertrouwelijke manier op Emily Wallace' schouder legde. Daar was ze duidelijk niet van gediend want ze keek naar hem op en fronste haar wenkbrauwen.

Hij wenst haar waarschijnlijk succes, dacht Gregg. Laten we eerlijk zijn. Als ik veroordeeld word, dan is dat een triomf voor hen allebei. De zoveelste. Dat gaan ze allemaal vieren, dat weet ik zeker.

Vandaag is het zover, dacht hij.

Richard en Cole Moore pakten hun aktetassen. Nu gaan we naar ons tweede thuis: de cafetaria.

Om halftwaalf, toen ze allemaal aan een tafeltje zaten in de buurt van het drukke koffiegedeelte, ging Richard Moores mobiel over. Gregg en Katie hadden zitten kaarten. Alice Mills deed een poging om een tijdschrift te lezen. Cole en Richard hadden andere zaken zitten doornemen.

Richard beantwoordde de telefoon, luisterde en keek de tafel rond. 'Er is een uitspraak,' zei hij. 'Kom, we gaan.'

Emily ontving het telefoontje terwijl ze zich nog maar weer eens op een ander dossier probeerde te concentreren. Ze schoof het terzijde en belde Ted Wesley. Daarna haastte ze zich naar de hal, waarbij haar hakken op de marmeren vloer tikten, en ze besloot daar de trap te nemen in plaats van op de lift te wachten.

Toen ze de derde verdieping bereikte, kon ze zien dat het nieuws dat de jury tot een uitspraak was gekomen als een lopend vuurtje rondging. Mensen verdrongen zich om een plekje in de rechtszaal te bemachtigen voor ze allemaal weg waren. Ze bereikte de deur precies op het moment dat Gregg Aldrich van de andere kant aan kwam lopen. Ze botsten bijna tegen elkaar op en deden toen allebei een stap terug. Een ogenblik staarden ze elkaar aan en toen gebaarde Aldrich dat ze voor moest gaan.

Ted Wesley verbaasde Emily door naast haar aan de tafel van het OM te komen zitten. Nu hij weet dat er een uitspraak is en geen verdeelde jury, is hij er wel zeker van dat er een veroordeling zal volgen, dacht ze. En nu zit hij met zijn neus vooraan. Ze merkte op dat Ted de tijd had genomen om van das en colbert te veranderen. Helemaal opgedoft voor de camera's, dacht ze met iets van verontwaardiging.

Rechter Stevens kwam binnen en kondigde formeel aan wat iedereen al wist. 'Raadslieden, vijftien minuten geleden ontving ik een briefje van de jury waarin aangegeven werd dat ze tot een uitspraak is gekomen.' Hij wendde zich tot de dienstdoende agent en zei: 'Breng de jury binnen.'

Toen de juryleden achter elkaar aan binnenkwamen, keek iedereen in de rechtszaal om te zien of ze ergens uit op konden maken wat hun beslissing was.

Rechter Stevens richtte zich tot jurylid nummer een, Stuart Harvey. 'Mr. Harvey, zou u alstublieft op willen staan? Is de jury tot een uitspraak gekomen in deze zaak?'

'Jawel, uwe edelachtbare.'

'En zijn die uitspraken unaniem?'

'Jawel, uwe edelachtbare.'

Je kon een speld horen vallen in de rechtszaal.

Rechter Stevens keek naar Gregg: 'Laat de verdachte opstaan.'

Met onbewogen gelaat stonden Gregg Aldrich en de Moores op.

Rechter Stevens vroeg: 'Wat de eerste aanklacht wegens inbraak betreft, luidt uw uitspraak schuldig of onschuldig?'

'Schuldig, uwe edelachtbare.'

Iedereen in de rechtszaal snakte naar adem. Als ze hem schuldig bevinden aan het naar haar huis gaan, dan hebben we hem verder ook, dacht Emily. Dit is alles of niets.

'Wat de tweede aanklacht, moord, betreft, luidt uw uitspraak schuldig of onschuldig?'

'Schuldig, uwe edelachtbare.'

'Nee... nee...' Katie sprong overeind van haar stoel naast Alice Mills en voor iemand haar tegen kon houden rende ze om het hek heen en sloeg haar armen om haar vader.

Rechter Stevens keek naar haar en gebaarde vriendelijk dat ze terug naar haar stoel moest gaan. Hij wachtte tot ze dat gedaan had en draaide zich toen om naar de voorzitter.

'Wat aanklacht drie betreft: bezit van een vuurwapen voor onwettige doeleinden, luidt uw uitspraak schuldig of onschuldig?'

'Schuldig, uwe edelachtbare.'

Gregg Aldrich draaide zich om en probeerde zijn snikkende dochter te troosten terwijl Emily toekeek. Ze kon hem boven het geroezemoes in de rechtszaal uit horen zeggen: 'Katie, het komt wel goed. Dit is nog maar de eerste ronde. Dat beloof ik je.'

Rechter Stevens keek Katie aan en zei op meelevende maar besliste toon: 'Ms Aldrich, ik moet u vragen zichzelf in de hand te houden wanneer we verdergaan.'

Katie sloeg haar handen voor haar mond en begroef haar gezicht in Alice' schouder.

'Mr. Moore, wilt u dat de juryleden ieder hun stem laten horen?' vroeg rechter Stevens.

'Ja, uwe edelachtbare.'

'Dames en heren, uw voorzitter heeft gemeld dat u de aangeklaagde schuldig heeft bevonden wat alle aanklachten betreft,' zei de rechter. 'Wanneer uw naam geroepen wordt, geeft u dan alstublieft aan hoe u gestemd heeft: schuldig of onschuldig.'

'Schuldig.'

'Schuldig.'

'Schuldig...' 'Schuldig...' 'Schuldig...'

Bij twee van de vrouwelijke juryleden liepen de tranen over de wangen terwijl ze antwoord gaven.

Gregg Aldrich schudde met een doodsbleek gezicht ontkennend zijn hoofd toen het laatste jurylid het woord dat hem veroordeeld had herhaalde.

Op zakelijke toon bevestigde rechter Stevens formeel dat de uitspraak unaniem was. Hij droeg de dienstdoende agent op om met de voorzitter naar de jurykamer te gaan, het bewijsmateriaal op te halen en dit aan de raadslieden over te dragen.

Toen ze een minuut later de jurykamer uit kwamen, controleerde Emily snel de officiële bewijsstukken van de staat en Richard Moore die van de verdediging. Beide gaven aan dat ze alles weer terug hadden.

De rechter richtte zich nu voor de laatste keer tot de jury. 'Dames en heren, nu u tot een uitspraak gekomen bent hebt u uw taak in deze zaak volbracht. Ik wil u hartelijk bedanken namens de rechterlijke macht en iedereen die bij deze zaak betrokken was. U bent zeer zorgvuldig geweest. Ik druk u wel op het hart de regels van deze rechtbank te eerbiedigen en wel zo dat niemand die op de een of andere manier bij deze rechtszaak betrokken is geweest een gesprek met u aan mag gaan over het overleg dat u gevoerd hebt in deze zaak of over uw rol in de uitslag. Ik waarschuw u er ook voor niet met andere mensen over uw beraadslagingen te praten. Zeg niets wat u niet in de tegenwoordigheid van de andere juryleden zou willen herhalen.

Nogmaals, bedankt. U kunt nu gaan.'
Terwijl de juryleden op het punt stonden om weg te gaan, sprong Alice Mills overeind en schreeuwde: 'Ik bedank u helemaal niet. U hebt het helemaal verkeerd, u allemaal. Mijn dochter is neergeschoten en stervend achtergelaten op de vloer, maar haar moordenaar bevindt zich niet in deze rechtszaal. Gregg, mijn schoonzoon, is onschuldig. Hij heeft het niet gedaan.'

Razend wees Alice met haar vinger naar Emily. 'Jouw getuige is een leugenaar en dat weet je. Dat zag ik gisteren aan je gezicht. En ontken het maar niet. Je weet dat dit een schertsvertoning is en in je hart schaam je je om er deel van uit te maken. Emily, alsjeblieft, in godsnaam!'

De rechter liet zijn hamer neerkomen. 'Mrs. Mills, ik begrijp volkomen dat u verdrietig bent en van streek en dat spijt me heel erg voor u. Maar ik moet erop staan dat u zich rustig houdt terwijl de juryleden de rechtszaal verlaten.'

De juryleden gingen duidelijk aangedaan door waar ze zojuist getuige van waren geweest de rechtszaal uit.

Er was nog een verzoek dat Emily in moest dienen. Ze stond op. 'Uwe edelachtbare, Mr. Aldrich is veroordeeld voor drie misdrijven: inbraak, bezit van een vuurwapen en moord. Hij heeft een levenslange gevangenisstraf voor de boeg en de staat meent te mogen beweren dat het vluchtrisico in zijn geval serieus is. Hij heeft er zeker de financiële middelen toe. De staat wil dat zijn vrijlating op borgtocht ingetrokken wordt.'

Richard Moore, zijn gezicht grauw, reageerde. In de wetenschap dat zijn tegenwerping nutteloos zou zijn, bepleitte hij dat Gregg Aldrich toegestaan zou worden om naar huis te gaan tot het vonnis zodat hij zijn zaken op orde kon brengen en regelingen kon treffen voor zijn moederloze kind.

'Ik ben het eens met de aanklager dat er een aanzienlijk vluchtrisico bestaat,' zei rechter Stevens. 'Mr. Aldrich kon weten dat dit een mogelijke uitspraak was en had dus vóór vandaag de noodzakelijke regelingen moeten treffen. De strafbepaling vindt plaats op 5 december om negen uur 's ochtends. De vrijlating op borgtocht is ingetrokken. Mr. Aldrich zal in hechtenis worden genomen.'

Met een dodelijk bleek gezicht, volgde Gregg Aldrich zwijgend de instructies op van de agent om zijn handen achter zijn rug te doen. Zijn gezichtsuitdrukking veranderde niet toen de handboeien om zijn polsen gedaan werden en dichtklikten.

Toen hij van de rechtszaal naar de gevangeniscel gebracht werd waren er twee beelden die op zijn netvlies gebrand leken: het diep bezorgde gezicht van Emily Wallace en de openlijk tevreden glimlach van officier van justitie Ted Wesley.

48

Emily deed niet mee aan het overwinningsfeest in Solari op vrijdagavond. Onder het voorwendsel dat ze uitgeput was zei ze tegen Ted Wesley dat ze voor hij wegging naar Washington, Nancy en hem mee uit eten zou willen nemen. Al was haar vermoeidheid echt, ze kon daarnaast de gedachte niet verdragen om een uitspraak te gaan vieren die niet alleen Gregg Aldrich te gronde had gericht maar ook zijn jonge dochter en Natalies moeder.

'*Je weet dat dit een schertsvertoning is en in je hart schaam je je om er deel van uit te maken.*' Steeds weer hoorde Emily in gedachten de gekwelde beschuldiging die Alice Mills in de rechtszaal uitgeschreeuwd had. Haar medeleven met Alice was vermengd met boosheid. Ik heb zeven maanden van mijn leven aan deze zaak gegeven, dacht ze toen ze de rechtbank verliet. Gelukkig waren de media verdwenen, en werd ze op weg naar haar auto door niemand benaderd.

Wat ik wilde was dat er recht zou geschieden voor een bijzonder getalenteerd mens, een vrouw, die zoveel mensen zoveel plezier bezorgd heeft en die haar eigen huis in ging om daar neergeschoten te worden door een indringer.

'*Ik weet in mijn hart...*'

Wat weet Alice Mills van mijn hart? Wat dat betreft, wat weet ík van mijn hart? Het is niet eens van mij. Mijn hart werd in een schaaltje op de operatietafel neergelegd en toen weggegooid.

De tranen die ze sinds Alice Mills' aanval terug had gedrongen begonnen toen ze in haar auto stapte te stromen. Ze herinnerde zich wat een van de verslaggevers tijdens het mediaspervuur na de uitspraak had gezegd. 'Je zult beroemd worden, Emily. Iedereen gaat over je schrijven. Ik wist tot vanochtend niet dat je een harttransplantatie ondergaan hebt. Een paar mensen hadden het erover. En nog iets. Ik wist ook niet dat je man in Irak is omgekomen. Dat spijt me verschrikkelijk.'

Dit wordt nu allemaal breed uitgemeten in de media, dacht Emily. Dat gedoe over die harttransplantatie kan me niet zoveel schelen, maar ik zou er alles voor geven als ik nu terug naar huis, naar Mark kon gaan. Ik zou alles aankunnen, als hij bij me was...

Toen ze thuiskwam en de voordeur opendeed was het extatische geblaf dat ze van de achterveranda hoorde komen een welkome begroeting. Terwijl ze zich naar Bess haastte dacht ze met dankbaarheid aan de onvoorwaardelijke liefde die haar beestje haar altijd gaf.

49

Op vrijdagavond, negen uur nadat de jury uitspraak had gedaan, ging *Courtside* de lucht in. Michael Gordon begon met de dramatische opnamen van de schuldigverklaring en de uitbarstingen van Katie Aldrich en Alice Mills. 'We hebben een fantastisch programma voor u vanavond,' riep hij uit. 'U zult niet alleen het commentaar van onze gerespecteerde panelleden horen maar eveneens leden van de jury, de plaatsvervangers die niet mee mochten doen, en de getuige die bij Natalie Raines was toen ze stierf.'

De panelleden – de gepensioneerde rechter Bernard Reilly, de voormalige aanklager Peter Knowles en forensisch psycholoog Georgette Cassotta – gaven allemaal blijk van hun verrassing dat de jury in staat was geweest tot een unaniem oordeel te komen. Cassotta bekende dat ze niet had gedacht dat een unanieme juryuitspraak mogelijk was geweest, gezien alle problemen met Jimmy Easton.

Dorothy Winters, de teleurgestelde plaatsvervanger, wachtte niet tot ze uitgenodigd werd om het woord te nemen. 'Ik ben woedend,' zei ze. 'Dit zou nooit gebeurd zijn als ik erbij geweest was. Niemand zou iets gezegd kunnen hebben dat mij van gedachten had doen veranderen. Ik ben van mening dat de rechter de aanklager toestond het Mr. Aldrich onnodig lastig te maken toen die man probeerde uit te leggen waarom hij naar Cape Cod was gegaan. Als u het mij vraagt, was hij te goed voor Natalie. Ik denk niet dat ze hem erg goed behandelde. Het enige waar zij in geïnteresseerd was, was haar carrière, maar hij droeg haar op handen en probeerde altijd voor haar te zorgen.'

Jurylid nummer drie, Norman Klinger, een civiel ingenieur van halverwege de veertig, schudde zijn hoofd. 'We hebben deze zaak vanuit elke invalshoek bekeken,' zei hij op vlakke toon. 'Het gaat er hier niet om of Mr. Aldrich te goed was voor Natalie. Jimmy Easton mag zijn wie hij is, alles wat hij zei is bevestigd.'

Suzie Walsh was enorm opgewonden geweest toen ze gebeld werd met de vraag of ze aan het programma mee wou doen. Ze was als een haas naar de kapper gegaan en had zelfs bij de schoonheidssalon haar make-up laten aanbrengen. Pas toen ze in de studio aankwam had ze ontdekt dat ze daar ook iemand voor haar en make-up hadden. Dat geld had ik kunnen besparen, dacht ze, spijtig, vooral omdat die vrouw hier mijn haar weer opnieuw ging borstelen en de make-up wat minder uitgesproken maakte.

Toen stelde Michael Gordon haar een vraag. 'Ms Walsh, u bent de laatste persoon geweest die Natalie Raines levend gezien heeft. Wat vindt u van deze uitspraak?'

'Eerst dacht ik dat hij het echt gedaan had,' zei ze ernstig. 'Maar toen besefte ik dat me al die tijd iets dwars had gezeten. Weet u, ze was nog steeds in leven toen ik haar vond. Ze opende haar ogen niet maar ze kreunde. Ik denk dat ze begreep dat ik om hulp aan het bellen was. Als ze geweten had wie haar neergeschoten had, en dan heb ik het over haar echtgenoot, waarom fluisterde ze dat dan niet tegen mij? Volgens ze mij wist ze dat ze aan het doodgaan was. Zou ze niet willen dat de persoon die haar dit aangedaan had gepakt werd?'

'Precies,' was Dorothy Winters het met haar eens.

'Ms Walsh, u moet begrijpen dat over dit alles uitvoerig gesproken is in de jurykamer,' zei Klinger tegen haar. 'U zegt zelf dat Natalie Raines stervende was. U zegt dat ze haar ogen niet één keer opengedaan heeft. Het feit dat ze kreunde betekende niet dat ze in staat was om met u te communiceren.'

'Ze was zich bewust van mijn aanwezigheid. Daar ben ik zeker van,' hield Suzie vol. 'En trouwens, ik dacht dat mensen niet konden kreunen als ze bewusteloos waren.'

'Ik zeg niet dat ze per se volkomen van de wereld geweest moet zijn. Maar ze was zwaargewond en nogmaals, wij dachten niet dat ze nog in staat was te communiceren.'

'Ze waren al een jaar uit elkaar. Misschien was er een andere vriend waar niemand van wist,' zei Dorothy Winters koppig. 'Vergeet niet dat ze daar tegenover Gregg Aldrich op gezinspeeld had. Dat is de reden dat hij naar Cape Cod ging. Of misschien was het een gekke fan. Ze mag dan wel een geheim nummer gehad hebben, maar iedereen kon haar adres en een plattegrond van de route naar haar huis van het internet hebben gehaald. Zoek het maar eens op. Het is doodsimpel.'

'De advocaat heeft de mogelijkheid van een andere vriend nauwelijks besproken,' bracht Donald Stern, het andere substituut-jurylid te berde. 'Als die persoon al bestond, dan betekent het nog niet dat hij het huis in New Jersey niet kende omdat hij niet op Cape Cod was. Om eerlijk te zijn neig ik nog steeds naar de uitspraak schuldig maar als ik met Mrs. Winters in het beraad had gezeten had ik me misschien laten overhalen. Als ik haar zo beluister ben ik er vrij zeker van dat zij niet van gedachten zou zijn veranderd.'

Bij het horen van deze woordenwisseling sprak Michael Gordon hardop zijn verwondering uit over de dramatische wending die het noodlot genomen had toen de griffier Dorothy Winters' kaartje uit de doos getrokken had dat haar tot plaatsvervangster bombardeerde. 'Gregg Aldrich zit vanavond in een gevangeniscel,' zei hij, 'met een levenslange gevangenisstraf voor de boeg. Als Dorothy Winters in de jurykamer had gezeten zou er een verdeelde jury zijn geweest en had Gregg vanavond thuis met zijn dochter aan het avondeten gezeten.'

'Zo is het leven, vol onverwachte wendingen die enorme gevolgen kunnen hebben,' was rechter Reilly het met hem eens. 'De kaartjes die door de griffier willekeurig uit de doos gehaald zijn, waardoor twee juryleden als Mrs. Winters en Mr. Stern buiten de beraadslagingen bleven, hebben ongetwijfeld de uitkomst van sommige strafprocessen bepaald, net zoals we hier hebben kunnen zien.'

Toen het programma afgelopen was en Mike terug was in zijn kantoor, zag hij een briefje tegen zijn telefoon. Er stond: 'Mike, een of andere vrouw heeft voor je gebeld. Ze wilde haar naam niet geven. Had geen nummerweergave. Wil weten of er een beloning is voor inlichtingen over voor wie Jimmy Easton werkte toen hij in het appartement van Aldrich was. Zou jij dit willen uitzoeken en er de volgende week in het programma melding van willen maken?'

50

Met een steeds groter wordend gevoel van onrust besteedde Zach het grootste deel van de zaterdag aan het zoeken naar een auto. Hij was niet van plan om naar een officiële dealer te gaan waardoor er een spoor van documenten voor de Rijksdienst voor het Wegverkeer (RDW) zou ontstaan. In plaats daarvan reageerde hij op advertenties in de krant voor gebruikte auto's waarin de telefoonnummers van de eigenaars vermeld werden.

Hij had gisteravond naar het nieuws op tv gekeken en vanochtend de krant gelezen, waarin het wemelde van de foto's en verhalen over de uitspraak in de zaak–Aldrich. Het baarde hem zorgen dat er zoveel publiciteit rondom Emily was: ik weet wat er kan gebeuren. Een of andere journalist zou kunnen besluiten een vervolgverhaal over haar te doen met daarbij een foto van haar voor haar huis, waarbij ik ook toevallig op de foto zou komen omdat ik buiten was en hem niet had gezien. Voor je het weet ziet iedereen me op het journaal. Iemand, wie dan ook, zou me kunnen herkennen.

Ik moet nu elk moment weg kunnen.

De laatste advertentie waar hij op had gereageerd bleek precies wat hij zocht. Het donkerbruine busje was acht jaar oud maar in vrij goede staat. Het was het soort auto dat geen aandacht zou trekken. Niemand zou het ding zelfs maar een tweede blik gunnen. Net als mij, dacht hij bitter.

De eigenaar, Henry Link, woonde in Rochelle Park, een plaats in de buurt. Het was een oudere man die wel hield van een praatje. 'Het was de auto van mijn vrouw, Edith,' legde hij uit. 'Ze zit nu al zes maanden in een verpleeghuis. Ik heb altijd gehoopt dat ze weer naar huis zou kunnen komen maar dat gaat niet meer gebeuren. We hebben samen veel plezier van die auto gehad.'

Hij rookte een pijp. De lucht in de kleine keuken was vergeven van de geur van verschaalde rook. 'Niet dat we ooit erg ver gingen,' benadrukte hij. 'Dat is de reden waarom er zo weinig kilometers mee gereden zijn. Als het mooi weer was reden we een stukje langs de Hudson en zochten een plekje om te picknicken. Haar gebakken kip en aardappelsalade waren de heerlijkste ter wereld! En…'

Zach had een kwartier lang tegenover Henry aan de keukentafel naar de schijnbaar eindeloze details van zijn leven met Edith zitten luisteren. Niet in staat nog langer zijn tijd zo te verspillen, stond hij abrupt op. 'Mr. Link, u vroeg in de advertentie om vierduizend dollar voor het busje. Ik zal u nu drieduizend in contanten geven. Ik zal ervoor zorgen dat de nummerplaten ingeleverd worden en de rest van het papierwerk voor mijn rekening nemen. Daar hoeft u zich niet meer druk om te maken.'

'Oké,' zei Henry, die wel voelde dat hij zoals gewoonlijk de aandacht van zijn publiek kwijt was. 'Dat lijkt me redelijk want ik zie dat u het geld bij u hebt. Bedankt dat u het papierwerk voor uw rekening wil nemen. Ik vind het

vreselijk om in die lange rij bij het bureau voor motorrijtuigen te moeten gaan staan. Wanneer wilt u hem komen
ophalen? Ik bedoel, u kunt toch niet met twee auto's tegelijk rijden. Komt u terug met een vriend?'
Die heb ik niet, dacht Zach, en als ik die al had dan zouden ze hier niets van weten. 'Laat hem maar op de inrit
staan en geef me de sleutels. Ik kan later op de avond wel
met iemand meerijden om hem op te komen halen. Ik
hoef zelfs niet aan te bellen.'
'Dat lijkt me prima,' antwoordde Henry Link hartelijk.
'Dan heb ik de tijd om Ediths spullen uit de auto te halen.
U weet wel, haar christoffelmedaille die aan de achteruit-
kijkspiegel hangt. Tenzij u die wilt hebben. Hij heeft haar
altijd beschermd.'
Maar toen aarzelde hij met een fronsende blik. 'Nee,
sorry, toch maar niet, ze zou me vermoorden als ik hem
weggaf.'

51

Emily zat in haar nachthemd in bed naar *Courtside* te kijken. Terwijl ze naar ieders commentaar luisterde, varieer-
den haar emoties van bezorgdheid tot ontzetting – bezorgdheid omdat er zoveel twijfel bestond aan de uitspraak
en ontzetting omdat ze merkte dat ze wou dat Dorothy
Winters in de jurykamer aanwezig was geweest.
Als dat zo was geweest zou ik nu opnieuw bezig zijn met
de voorbereidingen om de zaak voor de rechtbank te brengen. Is dat wat ik echt wilde dat er zou gebeuren? vroeg ze
zich af.
Zodra het programma afgelopen was deed ze het licht
uit maar de slaap liet lang op zich wachten. Ze dacht aan de
tientallen psychiatrische rapporten die ze als aanklager had

gelezen waarin een arts het over de depressie van een verdachte had gehad. Veel van de symptomen die ze beschreven, had zij vandaag ook gevoeld. Vermoeidheid, tranen en een diep gevoel van verdriet.

En verontwaardiging, voegde ze eraan toe. Ik heb zo mijn best gedaan rekening te houden met wat Natalies moeder had doorgemaakt. Hoe kon ze zich vandaag zo tegen me keren?

Tegen middernacht deed ze de la van het nachtkastje open en greep naar het milde slaapmiddel dat ze af en toe nam als ze niet kon slapen. Binnen twintig minuten was ze ingedommeld maar niet nadat ze Gregg Aldrich in een kleine cel voor zich had gezien, die hij waarschijnlijk moest delen met een veroordeelde voor een ernstig misdrijf.

's Ochtends tegen zevenen werd ze lang genoeg wakker om Bess even voor een paar minuten naar buiten te laten, nam haar toen weer mee naar boven en viel opnieuw in slaap. Om tien uur werd ze wakker gebeld. Rechercheur Jake Rosen was aan de telefoon.

'Emily, we hebben je gisteravond wel gemist maar ik kan goed begrijpen dat je gewoon naar huis wilde. Ik vond het rot voor je dat de moeder van het slachtoffer zo tegen je tekeerging. Maak je er niet druk om. Je hebt het geweldig gedaan.'

'Dank je, Jake. Hoe was het gisteravond?'

'Het was misschien maar goed dat je er niet bij was. Ik weet dat Billy niet bepaald een van je meest favoriete personen ter wereld is.'

Nu helemaal wakker viel Emily hem in de rede: 'Dat is nog mild uitgedrukt.'

Jake grinnikte. 'Ik weet het. In ieder geval was hij gisteravond weer lekker bezig, zo erg dat Ted Wesley ten slotte tegen hem zei dat hij moest ophouden met drinken en zijn kop houden.'

Emily reageerde meteen en vroeg: 'Waar had Billy het over?'

'Hij zat erover op te scheppen hoe geweldig hij Jimmy Easton gecoacht had. Hij zei dat hij jou de zaak min of meer op een presenteerblaadje had aangeboden. Emily, normaal zou ik dit soort dingen niet zeggen maar het ego van die vent is echt buiten alle proporties.'

Emily kwam overeind en liet haar voeten over de rand van het bed glijden. 'Een paar avonden geleden deed hij net zo op zijn verjaardagsdinertje. Jake, heb jij ooit gehoord dat hij Easton inlichtingen verstrekt heeft, of weet je dat hij dat gedaan heeft?'

'Ik kwam net een paar minuten na Billy aan op het politiebureau nadat Easton gearresteerd was,' antwoordde Jake. 'Billy was in gesprek met de plaatselijke politie en voor zover ik weet had hij Easton nog niet gezien. Ik was bij hem toen hij een tijdje later met hem sprak. Ik heb niet gezien dat hij iets verkeerds deed. Voor zover ik weet, ben ik er sindsdien steeds bij geweest wanneer Billy met Easton praatte.'

'Jake, we weten allebei dat Billy er door de jaren heen vaker van beschuldigd is dat hij andere mensen woorden in de mond legde als dat goed was voor zijn zaak. Weet je zeker dat hij nooit alleen is geweest met Easton?'

'Volgens mij wel. En Emily, vergeet niet dat Billy een blaaskaak en een opschepper is maar hij heeft ook al heel wat moordzaken onderzocht. Hij heeft een geweldig instinct en hij weet waar hij moet zoeken.'

'Oké, Jake, dan zal het wel in orde zijn. Misschien word ik paranoïde. Of misschien heb ik te veel naar *Courtside* gekeken.'

Jake lachte. 'Vast. Schakel over naar *Fugitive Hunt*. Dat is vanavond. Het is echt goed. Ze zouden het *Wacko Hunt* moeten noemen. Ongelooflijk hoeveel idioten er nog vrij rondlopen. Het was leuk met je te praten, Em.'

'Insgelijks, Jake.'

Nadat ze opgehangen had, ging Emily meteen onder de douche. Terwijl ze haar haar droogde dacht ze na over wat ze die dag zou gaan doen. Ik ga proberen of ik naar de kapper en de manicure kan, dacht ze. Ik heb het zo druk gehad dat mijn haar bijna in mijn ogen hangt. Daarna wil ik even naar Nordstrom voor kousen en make-up. En om te kijken wat voor pakken ze hebben. Ik kan wel een paar nieuwe gebruiken.

Voor ze koffie ging zetten liep ze de inrit op voor de ochtendkrant. Ze wist wat ze kon verwachten en nam de krant mee terug naar de keuken, waar ze hem openvouwde. De bovenste helft van de voorpagina werd in beslag genomen door een foto van Gregg Aldrich die na de uitspraak ineengezakt in zijn stoel lag. Ze kromp ineen toen ze de onderste foto zag waarop een uitzinnige Alice Mills met haar vinger naar haar wees.

Ze las snel het artikel door en smeet toen de krant op tafel. Zoals ze wel verwacht had hadden ze gretig ingespeeld op de ironie van Alice Mills' verwijzing naar haar hart en Emily's medische geschiedenis.

Vol afkeer bezwoer ze zichzelf dat ze er niet meer aan zou denken, en terwijl ze haar koffie dronk en geroosterde boterhammen at, maakte ze een afspraak bij de kappers-annex schoonheidssalon. Er had iemand afgezegd en dus was er om twaalf uur plaats voor haar. 'Nou, er gaat tenminste nog iets goed, Bess,' zei ze. 'Ik kan in ieder geval mijn haren laten knippen. De laatste keer is al zo lang geleden dat ik op jou begin te lijken.'

Vier uur later parkeerde Emily haar auto op de Garden State Plaza en koerste naar Nordstrom. Het geluk is nog steeds met me, dacht ze drie kwartier later toen ze haar creditcard aan de verkoopster gaf.

'Zo echt iets voor u!' zei de verkoopster opgewekt stralend terwijl ze de drie nieuwe pakken netjes opvouwde en in een grote plastic tas deed.

'Heel erg bedankt voor uw hulp,' antwoordde Emily vriendelijk. 'Ik ga hier zeker veel plezier van hebben.' Kousen had ze al gekocht. Haar laatste stop was de make-upafdeling. Terwijl ze naar de begane grond liep, voelde Emily iemand op haar schouder tikken en draaide zich om.

'Emily, wat leuk om je te zien. We hebben elkaar vorige week bij de Wesleys ontmoet. Marion Rhodes.'

Het was de psycholoog van het etentje. Emily moest aan haar moeder denken die altijd tegen haar had gezegd dat ze er nooit van uit moest gaan dat mensen die ze maar één keer ontmoet had haar naam zouden weten of waar ze elkaar ontmoet hadden. Het was duidelijk dat Marions moeder haar waarschijnlijk hetzelfde verteld had.

Vandaag droeg Marion gemakkelijke kleren, een vest en een sportieve broek, maar ze had nog steeds die ondefinieerbare elegantie die Emily zo bewonderde. Haar glimlach was even warm als de klank in haar stem. Emily was oprecht blij dat ze haar tegenkwam.

'Je hebt me wel het weekje achter de rug, Emily. Ik heb in de krant over je zaak gelezen. Ted vertelde me dat hij er ontzettend trots op is hoe je de zaak aangepakt hebt. Gefeliciteerd met de uitspraak. Je moet wel erg tevreden zijn.'

Emily besefte dat haar ogen ineens vochtig werden. 'Heb je misschien toevallig de krant van vanochtend gezien met daarin de foto van de moeder van Natalie Raines die naar me wees en me er praktisch van beschuldigde dat ik in mijn hart best wist dat Gregg Aldrich onschuldig was?'

Ze wist dat Marion, als goede vriendin van de Wesleys, vast door hen van haar harttransplantatie op de hoogte gebracht was.

'Ik weet het, Emily. Ik heb het in de krant gelezen. Het is vast niet gemakkelijk als zoiets gebeurt.'

Uit angst dat haar stem het zou begeven knikte Emily alleen maar. Ze was zich ervan bewust dat Marion haar aandachtig opnam.

Marion opende haar tas, stak haar hand erin en haalde haar kaartje tevoorschijn. 'Ik zou het fijn vinden als je me eens belde. Misschien kunnen we een paar keer met elkaar praten, ik zou je misschien kunnen helpen.'

Terwijl Emily bereidwillig haar kaartje aannam, slaagde ze erin een flauwe glimlach te produceren. 'Ik herinner me nog dat Ted aan tafel zei dat je hem en Nancy een tijd geleden door een moeilijke periode geholpen had, zoals hij dat noemde.

Ik schaam me er niet voor om toe te geven dat ik me inderdaad op dit moment wat overweldigd voel. Ik zal je volgende week bellen...'

52

De jaren waarin hij op de loop was geweest voor justitie hadden Zach voorzichtig gemaakt. Hij keerde vanuit Henry Links rokerige keuken terug naar huis, gebruikte vroeg de avondmaaltijd en zat nu te bedenken hoe hij terug kon gaan voor de auto. Hij wilde geen taxi bellen omdat dat geregistreerd zou worden.

In plaats daarvan liep hij anderhalve kilometer naar Fair Lawn en nam de bus naar het Garden State Plaza in Paramus. Vandaar liep hij de zevenhonderdvijftig meter naar Links huis in Rochelle Park. Hij hoopte dat Henry Link hem niet zou zien en naar buiten zou komen om hem weer de oren van zijn hoofd te kletsen.

Maar er was geen teken van Henry te bekennen toen hij het portier opende en het busje startte. Op de Route 17 ging hij naar het zuiden in de richting van de tolweg naar Newark Airport, waar hij het busje achter zou laten op de parkeerplaats voor langparkeerders. Hij was van plan een taxi terug te nemen naar Fair Lawn en de rest van de weg naar huis terug te lopen.

Om kwart voor negen 's avonds was hij terug in zijn eigen buurt. Hij keek in de richting van het huis van Madeline Kirk. Hij wist dat het huis van de nieuwsgierige oude dame dezelfde indeling had als het zijne, wat betekende dat het brandende licht afkomstig was uit haar studeerkamertje naast de keuken. Ze zit waarschijnlijk tv te kijken dacht hij, misschien wacht ze wel tot *Fugitive Hunt* begint om negen uur.

Ik vraag me af of ze na die reportage van vorige week dit keer een update zullen geven? Misschien hebben ze wel nieuwe tips ontvangen?

Zachs voeten draaiden zijn eigen inrit op. Maar toen hield hij halt. Als Kirk vorige week inderdaad naar het programma gekeken heeft, dan heeft ze nog niet de politie gebeld want anders was die allang hier geweest. Als ze wel gekeken heeft en ze wist niet zeker of ze moest bellen, dan kan een update vanavond net het laatste zetje zijn dat ze nodig heeft. Je weet het maar niet…

Hij moest zekerheid hebben, maar eerst moest hij handschoenen uit zijn huis halen zodat er geen vingerafdrukken te vinden zouden zijn. Hij haastte zich naar binnen, pakte een paar strak zittende leren handschoenen uit de garderobekast en trok die aan.

Het was behoorlijk donker op straat, wat het gemakkelijker maakte om ongezien langs de verwilderde heggen te sluipen die Kirks terrein van dat van haar buren scheidden. Toen hij bij het zijraam van de studeerkamer aankwam ging hij op zijn hurken zitten en stak toen voorzichtig zijn hoofd boven de vensterbank uit.

Het tengere figuurtje van Madeline Kirk zat gehuld in badjas en nachtjapon in een oude fauteuil met een plaid over haar schoot. Hij zag een telefoon, een pen en een blocnootje op het houten tafeltje naast haar liggen.

Hij had goed zicht op de televisie en het geluid stond zo hard dat hij het meeste van wat er gezegd werd kon verstaan. Om even voor negen hoorde hij de aankondiging van het programma waarin de kijkers aangeraden werd vooral naar *Fugitive Hunt* te gaan kijken.

Hij was er zeker van dat hij de situatie goed had ingeschat. Hij kon niet langer wachten om zich ervan te vergewissen of ze inderdaad het telefoonnummer op zou schrijven wat je kon bellen als je aanwijzingen had. Als hij buiten bleef en zij begon het nummer te draaien, dan zou hij niet in staat zijn haar op tijd tegen te houden.

Misschien was er wel een open raam of deur ergens, dacht hij. Terwijl hij buiten langs het huis glibberde zag hij geen spoor van bedrading op de ramen dat op een beveiligingssysteem wees. Aan de andere kant van het huis vond hij waar hij naar op zoek was, een raam op de begane grond dat een stukje omhooggetrokken was. Toen hij naar binnen keek, zag hij dat het naar een kleine badkamer leidde. Wat een mazzel, dacht hij en de deur is dicht zodat ze me niet naar binnen kan zien klimmen. Of horen. Met een tv die zo hard staat is ze waarschijnlijk bijna doof. Hij gebruikte zijn zakmes om het gaas van de hor weg te snijden. Toen hij zijn gehandschoende vingers in de kleine opening onderaan stak en omhoogtrok, vielen er kleine verfschilfers van het afbladderende oude raamkozijn op de grond. Toen de opening groot genoeg was, boog hij voorover, ging op zijn tenen staan, greep het kozijn met beide handen beet en trok zichzelf door de opening naar binnen.

Geluidloos sloop hij door de kleine hal naar de studeerkamer. Madeline Kirks stoel was zo neergezet dat hij zich achter haar bevond.

Fugitive Hunt was in volle gang en de presentator, Bob Warner, was inderdaad bezig aan een update over Zach. 'We hebben sinds de aflevering van vorige week tientallen aanwijzingen ontvangen maar tot zover zonder enig resultaat. Maar we zitten nog steeds achter hem aan.'

De door de computer uitvergrote foto's van hem waaronder de foto die zo angstaanjagend veel leek op hoe hij er nu uitzag, verschenen op het scherm. 'Bekijkt u ze nog eens goed,' drong Bob Warner aan. 'En denk erom, deze vent houdt ervan om gele chrysanten rondom zijn huis te planten. En hier is dan weer ons telefoonnummer, voor het geval u een tip heeft.'

Toen het telefoonnummer op het scherm verscheen, hoorde Zach Madeline Kirk hardop zeggen: 'Ik had gelijk. Ik had gelijk.'

Toen ze naar de pen en de blocnote reikte, tikte Zach haar op de schouder. 'Inderdaad, ouwe geit. Je had gelijk, helaas voor jou.'

Terwijl Madeline Kirk ontsteld naar adem snakte, sloten Zachs gehandschoende handen zich om haar keel.

53

Michael Gordon was van plan geweest om in het weekend naar Vermont te gaan en te proberen zich op zijn boek te concentreren, maar hij besloot voor Katie in Manhattan te blijven. Bovendien wist hij dat hij zich onmogelijk op de beroemde misdaden van de twintigste eeuw zou kunnen concentreren wanneer zijn aandacht volledig in beslag werd genomen door slechts één misdaad, de moord op Natalie.

Het telefoontje naar zijn kantoor.

De vraag over een beloning.

Waren die te goeder trouw geweest? Was er inderdaad iemand die in staat zou zijn het bewijs te leveren dat Jimmy Easton voor een of andere klus in Greggs appartement was geweest?

Hij wist dat het heel goed een telefoontje van een gek kon zijn. Maar van de andere kant hadden Gregg en de Moores altijd geloofd dat als Easton al ooit in het appartement geweest was hij waarschijnlijk iets was komen bezorgen.

Hoe zat dat met die beloning? vroeg Mike zichzelf af terwijl hij zijn fitnessoefeningen deed in de Athletic Club aan Central Park South. Zodra ik het woord 'beloning' op tv noem krijgen we honderden idiote tips binnen. En als het inderdaad een gek was die gebeld had dan zou het alleen maar valse hoop wekken bij Gregg en Katie en Alice...

Hij was aan het hardlopen op de loopband en dacht na. Het had hem verbijsterd in de ochtendkranten te lezen dat Emily Wallace een harttransplantatie had gehad. Zijn mensen hadden een behoorlijk grondige biografie van haar weten op te stellen, met in het achterhoofd de gedachte dat ze misschien een goede *Courtside*-gast zou kunnen zijn, en dat feit was nooit boven tafel gekomen. Natuurlijk wisten ze wel dat haar echtgenoot, een kapitein in het leger, slachtoffer was geweest van een bermbom in Irak drie jaar geleden.

Hij wist dat Richard Moore na de uitspraak naar New York was gereden voor een gesprek met Katie en Alice. Hij had een aardig idee van wat hij zou gaan zeggen. Hij zou beloven dat ze in hoger beroep gingen. Hij zou erop wijzen dat bijna de helft van de mensen die mee hadden gedaan aan de peiling op *Courtside* vóór Gregg gestemd had en niet tegen hem. Op dit moment was het probleem dat hij niet echt sterke argumenten voor een hoger beroep had – de rechter had geen controversiële beslissingen genomen.

Maar als dat telefoontje over de beloning betrouwbaar was, als iemand het bewijs had dat Jimmy Easton op enig moment voor Natalies overlijden in het appartement was geweest, dan zou Richard zeker een motie indienen voor een nieuw proces...

Wat voor beloning zou ik uitloven? Vijfduizend? Tienduizend? Vijfentwintigduizend? Deze gedachten bleven maar door zijn hoofd malen toen hij op weg ging naar de kleedkamer.

Nadat Mike de fitnessruimte verlaten had gebruikte hij de lunch in de grillbar van de club. Hij ging aan een tafeltje bij het raam zitten en keek uit over zijn Central Park. De bladeren waren op hun mooist, prachtig rood, goudkleurig en oranje. De paardenkoetsjes deden goede zaken, zag hij. Het was het soort herfstdag, zonnig maar met een koel windje, dat de mensen naar het park lokte voor een wandeling of om te skaten of joggen.

Als een nieuw proces of hoger beroep niet het gewenste resultaat heeft, zal Gregg nooit meer door deze straat lopen voor een afspraak met mij in deze club, dacht Mike. Zoals het er nu voor staat, zal hij ongetwijfeld geroyeerd worden bij de volgende ledenvergadering. Nou ja, dat is dus wel de minste van zijn problemen.

Terwijl hij een hamburger bestelde en een glas wijn, begon de gigantische omvang van wat zijn vriend was overkomen tot hem door te dringen. Ik wist dat de uitspraak schuldig zou kunnen zijn, maar toen ik zag hoe Gregg de handboeien om kreeg trof me dat als een mokerslag, peinsde hij. En nu ik naar deze mensen kijk die zo aan het genieten zijn in Central Park begin ik er een idee van te krijgen hoe het moet zijn om je vrijheid volledig kwijt te zijn.

Ik ga zelf die beloning bekendmaken, besloot hij. Ik zal hem op de website aankondigen. Ik zorg dat ze groot genoeg is zodat het geld hem wel over de streep zal trekken mocht de beller bang zijn dat degene die Easton zwart in dienst genomen heeft in de problemen komt.

Vijfentwintigduizend dollar. Dat zal ieders aandacht

trekken. Instinctief wetend dat hij een goede beslissing had genomen begon Mike zijn hamburger op te eten die de ober voor hem neer had gezet.

Op zaterdagavond, vlak voordat Mike uit eten zou gaan met vrienden, belde hij naar Greggs appartement. Alice Mills nam op. 'Toen ze hier gisteren terugkwamen, was Katie zo van streek dat Richard Moore een dokter belde die hij kent en die in het gebouw hiernaast woont. Hij liet een kalmeringsmiddel voor haar bezorgen. Ze heeft vandaag geslapen tot de middag, werd wakker, en begon toen weer te huilen. Maar later op de dag kwamen een paar van haar vriendinnen langs en dat hielp wel. Ze gingen samen naar de film.'

'Ik neem jullie morgen mee uit lunchen,' zei Mike. 'Kennen jullie de bezoekuren van de gevangenis?'

'Richard laat ons weten wanneer we Gregg kunnen bezoeken. Katie staat erop dat ze eerst haar vader wil zien voordat ze over een paar dagen terug naar school gaat. Het zal voor haar goed zijn om weer iets van routine in haar leven te hebben.'

'En hoe gaat het met jou, Alice?'

'Lichamelijk niet slecht voor iemand van bijna eenenzeventig. En emotioneel, ach, dat hoef ik je niet te vertellen. Je hebt vast de ochtendkranten gelezen?'

'Ja.' Mike dacht dat hij wel wist wat er nu zou volgen.

'Mike, ik ben niet trots op de scène die ik in de rechtszaal geschopt heb. Maar ik kon er echt niets aan doen. En ik zou zeker nooit een toespeling hebben gemaakt op het hart van Emily Wallace.'

'Ik wist helemaal niet dat ze een harttransplantatie had gehad,' zei Mike tegen haar. 'En uit wat ik nu lees maak ik op dat het ook niet algemeen bekend was. Haar aortaklep is vervangen en de transplantatie heeft zo snel daarna plaatsgevonden dat zelfs de meeste van haar vrienden niet wisten dat er een tweede operatie was geweest. Kennelijk heeft ze het zelf niet aan de grote klok willen hangen.'

'Ik wou alleen maar dat ik het niet over haar hart had gehad toen ik zo tegen haar tekeerging. Maar, Mike, het verandert niets aan het feit dat ik oprecht geloof dat Emily Wallace weet dat Gregg onschuldig is.'

'Dat zou je niet zeggen als je nagaat hoe ze hem in de getuigenbank aangepakt heeft, Alice.'

'Ze probeerde zichzelf te overtuigen, niet de jury, Mike.'

'Alice, echt, dat gaat wel ver.'

'Ik begrijp dat het zo overkomt. Mike, Richard had het over in hoger beroep gaan. Het was goed voor Katie om dat te horen, maar zei hij dat nou gewoon alleen maar?'

Michael Gordon besloot haar niets te vertellen over het telefoontje dat hij van een mogelijke nieuwe getuige had gehad tot morgen tijdens de lunch. 'Alice, zoals het er nu voor staat, geloof ik niet dat er goede gronden zijn voor een hoger beroep. Maar we gaan een beloning uitloven voor alle inlichtingen die tot een nieuw proces kunnen leiden. Ik zal je er morgen alles over vertellen. Laten we het daar voor nu even op houden.'

'Prima. Goedenavond, Mike.'

Mike verbrak de verbinding. Er was in Alice Mills' stem iets te horen wat hij eerst niet thuis kon brengen. Maar nu begreep hij wat het was: de rotsvaste overtuiging dat Emily Wallace geloofde dat Gregg onschuldig was.

Hij schudde zijn hoofd, liet zijn mobiel in zijn zak glijden en liep naar de uitgang.

Op datzelfde moment, alleen in het appartement aan Park Avenue, ging Alice Mills naar de logeerkamer die nu van haar was, en waar ze in de tijd dat Gregg en Natalie nog getrouwd waren soms gelogeerd had. Ze deed een la open en keek naar de foto van Emily Wallace die ze die ochtend uit de krant geknipt had.

In haar ogen blonken nieuwe tranen toen ze met een trillende vinger over de omtrek van het hart ging dat Emily's leven had gered.

54

De toevallige ontmoeting met Marion Rhodes op zaterdagmiddag had Emily goedgedaan. Ze wist dat ze eigenlijk nogal op zichzelf was en niet geneigd haar problemen met anderen te delen. Maar ze had zich bij Marion onmiddellijk op haar gemak gevoeld, zowel vorige week als vandaag en keek uit naar een gesprek met haar.

Daarom was ze in staat opgewekt te klinken toen ze net op tijd thuiskwam om de telefoon die overging aan te nemen.

Het was haar vader, die uit Florida belde. Hij had haar gisteren gemaild om haar te feliciteren met de uitspraak en gevraagd of ze hem terug wilde bellen zodra ze daartoe in de gelegenheid was. Ze was van plan geweest hem gisteravond te bellen maar ze wist dat hij zou merken dat ze van streek was en ze wilde hem niet ongerust maken.

Nadat ze vanochtend de krant gelezen had, had ze het opnieuw uitgesteld.

'Em, ik was zo blij voor je vanwege die uitspraak. Dat is een pluim op je hoed. Waarom heb je gisteravond je oude vader niet gebeld? Je bent het zeker gaan vieren?'

'Het spijt me, papa. Ik was van plan je te bellen, maar toen ik thuiskwam had ik de energie niet om de telefoon te pakken. Ik ben meteen naar bed gegaan. Ik had je wel gebeld toen ik rond aan het rennen was vandaag als ik mijn mobiel niet vergeten was. Ik kom net weer binnen. Hoe gaat het met Joan?'

'Prima. Maar we waren allebei van slag door die krantenartikelen. We hebben ze op het internet gelezen. We weten dat je nooit over de harttransplantatie hebt willen praten. En de moeder van de vrouw die vermoord was deed erg onrechtvaardig tegen je.'

Ze probeerde geruststellend te klinken. 'Natuurlijk was ik een beetje van streek, papa. Maar dat is al over, ik heb oprecht te doen met die arme vrouw.'

'Ik hoop dat nu het proces achter de rug is je wat ontspanning zult zoeken en misschien zelfs wat plezier maken. En je weet dat je wanneer je maar wilt het vliegtuig hiernaartoe kunt nemen. Joan kan wat echte maaltijden voor je klaarmaken in plaats van die waardeloze afhaaltroep die jij altijd eet, ja hoor, dat weet ik best.'

'Met Thanksgiving kom ik echt, papa, maar mijn bureau ziet er op dit moment uit als een waar slagveld. Ik moet heel veel werk inhalen.'

'Dat begrijp ik, Em…'

Ik weet wat er nu komt, dacht ze.

'Em, ik ben altijd bang ernaar te vragen omdat ik weet dat je Mark mist. Maar het is nu drie jaar geleden. Is er inmiddels iemand anders in wie je geïnteresseerd bent?'

'Dat mag je gerust vragen, papa. Het antwoord is nee, maar ik zeg niet dat het nooit kan gebeuren. Maar sinds ik zeven maanden geleden deze zaak toegewezen kreeg, heb ik zelfs nauwelijks tijd gehad om Bess uit te laten.'

Toen verraste Emily zichzelf door er nog iets aan toe te voegen, maar algauw besefte ze dat het gevoel dat ze onder woorden bracht oprecht was. 'Ik weet dat het drie jaar geleden is, papa, en ik weet dat ik verder moet met mijn eigen leven. Ik begin in te zien dat ik niet alleen Mark mis, maar ik mis het ook om mijn leven met iemand te delen. En dat wil ik terug.'

'Dat is goed om te horen, Emily. Ik begrijp het wel. Toen je moeder doodging, dacht ik niet dat ik ooit nog naar een andere vrouw zou kijken. Maar na een tijdje werd ik erg eenzaam en toen kwam Joan in beeld. Ik wist gewoon dat het goed was.'

'Dat is ook zo, papa. Ze is zo'n schat. En het is een grote troost voor mij dat ze zo goed voor je zorgt.'

'Dat doet ze zeker, liefje. Goed. Nou, ik spreek je over een paar dagen weer.'

Nadat Emily opgehangen had, luisterde ze de zeven berichten die vandaag op haar antwoordapparaat waren ingesproken af. Een was van haar broer, Jack. De andere waren van vrienden die haar feliciteerden met de uitkomst van het proces. Een aantal waren uitnodigingen voor etentjes op korte termijn, een zelfs al voor vanavond. Een paar gaven vol medeleven uitdrukking aan hun geschoktheid over het feit dat de vervanging van haar aortaklep was uitgedraaid op een transplantatie.

Ze besloot Jack te bellen en de vriendin die haar voor vanavond had uitgenodigd. De rest kon wel wachten tot morgen. Ze kreeg Jacks voicemail, liet een boodschap achter, en belde toen Karen Logan, een mederechtenstudent die getrouwd was en twee kinderen had. 'Karen, ik moet vanavond echt even op de bank en helemaal niks doen,' zei ze. 'Maar laten we voor de komende zaterdag iets afspreken als je dan kunt.'

'Emily, vanavond was het alleen maar pasta bij ons thuis geweest. Maar ik was toch ook al van plan geweest je voor de komende zaterdag uit te nodigen.' Er klonk zowel verwachting als aarzeling door in haar stem. 'We waren van plan naar een leuk restaurant te gaan en iemand mee te nemen die jou erg graag wil leren kennen. Het is een orthopedisch chirurg, hij is zevendertig jaar, en echt waar, nooit getrouwd geweest. Hij is briljant maar heel normaal, en ziet er geweldig uit.'

Emily wist dat Karen aangenaam verrast was door haar antwoord. 'Dat klinkt niet slecht. Ik ga mee.'

Het was bijna zes uur. Emily ging even tien minuten

met Bess lopen, gaf haar te eten en besloot toen naar de videotheek te gaan voor een paar films. Het laatste wat ik wil vanavond is naar *Fugitive Hunt* kijken, besloot ze. Dan zou ik het gevoel hebben alsof ik nog steeds op kantoor zat. En ik denk dat ik wat van 'die afhaaltroep' ga halen waarvan pappa zei dat ik erop leef. De tweede film haalde ze niet eens. Tegen tienen kon ze haar ogen niet langer openhouden en ging naar bed. De film waar ze wel naar had gekeken was wel leuk geweest maar niet geweldig. Ze bleef maar wegdommelen terwijl hij aan de gang was. Ze werd uit zichzelf op zondagochtend om halfnegen wakker, verrast en dankbaar dat Bess haar had laten slapen.

Het was 12 oktober en zeven jaar geleden dat ze Mark ontmoet had op een picknick voorafgaand aan de footballwedstrijd in het Giants Stadium. Ze was er met haar date naartoe gegaan, die een paar van zijn jaargenoten van Georgetown mee had gevraagd. Een van hen was Mark geweest.

Het was die dag ongewoon koud voor de tijd van het jaar, herinnerde Emily zich toen ze opstond en haar hand uitstak naar haar badjas. Ik was veel te koud gekleed. Mijn date ging zo in het spel op dat hij helemaal niet opmerkte dat mijn lippen blauw waren. Mark deed zijn jasje uit en zei tegen me dat ik het aan moest trekken. Toen ik wilde weigeren zei hij: 'Ik ben geboren in North Dakota, weet je. Voor mij is dit heerlijk zacht weer.'

Het was pas later dat ik erachter kwam dat hij het grootste deel van zijn jeugd in Californië door had gebracht. Zijn vader, die afgestudeerd was aan West Point, was beroepsmilitair. Net als hij was Mark ingenieur en toen hij na de middelbare school naar Manhattan verhuisde was hij bij de reservetroepen gegaan. Marks ouders woonden nu in Arizona en ze hadden nog regelmatig contact.

We waren drie jaar getrouwd en hij is er nu drie jaar niet

meer, dacht Emily, toen ze naar beneden ging voor het gebruikelijke ritueel van Bess naar buiten laten en het koffie-
apparaat aanzetten. Is dat een deel van het probleem, dat ik
zo graag het gevoel weer zou willen hebben van uitkijken
naar het eind van de dag, van bij iemand te zijn die van mij
houdt en van wie ik houd? Ze gaf zichzelf antwoord: ja,
dat is zo.

Zondagochtend. Ik ben de laatste tijd niet veel naar de
kerk geweest, dacht Emily. Nadat ze getrouwd waren hadden ze een appartement in Fort Lee betrokken. Mark had
zich vrijwillig aangemeld als koordirigent in hun kerk. Hij
had een fantastische stem. Dat is een van de redenen dat ik
nog maar zelden gegaan ben, erkende ze. Als ze samen gingen had hij altijd op het priesterkoor gestaan.

'I will go unto the altar of God, the God who gave joy to
my youth.'

Ze stond weer op het punt in tranen uit te barsten.

O nee, dacht ze vastberaden, dat gaat niet gebeuren.

Iets meer dan een uur later zat ze in de mis van halfelf in
St. Catherine's. Dat de koordirigent een jonge vrouw was,
maakte het wel gemakkelijker. De gebeden en de antwoorden die ze al kende vanaf dat ze klein was, vonden al
snel hun weg terug naar Emily's lippen.

'It is right to give Him thanks and praise...'

'For Thine is the power and the glory...'

Tijdens de mis bad ze niet alleen vóór Mark maar ook
tót hem: ik ben zo blij dat we die tijd samen gehad hebben,
we zijn zo gezegend geweest.

Op weg naar huis stopte ze bij de supermarkt om wat
echte boodschappen te doen. Gladys, de vrouw die elke
week bij haar kwam schoonmaken, had een lange lijst achtergelaten en er een hartstochtelijk verzoek aan toegevoegd: 'Emily, bijna alles is op.'

Er is nog iets wat ik al die tijd uitgesteld heb en dat ik
vandaag ga doen, besloot Emily, toen ze bij de kassa betaal-

de en een bediende vervolgens om wat lege dozen vroeg. Ik ga Marks kleren inpakken en weggeven. Het is niet goed dat ze bij mij thuis maar liggen te verstoffen terwijl ze voor een ander een godsgeschenk zouden kunnen zijn.

Toen ze van Fort Lee naar het huis in Glen Rock was verhuisd, had ze het niet over haar hart kunnen verkrijgen om afstand te doen van dingen die van Mark waren geweest. Ze dacht aan alle keren dat eerste jaar dat ze haar gezicht in een van zijn jasjes begraven had, in een poging een spoor van de geur van zijn aftershave in de stof te kunnen opsnuiven.

Thuisgekomen trok ze een spijkerbroek en een sweatshirt aan en nam de dozen mee naar de logeerkamer. Toen ze bezig was de jasjes en pakken op te vouwen probeerde ze niet al te veel terug te denken aan de speciale gelegenheden waarbij Mark ze gedragen had.

Toen de kleerkast en de ladekasten leeg waren dacht ze aan iets anders wat niet langer bewaard moest blijven. Ze ging naar haar eigen kamer, opende de onderste la en graaide er de wufte nachtjaponnetjes uit die ze voor haar huwelijk van haar vriendinnen had gekregen. Ze propte ze bij de andere kleren in de laatste doos en trok toen, omdat ze niet langer naar die ingepakte kleren wilde kijken, de deur van de logeerkamer achter zich dicht en ging naar beneden.

Een superenthousiaste Bess sprong op en neer toen ze Emily de riem van de haak op de achterveranda zag pakken. Voor ze naar buiten gingen keek Emily even snel opzij om zich ervan te overtuigen dat Zach niet in zijn achtertuin bezig was, maar hij was nergens te bekennen. Desondanks stak ze meteen de straat over. Een paar passen verder kwam ze voorbij het huis van Madeline Kirk, de teruggetrokken levende oude dame van wie ze alleen maar af en toe een glimp had opgevangen als ze haar post ophaalde en haar stoepje veegde. Ze is zo alleen, peinsde Emily. Ik heb nog nooit een auto of zo op de inrit zien staan alsof ze bezoek had.

En wat de twee jaar betreft dat ik hier gewoond heb zou je van mij ongeveer hetzelfde kunnen zeggen, voegde ze er met spottend zelfmedelijden aan toe.

'Het is duidelijk tijd voor verandering,' zei ze tegen Bess terwijl ze verder liepen door de straat. 'Ik wil niet eindigen als die arme ziel.'

Ze liepen bijna een uur. Emily had het gevoel dat ze wat helderder in haar hoofd begon te worden. Wat kan het me eigenlijk schelen als mensen weten dat ik een harttransplantatie heb gehad? vroeg ze zichzelf af. Ik schaam me er echt niet voor. En aangezien het al tweeënhalf jaar geleden gebeurd is betwijfel ik dat iemand nu nog naar me zal kijken alsof ik elk moment om kan vallen.

En Alice Mills die zei dat ik in mijn hart weet dat Gregg Aldrich onschuldig is: volgens mij is het probleem dat hij me een erg aardige vent lijkt en ik medelijden heb met zijn dochter. Ik zal nog één keer naar zijn dossier kijken en dan leg ik het weg. Hij heeft absoluut geen enkele grond om in hoger beroep te gaan.

Die avond toen ze de tweede film bekeek die ze gehuurd had en op een dienblad in de woonkamer lamskoteletjes met salade zat te eten, ontdekte ze dat ze zich iets probeerde te herinneren dat haar dwars had gezeten toen ze de nachtjaponnetjes die ze weg wilde geven ingepakt had.

55

Zach had Emily op zondagmiddag door het raam aan de voorkant met Bess de straat over zien steken. Hij vermoedde terecht dat ze niet langs zijn huis was gelopen omdat ze hem niet tegen wilde komen. Wacht jij maar af, waarschuwde hij haar in stilte, wacht jij maar af.

Voor de voldoening die hij had gevoeld toen hij het leven uit Madeline Kirk had geknepen was de wetenschap in de plaats gekomen dat hij niet veel tijd meer had. Ze had hem herkend. Misschien was het haar opgevallen dat hij chrysanten om zijn andere huizen had geplant. Maar zelfs al wisten ze van de bloemen niets af dan had de met de computer bewerkte foto die zo op hem leek misschien de aandacht getrokken van iemand van zijn werk of hier uit de buurt.

En iets anders was dat in de komende twee dagen iemand vast zou merken dat de krant van Kirk nog steeds op de stoep lag of dat haar post niet uit de postbus gehaald was. Hij had erover gedacht als het donker was haar krant en post op te gaan halen en zo meer tijd te creëren maar besloot dat dat te riskant was. Iemand zou hem kunnen zien.

Of misschien waren er wel enkele familieleden die hoopten dat ze doodging en hun het huis zou nalaten en die opgewonden zouden raken als ze de telefoon niet opnam. Ook al woonden ze misschien aan de andere kant van het land, ze konden nog altijd de politie bellen en die vragen een kijkje te gaan nemen. Zodra de politie begon rond te neuzen zouden ze meteen de losgesneden hor en de afgebladderde verf op de grond zien. Het was gewoon niet mogelijk dat zo te arrangeren dat het eruitzag alsof ze het zelf had gedaan.

Nadat hij haar vermoord had, had hij haar lichaam in grote vuilniszakken gedaan en de bundel met twijndraad dichtgebonden. Hij had haar de keuken in gedragen en haar autosleutels van een schaal op de eetbar gepakt. Toen had hij haar naar de aangrenzende garage gebracht en haar in de kofferbak van haar auto laten vallen. Daarna had hij haar huis doorzocht en enkele verrassend fraaie juwelen en achthonderd dollar in contanten gevonden die ze in de ijskast verstopt had. Hij trok een gezicht bij de gedachte aan Madeline die haar diamanten en geld in aluminiumfolie stond te wikkelen.

Toen haastte hij zich de straat over en terug zijn huis in, terwijl hij zich ervan verzekerde dat er in beide richtingen geen voetganger of auto te bekennen was. Voor hij naar bed ging pakte hij zijn kleren in, zijn radio en televisie en deed ze in zijn auto. Zijn instinct bleef hem waarschuwen dat hij niet veel tijd meer had. In de komende paar dagen kwam er vast en zeker iemand voor de oude dame en als ze haar auto doorzochten zouden ze haar lichaam vinden.

Waar hij ook naartoe was verhuisd, hij was er altijd in geslaagd een baan te vinden en had altijd wat geld achter de hand. Op dit moment, na de aanschaf van de auto, was dat bedrag nog steeds zo'n achttienduizend dollar, genoeg om van te leven totdat hij zich ergens gevestigd had. Hij had online en onder weer een nieuwe valse naam op een paar uur rijden, vlak bij Camelback Mountain in Pennsylvania, een motelkamer gehuurd. Wanneer er niet meer dag en nacht overal politie was, was hij vandaar zo hier met de auto.

Zach was tevreden over zijn plannen en had prima geslapen. Op zondagochtend genoot hij ervan om Emily in haar keuken te bespieden, en vooral van het feit dat ze geen idee had van zijn plannen voor haar. Toen ze rond kwart over tien het huis verliet, vroeg hij zich af of ze misschien terug naar kantoor ging, maar concludeerde toen dat ze zich daar te veel voor opgetut had. Misschien ging ze wel naar de kerk? Dat zou mooi zijn. Ze heeft geen idee hoezeer ze het nodig heeft te bidden. Vlak voordat hij Madeline Kirk om zeep geholpen had was ze ineens godsdienstig geworden. 'O… God… help… me…'

Hij wist dat hij eigenlijk meteen weg zou moeten gaan. Hij zou de volgende ochtend zijn baas kunnen bellen om te zeggen dat het veel slechter met zijn moeder ging en dat hij nu meteen terug moest naar Florida. Hij zou hem laten weten dat hij het erg naar zijn zin had gehad in het magazijn en dat hij iedereen zou missen. Hij kon de verhuurder bellen met ongeveer hetzelfde verhaal, en zeggen dat hij de sleutel van het huis onder de mat achterliet. Dat zou hem niets uitmaken. Ik heb betaald tot het einde van de maand en hij is alleen maar blij als ik er vroeg uit trek, dan kan hij het huis in orde maken voor de volgende huurder.

Ook al zou hij nu uit het huis verdwijnen, hij moest natuurlijk gauw weer terugkomen om met Emily af te rekenen. Of er nou iemand naar *Fugitive Hunt* heeft gekeken en een tip heeft doorgebeld of niet, zodra ze Kirks lichaam vinden en beseffen dat ik weg ben zullen ze heel snel een en een bij elkaar optellen. Charlotte en haar familie, Wilma en Lou...

De kranten stonden vol over Emily Wallace. Ik wist niet dat ze een transplantatie had gehad. Ik zou erg met haar mee hebben geleefd als ze me dat had verteld. Maar dat heeft ze niet. Wat zonde dat haar nieuwe hart al weer zo gauw zal ophouden met kloppen.

Hij maakte een zorgvuldige inspectieronde door iedere kamer in het huis om zich ervan te vergewissen dat hij niets vergeten had, behalve dan wat hij van plan was achter te laten. Daarna verliet Zach zijn huurhuis en sloot de deur achter zich.

Toen hij in zijn auto stapte wierp hij een blik op de nieuwe planten die hij langs het tuinpad had neergezet. In een week tijd waren ze al gegroeid en gaan woekeren. Had ik iets meer tijd gehad dan zou ik ze uit hebben gegraven en er weer chrysanten hebben gepoot!

Wat een grap zou dat geweest zijn voor de amateurdetectives hier in de buurt.

56

Op maandagochtend ging de pro-Deoadvocaat van Jimmy Easton, Luke Byrne, naar de gevangenis van Bergen County om met zijn cliënt te praten. Nadat er op vrijdag uitspraak was gedaan in de zaak-Aldrich, had rechter Stevens de strafbepaling van Easton vastgesteld voor vandaag om halftwee. 'Jimmy, ik wil het even hebben over wat we vandaag in de rechtszaal gaan zeggen,' zei hij.

Easton keek hem nors aan. 'De regeling die jij getroffen hebt, is waardeloos. En ik ben van plan er mijn beklag over te doen bij de rechter.'

Byrne keek Easton verbijsterd aan. 'Waardeloos? Dat kun je niet menen. Je bent op heterdaad betrapt toen je dat huis uit rende met de sieraden in je handen. Wat voor verdediging had jij dan gedacht dat ik zou hebben gevoerd?'

'Ik heb het niet over strafvermindering. Ik heb het over het waardeloze vonnis waar ze me nu mee op willen zadelen. Vier jaar is veel te lang. Ik wil dat je met de aanklager gaat praten en haar zegt dat ik akkoord ga met vijf jaar voorwaardelijk met aftrek van de tijd die ik al gezeten heb.'

'O ja, daar zal Wallace vast meteen mee akkoord gaan,' zei Byrne sarcastisch. 'Jimmy, je hebt ingestemd met vier jaar. Anders had je tien jaar gekregen vanwege het feit dat je een veelpleger bent. De tijd van onderhandelen is voorbij. Lager dan vier jaar wilden ze echt niet gaan.'

'Dat is kletskoek. Ze hadden me nodig om Aldrich te pakken. Maar als jij wat harder was geweest, had ik voorwaardelijk kunnen krijgen. Dan zouden ze me vandaag vrij hebben gelaten.'

'Als jij wilt dat ik de rechter om voorwaardelijk vraag, oké. Maar ik kan je op een briefje geven dat hij daar nooit mee akkoord zal gaan tenzij de aanklager het ermee eens is.

En ik garandeer je dat ze dat niet zal zijn. Jij gaat vier jaar brommen.'

'Het kan me niet schelen wat jij garandeert,' sneerde Easton. 'Vertel Emily Wallace maar dat als ik niet krijg wat ik wil zij echt geen complimenten meer te horen zal krijgen omdat ze zo'n geweldige aanklager is. Niet wanneer ze te weten komen wat ik nog meer te zeggen heb.'

Omdat hij daar verder niet op door wou gaan, gebaarde Luke Byrne naar de cipier dat hij klaar was en weg wilde.

Hij liep een paar straten terug naar de rechtbank en ging direct door naar Emily's kamer. 'Heb je even?' vroeg hij.

Emily keek op en glimlachte. Luke was een van de beste pro-Deoadvocaten van het hof. Hij was een meter vierennegentig, had haar dat zo oranje was als een wortel en was gemakkelijk in de omgang. Hij deed zijn uiterste best voor zijn cliënten maar zijn houding tegenover de aanklagers was altijd professioneel hartelijk.

'Kom binnen, Luke. Hoe gaat het met je?' Terwijl ze aan het woord was, legde ze haar hand over de naam op het dossier dat ze had zitten bekijken.

'Nou, Emily, het kon eigenlijk wel beter. Ik heb zojuist je kroongetuige een bezoek gebracht in de gevangenis en ik ben bang dat hij in een beroerd humeur is, om het mild uit te drukken. Hij heeft het gevoel dat ik hem verraden heb met die regeling van vier jaar. Ik word geacht je te vertellen dat hij voorwaardelijk wil en dat hij vandaag vrijgelaten wordt.'

'Je maakt een grapje?' vroeg Emily met stemverheffing.

'Ik wou dat het waar was. En er is nog meer. Hij dreigt dat als hij niet krijgt wat hij wil, hij nog meer te vertellen heeft en dat zal jou op de een of andere manier schaden. Meer details wilde hij niet geven.'

Luke Byrne kon wel zien dat Emily zowel geschokt als van streek was.

'Luke, ik waardeer het dat je me op de hoogte hebt gebracht. Hij kan beweren wat hij wil, maar hij krijgt zijn vier jaar. Ik wil die man niet meer zien.'

'Ik evenmin,' zei Luke glimlachend. 'Ik zie je straks.'

Om halftwee werd Jimmy Easton, geboeid en gehuld in een oranje gevangenisoveral, van de gevangenis naar de rechtszaal geleid. Nadat de raadslieden hun entree hadden gemaakt, vroeg rechter Stevens aan Luke Byrne om het woord te nemen.

'Uwe edelachtbare, de getuigenis van Jimmy Easton was van cruciaal belang om Gregg Aldrich veroordeeld te krijgen voor de brute moord op zijn vrouw. De jury achtte zijn getuigenis duidelijk geloofwaardig. De staat was het ermee eens dat zijn maximale vonnis vier jaar zou zijn. Uwe edelachtbare, hij heeft al acht maanden in de gevangenis doorgebracht en dat is erg moeilijk voor hem geweest. Veel van zijn medegevangenen mijden hem omdat hij met de aanklager samengewerkt heeft en hij leeft in voortdurende angst dat hem daarvoor letsel toegebracht wordt.'

Byrne pauzeerde even en ging toen verder: 'Uwe edelachtbare, ik vraag dat het vonnis van Mr. Easton voorwaardelijk luidt met aftrek van gezeten tijd. Hij is bereid om streng onder toezicht gehouden te worden en een taakstraf te verrichten. Dank u.'

'Mr. Easton, u hebt het recht om het woord voor uzelf te voeren,' zei rechter Stevens. 'Wilt u misschien iets zeggen?'

Jimmy Easton haalde diep adem, zijn gezicht was rood aangelopen. 'Uwe edelachtbare, ze hebben me gewoon laten vallen. Mijn advocaat heeft niets voor me gedaan. Als hij zich niet door hen had laten overbluffen en was blijven vechten, hadden zij me onvoorwaardelijk gegeven. Ze hadden me nodig. Ik deed wat er van me verwacht werd en nu willen ze me gewoon bij het grofvuil dumpen.'

Rechter Stevens knikte naar Emily. 'Openbare aanklager, nu zal ik u horen.'

'Uwe edelachtbare, het is absurd dat Mr. Easton beweert dat we hem hebben laten vallen. Ons eerste aanbod was zes jaar en na veel onderhandelen hebben we dat verlaagd tot vier jaar. We zijn van mening dat Mr. Easton, die een lang strafblad heeft, een gevangenisstraf moet uitzitten. Er was niets meer wat zijn advocaat had kunnen doen om ons over te halen met voorwaardelijk in te stemmen. Er was geen sprake van.'

Rechter Stevens wendde zich tot Jimmy Easton. 'Mr. Easton, uw zaak is vanaf het begin aan mij toegewezen geweest. De bewijzen tegen u in deze tenlastelegging wegens inbraak waren erg sterk. Uw advocaat heeft stevig onderhandeld met de aanklager. U bent ingegaan op een aanbod voor een straf die veel lager uitviel dan u onder welke andere omstandigheden dan ook zou hebben gekregen. Het staat buiten kijf dat de staat veel baat heeft gehad van uw getuigenis en u zult nu veel baat hebben van uw medewerking. Maar ik kan onder geen enkele omstandigheden accepteren dat u een geschikte kandidaat voor een voorwaardelijke straf zou zijn. U wordt ter beschikking van de staat gesteld voor een periode van vier jaar. U hebt het recht om in hoger beroep te gaan als u niet tevreden bent met uw vonnis.'

Toen de politieagent hem bij de arm nam om hem weg te leiden, begon Jimmy Easton te schreeuwen. 'Niet tevreden? Niet tevreden? Ik zal iedereen eens laten zien wat het betekent om niet tevreden te zijn. Wacht maar af! Jullie zullen allemaal gauw weer van me horen.

En dat gaan jullie niet leuk vinden.'

57

Op maandagochtend hoorde Phil Bracken, de man van het magazijn van Pine Electronics aan de Route 46, tot zijn spijt van Zach Lanning dat hij eerder weg moest dan afgesproken omdat zijn moeder op sterven lag.

'Zach, dat spijt me enorm zowel voor jou als ons omdat je je werk goed doet. Je kunt altijd terugkomen als je wil, er is altijd werk voor jou.'

Dat was absoluut de waarheid, dacht Phil, toen hij de telefoon neerlegde in zijn kantoor. Zach zat nooit te lanterfanten, nam nooit rookpauzes, legde de spullen altijd waar ze hoorden, en niet op de verkeerde planken zoals sommige van die sukkels die hier alleen werkten tot ze een betere baan hadden gevonden.

Aan de andere kant was er iets aan Zach wat me een onbehaaglijk gevoel gaf, moest Phil toegeven aan zichzelf. Misschien was dat omdat hij veel te slim leek voor deze baan. Dat gevoel heb ik altijd gehad. Als zijn werk erop zat bleef hij nooit staan kletsen of ging hij met de andere jongens een biertje drinken. Zach had tegen hem gezegd dat hij gescheiden was en geen kinderen had dus het was niet omdat hij zich naar huis, naar een gezin haastte.

Betty Tepper, een gescheiden vrouw van in de veertig, werkte op de boekhouding. Toen ze erachter was gekomen dat Zach single was had zij hem uitgenodigd voor een paar feestjes, maar hij had altijd een smoesje gehad om niet te gaan. Hij leek er gewoon niet bijster in geïnteresseerd te zijn om vrienden te maken.

Wat nu? vroeg Phil zichzelf af. In deze tijden zijn er tientallen jongens die de kans op een vaste baan met goede secundaire arbeidsvoorwaarden met beide handen aangrijpen.

En Zach Lanning was nogal raar geweest, dacht hij. Hij keek me nooit echt aan als ik met hem praatte. Het was net alsof hij altijd op zijn hoede was en voortdurend oplette wie er in zijn buurt kwam.

Ralph Cousins, een van de nieuwe medewerkers, kwam even langs op kantoor nadat hij om vier uur uitgeklokt had. 'Phil, heb je even?'

'Tuurlijk. Wat is er aan de hand?' Niet weer iemand die ontslag neemt, hoopte Phil. Ralph, een zwarte jongen van drieëntwintig, werkte overdag en ging 's avonds naar de universiteit. Hij was intelligent en betrouwbaar.

'Phil, er zit me iets dwars. Het gaat over die vent Lanning.'

'Als het over hem gaat, ontspan je dan maar. Hij heeft vanochtend ontslag genomen.'

'Ontslag genomen!' herhaalde Cousins opgewonden.

Verrast door Ralphs reactie zei Phil: 'Hij was van plan om aan het eind van de maand weg te gaan. Wist je dat niet? Hij ging naar Florida verhuizen om voor zijn moeder te zorgen. Maar nu ligt ze op sterven dus is hij vanochtend vertrokken.'

'Ik weet dat ik naar mijn intuïtie had moeten luisteren. Ik hoop dat het nog niet te laat is.'

'Hoe bedoel je?'

'Gisteravond zat ik naar *Fugitive Hunt* te kijken en ik zei tegen mijn vrouw dat de compositiefoto van die seriemoordenaar heel veel op Lanning leek.'

'Ach, kom nou, Ralph, die vent is net zomin een seriemoordenaar als jij of ik.'

'Phil, een tijdje terug toen het bijna Moederdag was in mei, vroeg ik hem naar zijn moeder. Hij zei me dat hij haar nooit gekend had en in een heleboel pleeggezinnen was opgegroeid. Hij loog tegen je. Ik wed dat hij zich hier heeft gedrukt omdat hij bang is dat iemand die dat programma gezien heeft hem zou identificeren.'

'Ik heb zelf ook een paar keer naar het programma gekeken. Volgens mij ben je gek, maar als je gelijk hebt, waarom heb je dan niet meteen gebeld? Ze loven altijd een beloning uit voor aanwijzingen.'

'Ik heb niet gebeld omdat ik er niet zeker van was en ik wilde mezelf niet voor gek zetten. En ik wilde met jou praten. Want als de politie hierheen zou komen om hem te ondervragen en hij zou het niet blijken te zijn dan werd jij misschien vervolgd omdat ik hun die aanwijzing verstrekt had. Maar ik ga ze nu bellen. Ik heb zaterdagavond het nummer opgeschreven.'

Terwijl Ralph Cousins het nummer intoetste op zijn mobiel, kwam Betty Tepper Phils kantoor binnen. 'Wat hoor ik nu?' vroeg ze 'Is het waar dat Zach Lanning ontslag genomen heeft?'

'Vanochtend,' zei Phil knorrig. Hij deed zijn best het verbijsterende feit te verwerken dat hij misschien wel twee jaar lang zij aan zij naast een seriemoordenaar gewerkt had, maar was desondanks nog steeds in staat geïrriteerd te zijn over het feit dat Betty maar niet leek te leren dat ze moest kloppen voor ze zijn kantoor binnenstormde.

Ze stak haar teleurstelling niet onder stoelen of banken. 'Ik dacht dat ik hem eindelijk zover had dat hij me uit zou vragen. Qua uiterlijk was hij niet veel bijzonders maar ik heb altijd het gevoel gehad dat er iets mysterieus en opwindends aan hem was.'

'Dat zou heel goed waar kunnen zijn, Betty,' antwoordde Phil terwijl Ralph Cousins het nummer van *Fugitive Hunt* intoetste.

Zodra hij verbinding had begon Ralph met te zeggen: 'Ik weet dat jullie heel veel aanwijzingen krijgen, maar ik geloof echt dat mijn collega hier Charley Muir is, de seriemoordenaar.'

58

Maandagochtend, Yonkers. Reeney Sling was, niet heel ongebruikelijk, aan het kibbelen met haar man, Rudy. Zij was degene geweest die op vrijdagavond de bewuste inlichting naar het *Courtside*-kantoor had doorgebeld. Rudy ging zo ongeveer tegen het plafond toen ze hem later vertelde wat ze gedaan had.

'Sal is mijn vriend,' ging hij tekeer. 'Denk eens aan die geweldige deal die hij ons destijds gegeven heeft. Hij verhuisde ons met korting hiernaartoe en we hoefden pas twee maanden later te betalen. Hoeveel mensen denk je dat dat zouden doen? En dan is dit jouw manier "dank je wel Sal" te zeggen?'

Reeney had verhit naar voren gebracht dat Sal een aantal jongens zwart in dienst had die zich Jimmy misschien ook konden herinneren. 'Die zouden dat allemaal ook heel goed door kunnen bellen en mocht er een beloning zijn dan krijgen zij die in dat geval. Dus als die er is, waarom zouden wij haar dan niet opeisen?'

Rudy nam een slok bier. 'Ik zal je zeggen waarom niet. Nogmaals: Sal is mijn vriend. En ik ga hem geen last bezorgen. En jij ook niet.'

Het hele weekend was de spanning tussen hen blijven hangen. Toen had Reeney op zondagavond de website van *Courtside* bezocht en gezien dat Michael Gordon van plan was in het programma van maandagavond een beloning uit te loven van vijfentwintigduizend dollar. Uit te betalen voor alle inlichtingen die het bewijs konden leveren dat Jimmy Easton toegang had gehad tot het appartement van Gregg Aldrich in afwezigheid van Aldrich en voordat Natalie Raines vermoord was.

'Vijfentwintigduizend dollar,' had Reeney geschreeuwd. 'Doe je ogen open en kijk eens rond. De hele boel hier valt uit elkaar. Hoe lang moet ik nog zo leven? Ik schaam me om onze vrienden uit te nodigen. Denk er eens aan hoe leuk we het zouden kunnen opknappen met zoveel geld. En misschien hebben we zelfs genoeg om dat reisje te maken dat je me al eeuwen belooft.'

'Reeney, als we tegen hen zeggen dat Jimmy Easton voor Sal gewerkt heeft, zullen ze zijn boeken in willen zien. Ik betwijfel dat Sal zich zelfs maar kan herinneren hoe vaak hij gebruik van hem gemaakt heeft. Hij heeft maar één fulltimer in dienst. De andere betaalt hij contant als hij ze voor een klus nodig heeft. Sal heeft nooit iets bij het appartement van Aldrich afgeleverd. Dat heeft hij vorige week nog tegen me gezegd.'

'Wat verwachtte je dan dat hij zou zeggen? Dat hij ernaar uitkeek de belastinginspectie over de vloer te hebben?'

Op zondagavond waren ze woest op elkaar naar bed gegaan. Op maandagochtend begon Rudy te aarzelen. 'Ik heb vannacht niet veel geslapen, Reeney,' zei hij.

'Nou, echt wel,' zei Reeney sarcastisch. 'Je hebt de hele nacht liggen snurken. Je was gewoon bewusteloos van al het bier dat je gedronken hebt.'

Ze zaten te ontbijten in het kleine eetgedeelte naast de keuken. Rudy gebruikte het laatste stuk van zijn toast om de restanten van de gebakken eieren die hij had gegeten bijeen te vegen. 'Wat ik maar wilde zeggen, als je me uit liet praten, is dat je misschien gelijk hebt. Iedereen die ooit voor Sal gewerkt en Easton ontmoet heeft zal, nadat hij over deze beloning gehoord heeft, als een gek naar *Courtside* gaan bellen. Als Sal toch al in de problemen komt, waarom zouden wij dan het geld mislopen? Als blijkt dat Easton daar nooit iets afgegeven heeft, dan betaalt *Courtside* niet uit en kopen wij geen nieuwe meubels.'

Reeney sprong overeind en rende naar de telefoon. 'Ik heb het nummer opgeschreven.'

Ze griste naar een stukje papier en begon het nummer van *Courtside* in te toetsen.

59

Omdat hij een veroordeeld moordenaar was, werd Gregg Aldrich als een hoog veiligheidsrisico beschouwd en zat hij helemaal alleen in een kleine cel. De verschrikkelijke realiteit van wat hem overkomen was, was nog niet helemaal tot hem doorgedrongen.

Toen hij na de juryuitspraak bij de gevangenis gearriveerd was, waren er foto's van hem gemaakt en zijn vingerafdrukken genomen. Hij had zijn Paul Stuart-jasje en sportpantalon verruild voor de lichtgroene overal die aan alle gevangenen verstrekt werd. Zijn horloge en zijn portemonnee waren in zijn pas aangelegde dossier genoteerd en van hem afgenomen.

Zijn leesbril mocht hij houden.

Hij werd door een verpleegster ondervraagd die naar mogelijke geestelijke of fysieke gezondheidsproblemen informeerde of eventuele medicijnen die hij nam.

Het was vrijdagmiddag om ongeveer twee uur dat hij – de shock beschermde hem nog steeds tegen de volle impact van de uitspraak – naar zijn cel gebracht was. Omdat hij wist dat Gregg geen lunch gehad had, had de cipier hem een broodje met worst en frisdrank gebracht.

'Dank u agent. Dat waardeer ik,' zei hij beleefd.

Op maandagochtend werd Gregg bij het aanbreken van de dag wakker met het besef dat hij zich geen enkel moment kon herinneren sinds hij op vrijdag aan dat broodje was begonnen. Het was allemaal even vaag. Hij staarde naar zijn naargeestige omgeving. Hoe heeft dit kunnen gebeuren? Waarom ben ik hier? Natalie, Natalie, waarom heb je dit laten gebeuren? Jij weet dat ik je niet vermoord heb. Je weet dat ik je beter begreep dan wie dan ook.

Je weet dat ik alleen maar wilde dat je gelukkig was.

Ik wou dat jij dat ook voor mij gewild had.

Hij stond op, rekte zich uit, en, zich er nu scherp van bewust dat hij waarschijnlijk nooit meer zou joggen in Central Park of waar dan ook, ging hij weer in het stapelbed liggen en vroeg zich af hoe hij dit ooit zou kunnen overleven. Hij begroef zijn gezicht in zijn handen. Een paar minuten lang werd zijn lichaam geteisterd door hevige snikken totdat hij volkomen uitgeput weer op het bed ging liggen.

Ik moet mezelf weer onder controle zien te krijgen, dacht hij. Als ik hier ooit uit wil komen, dan zal ik moeten bewijzen dat Easton een leugenaar is. Ik kan niet geloven dat hij ook ergens in dit gebouw gehuisvest is. Híj verdient het om hier te zitten, niet ik, dacht hij bitter.

Na de uitspraak had Richard Moore met hem gepraat toen hij zich nog steeds in de cel bij de rechtszaal van rechter Stevens had bevonden. Richard probeerde hem te troosten door hem te beloven dat hij meteen nadat hij zijn vonnis had ontvangen hoger beroep aan zou vragen.

'En in de tussentijd zit ik hier onder hetzelfde dak met dat stuk gajes?' herinnerde Gregg zich dat hij gevraagd had.

Richard antwoordde dat rechter Stevens zojuist bepaald had dat ze uit elkaar gehouden zouden worden zodat contact tussen hem en Easton in de gevangenis onmogelijk zou zijn. 'Niet dat hij er erg lang zal zijn,' had Richard hem verzekerd. 'De rechter bepaalt op maandagmiddag het vonnis over Jimmy Easton. Binnen een paar weken wordt hij naar een staatsgevangenis overgebracht.'

Dat is maar goed ook, dacht Gregg bij zichzelf, woest om wat Easton hem had afgepakt. Als ik de kans had denk ik dat ik hem zou vermoorden.

Hij hoorde het geluid van een sleutel die in het slot omgedraaid werd. 'Hier is je ontbijt, Aldrich,' zei de cipier. 'Ik kom het naar binnen brengen.'

Die middag om halfdrie verscheen Richard Moore vergezeld van een politieagent bij de deur van Greggs cel. Verrast keek Gregg op. Hij had niet verwacht Richard vandaag te zien. Het was hem meteen duidelijk dat er iets positiefs was gebeurd.

Richard kwam direct ter zake. 'Gregg, ik kom net bij de strafbepaling van Easton vandaan. Zoals ik je al zei, verwachtte ik weinig opzienbarends. Op wat opmerkingen van zijn advocaat en Emily Wallace na en vervolgens het onvermijdelijke leugenverhaaltje van hem dat hij zijn leven zou veranderen, dacht ik dat het gewoon routine zou zijn. Maar dat was het zeker niet.'

Terwijl Gregg luisterde, bijna bang om zichzelf toe te staan enige hoop te voelen, beschreef Richard wat er gebeurd was. 'Gregg, ik twijfel er niet aan dat Emily Wallace erg van slag was. Ik denk dat ik wel weet wat er door haar hoofd ging toen Easton raasde dat hij nog heel wat meer te zeggen had. Ze weet dat Easton een verachtelijk wezen is en een ongeleid projectiel bovendien. En alle verslaggevers die daar waren weten dat nu ook. De kranten zullen er morgen vol mee staan. Mocht Wallace niet van plan zijn het verder te gaan onderzoeken dan zal de pers er wel voor zorgen dat ze dat doet.'

Toen, bij het zien van de pijn in Greggs ogen, besloot hij hem nu te vertellen over de beloning die Michael Gordon op zijn website had uitgeloofd en de tip die vervolgens binnengekomen was.

Toen hij Richard Moore zijn cel uit zag lopen was een volkomen getransformeerde Gregg Aldrich er vast van overtuigd dat hij binnen niet al te lange tijd met hem mee zou gaan.

60

Ted Wesley was duidelijk niet blij met Jimmy Eastons uitbarsting. Toen hij erachter kwam dat Emily van tevoren had geweten dat hij voorwaardelijke vrijlating zou gaan eisen, explodeerde hij. 'Wat is hier aan de hand? Heb jij hem niet duidelijk gemaakt dat hij naar de gevangenis zou gaan? En waarom heb je dit niet tegen me gezegd voor hij de rechtszaal binnengebracht werd?'

'Ted,' zei Emily zacht. 'Ik heb hem heel duidelijk laten weten dat er geen sprake kon zijn van een voorwaardelijke gevangenisstraf. Ik ben er zelf net pas achter gekomen en ik denk niet dat het zo ongebruikelijk is als een beklaagde op het laatste moment nog een betere deal probeert los te krijgen.'

De klank van haar stem werd resoluut. 'Maar ik zal je dit zeggen. Ik ben van plan om deze zaak weer helemaal opnieuw door te nemen alsof ik hem zojuist toegewezen heb gekregen. Ik loop het onderzoek stap voor stap opnieuw na. Ik wist dat Easton niet deugde toen we begonnen, maar hij is nog veel erger dan ik gedacht had. Het is een ongelooflijke schoft. Als blijkt dat alles wat hij in de getuigenbank gezegd heeft waar is, dan gaat hij gewoon tegen ons tekeer omdat hij niet naar de gevangenis wil. Aan de andere kant, als hij gelogen heeft zit er een onschuldige man in een gevangeniscel weg te rotten. En als dat het geval is, loopt er bovendien een moordenaar vrij rond die in ons district Natalie Raines neergeschoten en vermoord heeft.'

'Emily, de moordenaar die Natalie Raines neergeschoten en vermoord heeft zit in die cel twee straten verderop en heet Gregg Aldrich. Aangezien jij Easton kennelijk niet duidelijk aan zijn verstand hebt gebracht dat hij moet brommen, zullen de media door blijven zeuren over wat hij nog meer te zeggen zou kunnen hebben.'

Ted Wesley pakte de hoorn van zijn telefoon, ten teken dat hun bespreking afgelopen was.

Emily ging terug naar haar kamer. Het dossier waar ze het grootste deel van de ochtend in had zitten lezen bevatte het aanvankelijke rapport van de politie in Old Tappan, waar Jimmy Easton vlak na de inbraak was gearresteerd. Het was kort. De inbraak had plaatsgevonden om halfnegen 's avonds op 20 februari jongstleden. Toen hij verhoord werd op het politiebureau had Easton laten weten informatie met betrekking tot de Raines-moord te hebben.

En dat was het moment dat Jake Rosen en Billy Tryon zich daarheen hadden gehaast om hem te ondervragen, dacht Emily. Dat Easton was gaan praten was zonder meer een doorbraak geweest. Het was nogal gênant voor dit bureau dat ze de moord op Raines na twee jaar nog steeds niet opgelost hadden. Als Easton de kranten al gelezen had, dan zou hij geweten hebben dat Aldrich de enige verdachte was. Hij had hem in een bar ontmoet. Zou hij de rest van zijn verhaal vervolgens, misschien met wat hulp van Billy Tryon, bij elkaar gesprokkeld hebben?

Het zou niet in Jakes hoofd opkomen om Easton te helpen bewijsmateriaal te vervalsen, maar in dat van Tryon misschien wel. Jake had gezegd dat hij bij het eerste verhoor in het politiebureau aanwezig was, maar ook dat hij daar aangekomen was na Billy Tryon.

Het kan me niet schelen als Ted Wesley me ontslaat nu hij daar nog toe in de gelegenheid is, dacht Emily. Ik ga door. Toen zei ze hardop wat ze steeds had proberen te ontkennen. 'Gregg Aldrich is onschuldig. Ik heb alles gedaan wat ik kon om hem veroordeeld te krijgen en wist de hele tijd dat hij onschuldig was.'

De woorden die Alice Mills haar toegeschreeuwd had echoden door haar hoofd: *Je weet dat dit een schertsvertoning is en in je hart schaam je je om er deel van uit te maken.'*

Ik schaam me inderdaad, dacht Emily.

Ik schaam me.

Het verbijsterde haar hoe zeker ze daarvan was.

61

Belle Garcia kon er maar niet bij met haar hoofd dat Gregg veroordeeld was. Ze had vrijdagnacht nauwelijks geslapen en zaterdagnacht evenmin. Vorig jaar had ze laat op de avond een documentaire over gevangenissen gezien, en de gedachte aan Gregg die in een kooi werd opgesloten was gewoon afschuwelijk.

'Zelfs Natalies moeder geloofde hem, dus waarom namen die stomme juryleden alles wat die crimineel zei voor waar aan? Als ik in de jury had gezeten, was hij nu thuis bij zijn kind,' zei ze niet één keer, maar steeds weer tegen Sal. Op zaterdagavond werd het hem eindelijk te veel. 'Belle, begrijp je het dan niet? Ik word misselijk van het hele verhaal. Ik wil er niets meer over horen. Begrijp je dat? Niets meer.' En stormde hun appartement uit voor een lange wandeling.

Belles achtentachtig jaar oude moeder, Nona 'Nonie' Amoroso, wilde er daarentegen alles over horen. Op zondagochtend liep haar cruiseschip de haven binnen van Red Hook, Brooklyn. Belle ging haar ophalen en op weg naar huis was dat het enige waar ze het over hadden. Toen Belle haar bij haar woning, bij hen om de hoek, afzette zei ze: 'Mama, ik weet dat je een beetje moe bent maar kom vanavond bij ons eten. We hebben je zo gemist. Maar, denk erom, begin niet over het proces. Zoals ik al zei, wordt Sal al kribbig bij de geringste verwijzing ernaar.'

Toen ze de teleurgestelde blik op het gezicht van haar moeder zag, voegde ze er haastig aan toe: 'Ik heb al een plannetje. Sal heeft morgen een grote verhuisklus. Hij moet heel vroeg in de ochtend weg dus zal hij vanavond ook behoorlijk vroeg naar bed willen. Ik bel je nadat hij in slaap is gevallen, waarschijnlijk om een uur of tien. Installeer je lekker in een stoel met je badjas aan want ik heb je een hoop te vertellen.' Ze verzweeg dat ze haar misschien om advies zou vragen over een belangrijke beslissing die ze moest nemen.

'Ik kan niet wachten,' antwoordde haar moeder. 'Ik wil zo graag alles horen.'

Toen ze die avond kwam voor het eten, had Nonie een grote tas bij zich vol foto's die haar vrienden en zij hadden gemaakt en aangezien ze het niet over de zaak konden hebben, vertelde ze hun elk detail van iedere cruisedag.

'Olga en Gertie werden meteen zeeziek en moesten van die pleisters achter de oren. Ik kreeg er ook een voor het geval dat, maar heb hem nooit nodig gehad...

Het eten was echt geweldig. We hebben allemaal te veel gegeten... de hele dag door werden er lekkere hapjes voor je neergezet...

En ik vond het ook echt leuk om naar de lezingen te gaan die gegeven werden. Mijn favoriet ging over het leven in zee... je weet wel... over walvissen en pinguïns en zo...'

Sal, die normaal de dodelijk saaie verhalen van zijn schoonmoeder goedmoedig verdroeg, kon dit keer zelfs niet doen alsof hij luisterde. Belle deed haar best om geïnteresseerd te kijken en was vol bewondering voor de al ingelijste foto van haar stralende moeder in haar beeldige nieuwe pak samen met de kapitein.

'Wou je zeggen dat die man met iedereen aan boord op de foto moet?' vroeg Sal ongelovig, terwijl hij zich even in het gesprek mengde en bedacht dat die kapitein op sommige dagen in de verleiding moest komen overboord te springen.

'Uhhuh. Maar als je een stel bent of reist met familie dan ga je natuurlijk samen op de foto. Maar de meisjes en ik wilden allemaal apart een foto voor onze familie, voor als we er niet meer zijn,' legde Nonie uit.

Dat snap ik, dacht Sal. Geen van de 'meisjes' is jonger dan vijfenzeventig.

Na het dessert en een tweede kop thee, stelde hij voor: 'Nonie, je moet wel erg moe zijn na je reis. En ik moet er morgenochtend heel vroeg uit. Als je het niet erg vindt breng ik je nu naar huis.'

Belle en haar moeder wisselden tevreden blikken.

'Dat is een goed idee,' was Nonie het met hem eens. 'Jij hebt je rust nodig en het is voor mij een lange dag geweest. Het zal fijn zijn om weer in mijn eigen bed te liggen.'

Een uur later, vlak voor tienen, ging de slaapkamerdeur dicht en met Sal al in diepe slaap, nam Belle plaats in haar favoriete stoel in de woonkamer, trok de poef onder haar voeten en koos het nummer van haar moeder. De daaropvolgende anderhalf uur namen ze grondig de hele bewijsvoering door. Hoe meer ze praatte en hoe meer Belle haar moeder hoorde verklaren dat Gregg erin geluisd was, hoe banger ze werd. Zelfs al ontkent Sal het, ik weet bijna zeker dat Jimmy Easton voor hem gewerkt heeft, dacht ze. Ten slotte besloot ze haar moeder deelgenoot te maken van haar verdenkingen.

'Bedoel je dat Jimmy Easton misschien voor Sal gewerkt heeft?' riep Nonie uit. 'Heeft Sal ooit iets afgeleverd bij het appartementencomplex van Gregg?'

'Sal bezorgde wel eens spullen voor de een of andere antiekwinkel die over de kop gegaan is. Ik denk dat er niet genoeg mensen zijn die dat soort dingen kopen. Ik hou er zelf ook niet erg van. Maar ik weet dat die spullen meestal bezorgd werden bij de chique appartementencomplexen aan de East Side,' antwoordde Belle bezorgd. 'Ik weet dat dat de reden is dat Sal van streek raakt als ik het over de zaak heb...

Hij is bang,' zuchtte ze. 'In de loop der jaren heeft hij een hoop verschillende kerels ingehuurd als hij extra hulp nodig had. Hij betaalt ze altijd contant. Hij heeft geen zin in al het extra papierwerk dat erbij komt kijken als hij ze officieel in dienst neemt.'

'Om nog maar te zwijgen van de ziektekostenverzekeringen die hij zou moeten afsluiten,' was Nonie het met haar eens. 'Dat zou een fortuin kosten. Je weet hoe het is, de rijken worden rijker en de rest van ons wordt een poot uitgedraaid. Je weet hoe lang ik erover gedaan heb om mijn reisje met de meisjes bij elkaar te sparen.'

Nonie schraapte een aantal seconden haar keel. 'Sorry, dat komt door mijn allergieën. Er hing een schimmelig luchtje op dat schip en ik denk dat het daarmee begonnen is. Goed, Belle, ik wil niet dat Sal in de problemen komt met de belasting. Maar als Jimmy Easton voor hem gewerkt heeft en die bestelling bij dat appartement bezorgd heeft, dan zou dat verklaren waarom hij er zoveel over wist.'

'Dat is precies wat me zo dwarszit.' Belle was bijna in tranen.

'Meisje, je mag niet toestaan dat iemand in de gevangenis opgesloten wordt als jij door alleen maar je mond open te doen de hele zaak een andere wending kan geven. Bovendien, als Gregg dankzij jou vrijgelaten wordt, dan wed ik dat hij de dag erop een dikke cheque uitschrijft voor Sals achterstallige belasting. Zeg dat maar tegen Sal. Zeg tegen hem dat hij moet doen wat juist is en als híj het niet doet dat jíj het dan doet.'

'Je hebt volkomen gelijk, mamma,' zei Belle. 'Ik ben echt blij dat ik er met jou over gepraat heb.'

'En ik wil dat je tegen Sal zegt dat hij me gerust in vertrouwen kan nemen. Ik durf te stellen dat er met mijn hoofd niks mis is.'

Belle wist dat dat nooit zou gebeuren.

Sal vertrok maandagochtend vroeg. Belle ging meteen, het karretje voor de was achter zich aan trekkend, naar beneden, naar de kelder waar de kleine berging lag die bij het appartement hoorde. Hier bewaarde Sal de gegevens van zijn verhuisbedrijf van de afgelopen twintig jaar in kartonnen dozen. Ze wist dat Sal een hekel had aan administratieve rompslomp, maar hij had in ieder geval wel het jaar waar de gegevens betrekking op hadden op de dozen geschreven.

Natalie Raines is tweeënhalf jaar dood, dacht Belle. Daar begin ik en van daaraf werk ik verder terug. Ze hees de twee dozen met de gegevens van de twee jaar voorafgaand aan de moord op het karretje en ging de lift in.

Terug in haar woonkamer begon ze de eerste doos te doorzoeken. Drie kwartier later vond ze wat ze gezocht had. Sal had een afleveringsbon waarop stond dat er een marmeren staande lamp bezorgd was bij 'G. Aldrich' op het adres dat ze regelmatig op tv had gehoord. De bon was gedateerd 3 maart, dertien dagen voor de dood van Natalie.

Met de bon in haar hand zeeg Belle neer in haar stoel. Met haar fotografische geheugen voor alle belangrijke data in deze zaak, wist ze dat 3 maart de dag was dat Easton beweerd had dat hij Gregg in zijn appartement ontmoet had om het voorschot voor de moord op Natalie in ontvangst te nemen.

Ze huiverde toen ze naar de duidelijke handtekening keek van de persoon die de bezorging aangenomen had. Harriet Krupinsky. Ze was de huishoudster van Aldrich en zijn gezin, die een paar maanden later met pensioen gegaan was en ongeveer een jaar na de moord op Natalie overleed.

Belle wist gewoon zeker dat Jimmy Easton die lamp bezorgd had. Hoe kon Sal dat weten en ermee leven? vroeg ze zich bedroefd af. Wat die arme man en zijn dochter allemaal moeten doormaken.

Haar zoektocht vervolgend vond ze algauw het doorslaggevende bewijs dat Easton voor Sal gewerkt had. Het bevond zich in een verkreukeld adresboekje met daarin enkele tientallen namen. Sommige ervan herkende Belle als mensen die parttime voor Sal gewerkt hadden. Onder de E was niets te vinden maar toen sloeg ze de J op. Boven aan de pagina stond 'Jimmy Easton' gekrabbeld. En zijn telefoonnummer.

Zwaar teleurgesteld in Sal en even bezorgd over wat het onthullen van deze informatie voor gevolgen voor hem zou hebben, pakte Belle de dozen opnieuw in maar hield de bon en het adresboekje achter. Ze tilde de dozen terug op het waskarretje en bracht ze naar de kelder. Na besloten te hebben dat het beter voor Sal zou zijn als hij zelf zou bellen, liet ze zich weer in de stoel zakken en belde opnieuw haar moeder.

'Mamma,' zei ze, en haar stem brak. 'Sal heeft tegen me gelogen. Ik heb zijn gegevens doorzocht. Jimmy Easton heeft voor hem gewerkt en ik heb een afleveringsbon gevonden die aangeeft dat er dertien dagen voordat Natalie gestorven is iets bij het appartement van Aldrich bezorgd is.'

'O hemel, Belle. Geen wonder dat Sal er zo slecht aan toe is. Wat ben je van plan te gaan doen?'

'Zodra Sal thuiskomt, zal ik tegen hem zeggen wat ik weet en dat we het inlichtingennummer van Michael Gordon gaan bellen. En weet je wat, mamma? Ik wed dat Sal opgelucht zal zijn. Het is een goede man. Hij is alleen erg bang. Dat ben ik ook. Mamma, denk je dat er een kans bestaat dat Sal de gevangenis in gaat?'

62

Tom Schwartz, de eindredacteur van *Fugitive Hunt*, belde op maandag om even voor vieren naar het OM van Bergen County. Hij kreeg de secretaresse van de aanklager aan de lijn en zei tegen haar dat het van het grootste belang was dat hij de aanklager zou spreken over een seriemoordenaar aan wie ze recentelijk een reportage hadden gewijd en die waarschijnlijk in Bergen County woonde.

Tien seconden later was Ted Wesley al aan de telefoon. 'Mr. Schwartz, wat zegt u daar over een seriemoordenaar?'

'We hebben goede redenen om te geloven dat een aanwijzing die we zojuist hebben ontvangen naar de locatie van een seriemoordenaar zou kunnen leiden. Kent u ons programma?'

'Ja, maar ik heb het de laatste tijd niet gezien.'

'Als u dan even een paar minuten de tijd voor me hebt, dan zal ik u even op de hoogte brengen.'

Terwijl Schwartz in hoog tempo het verhaal vertelde van de moordenaar wiens laatst bekende naam Charley Muir was, en de reden waarom zijn collega meende dat hij en Zach Lanning een en dezelfde persoon waren, zag Ted Wesley de positieve berichten in de pers al voor zich die hij zou krijgen als zijn kantoor in staat was deze voortvluchtige te pakken. 'U zei dat deze kerel in Glen Rock woont. Hebt u zijn adres ook?' vroeg hij Schwartz.

'Ja, maar vergeet niet dat onze tipgever zei dat toen Lanning zijn baas vanochtend belde om zijn baan op te zeggen, hij zei dat hij meteen naar Florida zou vertrekken. Hij is misschien al weg.'

'Ik zet er direct mijn rechercheurs op. We nemen nog contact met u op.'

Wesley legde de hoorn op de haak en drukte op de intercom. 'Laat Billy Tryon hier komen. En bel de aanklager van Des Moines voor me.'

'Doe ik.'

Terwijl hij ongeduldig zat te wachten, tikte Wesley met zijn leesbril op zijn bureau. Glen Rock was een rustig plaatsje voor mensen met een hoger inkomen. Emily woonde er en daarnaast nog wat andere mensen van kantoor. Hij reikte naar achteren en haalde het adresboek van kantoor van een plank. De tipgever had gezegd dat het adres van Zachary Lanning Colonial Road 624 was.

Wesleys ogen sperden zich open toen hij het adresboek opsloeg en Emily's adres vond. Ze woonde op nummer 622. Jezus, als dit die vent is, heeft ze naast een gek gewoond, dacht hij.

Op precies datzelfde moment kwam de aanklager van Des Moines aan de lijn en haastte Billy Tryon zich het kantoor binnen.

Twintig minuten later bevonden Tryon, Jake Rosen en de patrouilleauto's van het politiebureau van Glen Rock zich bij het huis waar Zach Lanning twee jaar lang gewoond had. Toen er niet opengedaan werd, wist een agent het nummer van de makelaar die het huis aan Zach verhuurd had te achterhalen en belde hem om toestemming om het huis binnen te gaan.

'Natuurlijk mogen jullie naar binnen,' antwoordde de makelaar. 'Toen Lanning vanochtend belde zei hij tegen me dat hij de sleutels aan een haakje in de garage zou hangen. Zijn huurtermijn is afgelopen. Waarom bent u naar hem op zoek?'

'Dat mag ik u nu nog niet zeggen, meneer,' antwoordde de jonge agent. 'Bedankt.'

Ze haalden de sleutel uit de garage en gingen met getrokken revolvers voorzichtig naar binnen, verspreidden zich en controleerden elke kamer en kast. Ze troffen niemand aan.

Billy Tryon en Jake Rosen gingen vervolgens nogmaals alle kamers door om te kijken of ze iets konden vinden waaruit zou blijken waar Lanning naartoe gegaan was, maar er was zelfs geen krant of tijdschrift in het hele huis te vinden.

'Haal meteen de jongens van Vingerafdrukken erbij,' zei Tryon. 'We moeten toch ergens een paar gave kunnen vinden en dan kunnen we met zekerheid vaststellen dat hij onze man is.'

'Dat hoop ik,' merkte Jake Rosen op. 'Deze vent is dwangmatig netjes. Er is nergens een stofje te bekennen en kijk eens naar de manier waarop de glazen keurig in het gelid in de kast staan.'

'Misschien heeft hij op West Point gezeten,' zei Tryon sarcastisch. 'Jake, zeg tegen die kerels van Glen Rock dat ze bij iedereen in het blok aanbellen om te vragen of een van de buren iets over hem weet. Zorg ervoor dat de gemeentepolitie weet dat we een opsporingsbericht uit hebben doen gaan naar zijn auto en kentekennummer.'

Tryon keek om zich heen. Zijn oog viel op een klein apparaatje op het kozijn van het keukenraam. Vervolgens hoorde hij tot zijn verbijstering een hond blaffen, even hard alsof hij in de kamer was. Het geluid kwam uit het apparaatje, dat als een soort intercom fungeerde.

Hij keek uit het raam. Ted Wesley had tegen hem gezegd dat Emily naast Lanning woonde. Precies op dat moment kwam ze gehaast haar auto uit en liep het pad naar haar voordeur op. Daarom blaft haar hond zo, dacht hij.

Hij keek hoe ze de deur opendeed en naar binnen ging. Toen kon hij haar duidelijk een begroeting naar haar huisdier horen roepen.

'Jake,' riep hij, 'kom eens kijken. Die vent Lanning heeft een of andere microfoon in Emily's huis geplaatst en heeft naar alles zitten luisteren wat ze zegt.'

'Kom Bess,' zei Emily. 'Ik laat je even snel naar buiten. Er is hiernaast iets aan de hand met die gekke kerel die vroeger met je ging wandelen.'

'Hemel,' mompelde Jake toen hij glashelder het geluid van Emily's stem hoorde. Hij tilde de jaloezieën op. 'Moet je zien, Billy. Hij kon zo in Emily's keuken kijken. En weet je wat ik denk? Kijk om je heen, deze vent is supergeorganiseerd. Hij heeft echt niet vergeten dit apparaatje mee te nemen. Hij heeft het achtergelaten zodat de politie het zou vinden en Emily erover zou horen.' Ze hoorden de verandadeur opengaan en vervolgens Emily haar hond naar binnen roepen.

Een rechercheur uit Glen Rock kwam de keuken binnen lopen. 'We zijn er negenennegentig procent zeker van dat Lanning onze man is,' zei hij terwijl hij probeerde de opwinding in zijn stem te bedwingen. 'Ik heb gisteravond naar dat programma gekeken. Een van de dingen waar ze het over hadden was dat Charley Muir het leuk vond om gele chrysanten te planten. We hebben er zojuist drie vuilniszakken vol van aangetroffen in de garage. We denken dat hij het programma ook zag en toen nerveus werd.'

Door het raam konden ze zien hoe Emily de inrit overstak. Ze voegde zich bij hen in de keuken. 'Ted Wesley belde me en zei dat jullie deze man aan het natrekken waren. Hij heeft me van een aantal details op de hoogte gebracht. Jullie hadden het over de chrysanten in de garage? Zach plantte ze iets meer dan een week geleden op een zaterdag, groef ze toen weer op en zette er vierentwintig uur later nieuwe planten neer. Ik vond het al vreemd maar aan de andere kant was hij ook altijd nogal vreemd.'

'Emily,' zei Jake zachtjes, 'we zijn er nu vrij zeker van dat Zach Lanning Charley Muir, de seriemoordenaar, is. Er is iets anders wat we je moeten vertellen en ik weet dat het je van streek zal maken.'

Emily verstarde. 'Het kan niet erger zijn dan wat nu ineens tot me doordringt. Afgelopen juni bood hij aan Bess 's middags voor me uit te laten. Ik laat Bess overdag in de overdekte veranda en ik gaf hem alleen een sleutel van dat deel van het huis, niet van de deur naar de keuken. Maar toen ik op een avond laat thuiskwam zat hij op de veranda en dat joeg me angst aan. Ik maakte meteen een einde aan onze afspraak. Ik verzon een of ander smoesje maar ik kon wel merken dat hij me niet geloofde en van streek was.'

Haar ogen gingen wijd open en haar gezicht werd bleek. 'Ik ben er nu zeker van dat hij vorige week in mijn huis is geweest. Op een avond toen ik thuiskwam viel me op dat uit de onderste la van een van de ladekasten in mijn slaapkamer een stukje van een nachtjapon uitstak. Ik wist zeker dat ik het zelf niet zo achter had gelaten.'

Ze zweeg even. 'O mijn God. Nu weet ik wat me gisteren zo dwarszat toen ik die nachtjaponnen inpakte om weg te geven. Een ervan ontbrak! Jake, vertel me wat je te zeggen hebt.'

Jake wees naar het raam. 'Emily, hij heeft een afluisterapparaatje in je huis geïnstalleerd. We konden je zojuist tegen je hond horen praten.'

De gigantische reikwijdte van Zachs inbreuk op haar privacy maakte Emily onpasselijk. Ze voelde zich misselijk worden en slap in haar benen.

Op dat moment kwam er een rechercheur uit Glen Rock binnensnellen. 'Het lijkt erop dat er aan de overkant van de straat ingebroken is. Uit een achterraam is een stuk van de hor weggesneden en de oude dame die daar woont, doet niet open. We gaan naar binnen.'

Tryon, Rosen en Emily haastten zich samen met de politie de straat over. Een agent trapte de voordeur in. Binnen een paar minuten wisten ze dat Madeline Kirk zich niet in het huis bevond. 'Kijk in de garage,' sommeerde Tryon. 'Er ligt een autosleutel op een bord bij de keukendeur.'

Emily volgde de agenten op een paar passen afstand en zag Madeline Kirks plaid verfrommeld op de vloer van de studeerkamer liggen. Ze snakte naar adem toen ze het blocnoteje op het tafeltje naast de stoel zag liggen. Op het blokje waren de woorden 'Fugitive Hunt' geschreven. Er lag een pen overheen. Inmiddels ervan overtuigd dat haar buurvrouw iets vreselijks overkomen was, volgde ze de rechercheurs de garage in. Ze doorzochten Madeline Kirks auto.

'Doe de kofferbak open,' instrueerde Billy Tryon.

De geur van de dood was overweldigend toen Tryon

voorzichtig het twijndraad losmaakte waar de vuilniszakken mee samengebonden waren en het plastic optilde. De rigor mortis die al ingetreden was had de uitdrukking van pure verschrikking op het gezicht van de oudere vrouw bewaard. 'O mijn god,' kreunde Emily. 'Die arme hulpeloze ziel. Die man is een monster.'

'Emily,' zei Jake zachtjes. 'Je mag van geluk spreken dat jij niet zo aan je einde gekomen bent.'

63

Nadat hij de strafbepaling van Jimmy Easton op maandagmiddag bijgewoond had ging Michael Gordon rechtstreeks naar zijn kantoor. Die opnamen van hem waarin hij de aanklager bedreigt en met zoveel woorden zegt dat hij nog veel meer weet zullen vanavond voor een fantastisch programma zorgen, dacht hij. Blufte hij en sloeg hij in het wilde weg om zich heen omdat hij geen voorwaardelijk kreeg? Of staat hij echt op het punt een bom te laten ontploffen? Dat is een kolfje naar de hand van het panel vanavond.

Zijn secretaresse, Liz, volgde hem zijn privékantoor in en zei tegen hem dat er sinds het uitloven van de beloning van vijfentwintigduizend dollar op zondagavond via het nummer op de website eenenvijftig reacties waren binnengekomen.

'Tweeëntwintig ervan kwamen van helderzienden, Mike,' zei ze tegen hem terwijl ze voor zijn bureau stond. 'Twee van hen moeten dezelfde kristallen bol gehad hebben. Ze zagen allebei een man met donker haar en donkere kleren naar Natalie Raines staan kijken, toen ze de ochtend dat ze vermoord werd de inrit naar haar huis op reed.'

Ze glimlachte. 'En de rest is al helemaal ongeloofwaardig. Ze zien hoe hij haar staat op te wachten met een geweer in zijn hand. En daar houdt het visioen op. Kennelijk zullen ze als ze de beloning krijgen wel in staat zijn zijn gezicht te zien en een volledige beschrijving te geven.'

Mike haalde zijn schouders op. 'Ik wist wel dat we een paar idioten aan zouden trekken.'

Liz gaf een korte samenvatting van de rest van de telefoontjes. 'Tien of twaalf ervan waren van mensen die zeiden dat Jimmy Easton hen bedrogen of beroofd had. Geen van hen kon geloven dat de jury Gregg Aldrich schuldig bevonden had op grond van Eastons getuigenis. Sommigen van hen zeiden dat ze graag naar de rechtbank zouden gaan wanneer Aldrich zijn vonnis te horen krijgt om de rechter te vertellen dat Easton een pathologische leugenaar is.'

'Dat is goed om te weten maar we hebben er niet veel aan. Hoe zit het met de vrouw die op vrijdagavond belde en naar de beloning vroeg? Hebben we van haar nog wat gehoord?'

'Ik heb het beste voor het laatst bewaard,' zei Liz tegen hem. 'Ze heeft inderdaad vanochtend teruggebeld. Ze zegt dat ze met honderd procent zekerheid kan bewijzen waar Jimmy gewerkt heeft en de reden dat hij in het appartement van Aldrich geweest kan zijn. Ze wil weten of we het geld van de beloning op een of andere veilige rekening kunnen zetten zodat ze zeker weet dat het haar niet weer stiekem afhandig gemaakt wordt.'

'Heeft ze een naam en telefoonnummer achtergelaten waar we contact met haar kunnen opnemen?'

'Nee, dat wilde ze niet. Ze wil eerst direct met jou praten. Anderen vertrouwt ze de informatie die ze heeft niet toe. Ze wil bovendien weten of Gregg Aldrich dankzij haar aanwijzing uit de gevangenis zal komen, en of zij samen met hem in jouw programma te gast mag zijn. Ik zei tegen haar dat jij nu wel zo ongeveer hier zou zijn en dat ze terug moest bellen.'

'Liz, als iemand ons een concreet bewijs toespeelt, dan nodig ik die natuurlijk uit in het programma. Ik hoop alleen maar dat ze niet de zoveelste malloot is.' Mike dacht er bezorgd aan dat hij het gisteren tijdens de lunch met Alice en Katie over deze aanwijzing gehad had en hun extatische reactie.

'Oké. Dat is alles,' zei Liz opgewekt. 'We zien wel wat er verder nog binnenkomt.'

'Houd nog even alle telefoontjes tegen tot die vrouw teruggebeld heeft. Verbind haar meteen door.'

Liz zat nog maar net achter haar bureau toen de telefoon overging. Mike hoorde haar door de openstaande deur zeggen: 'Ja hij is terug en hij zal nu met u spreken. Wacht u even alstublieft.'

Mikes hand zweefde boven de telefoon terwijl hij wachtte tot de zoemer zou klinken, ten teken dat het telefoontje was doorverbonden.

'Mike Gordon,' zei hij. 'Ik heb gehoord dat u inlichtingen zou hebben die betrekking hebben op de zaak-Aldrich.'

'Mijn naam is Reeney Sling, Mr. Gordon. Het is een eer om met u te praten. Ik kijk met erg veel plezier naar uw programma. Ik had nooit gedacht dat ik nog eens bij een van uw zaken betrokken zou raken maar...'

'In welk opzicht bent u erbij betrokken, Ms Sling?' vroeg Mike.

'Ik heb belangrijke informatie over waar Jimmy Easton werkte in de periode dat Natalie Raines vermoord werd. Maar ik wil er zeker van zijn dat niemand me mijn beloning afpakt.'

'Ms Sling, ik garandeer u persoonlijk, en ik zal het op schrift stellen, dat als u de eerste persoon bent met deze belangrijke informatie en als deze informatie tot een nieuw proces of vrijspraak leidt, dat u dan de beloning zult ontvangen. U moet wel weten dat als het uw informatie gecombineerd met de aanvullende informatie van iemand anders is die tot deze resultaten leidt, dat u dan de beloning zult moeten delen.'

'Maar stel nu dat mijn informatie veel belangrijker is. Wat gebeurt er dan? O, wacht even alstublieft. Mijn man wil iets tegen me zeggen.'

Mike hoorde gedempte stemmen maar kon niet uitmaken wat ze zeiden.

'Mijn man, Rudy, zegt dat we erop zullen vertrouwen dat u eerlijk bent.'

'Het is een terechte vraag, hoor,' zei Mike. 'We zullen de beloning verdelen naargelang de waarde van de informatie van elke persoon afzonderlijk.'

'Dat klinkt goed,' zei ze. 'Rudy en ik kunnen langskomen wanneer u dat schikt.'

'Wat dacht u van morgenochtend om negen uur?'

'We zullen er zijn.'

'En breng alstublieft alles wat u op schrift heeft mee of alle documenten die kunnen ondersteunen wat u zegt.'

'Zeker,' antwoordde Reeney enthousiast, niet langer bang dat de beloning haar door de neus geboord zou worden.

'Dan zie ik u morgen,' zei Mike. 'Ik geef u nu terug aan mijn secretaresse dan kan zij u het adres geven en u uitleggen hoe u er moet komen.'

64

Jimmy Easton was zojuist na zijn vonnis teruggekeerd in de districtsgevangenis van Bergen County.

Kapitein Paul Kraft, de ploegcommandant, wachtte

hem op. 'Jimmy, ik heb nieuws voor je. Je gaat je nieuwe thuis alweer verlaten. We zetten je over een paar minuten op transport naar de gevangenis van Newark.'

'Waarom?' wilde Jimmy weten. Hij wist op grond van zijn uitgebreide ervaring in het verleden dat de administratieve overplaatsing naar een staatsgevangenis na een strafbepaling doorgaans een paar dagen tot zelfs een paar weken in beslag nam.

'Nou, Jimmy, je weet dat je problemen hebt met de mannen hier vanwege je medewerking.'

'Dat is wat mijn advocaat de rechter de hele tijd probeerde te vertellen,' snauwde Jimmy. 'Ze laten me niet met rust. Ik word de hele tijd lastiggevallen door die lui omdat ik de aanklager geholpen hebt. Alsof zij niet hetzelfde zouden doen als ze strafvermindering zouden kunnen krijgen!'

'Dat is niet alles, Jimmy,' zei Kraft tegen hem. 'Het afgelopen halfuur hebben we een aantal anonieme telefoontjes gekregen. We denken dat het allebei de keren dezelfde man was. Hij zei dat je beter van nu af aan je mond kon houden, of anders.'

Bij het zien van de gealarmeerde blik op Eastons gezicht voegde hij eraan toe: 'Jimmy, dat kan iedereen geweest zijn. Het is waarschijnlijk een of andere gek. Wat jij tijdens je strafbepaling gezegd hebt is al op de radio en het internet te horen. Samen met de problemen die we hier gehad hebben en nu deze telefoontjes weer, vonden we het beter je meteen hier weg te halen. Voor je eigen veiligheid.'

Kraft kon duidelijk zien dat Easton oprecht bang was. 'Jimmy, wees eens eerlijk. Doe jezelf een lol. Je weet wie die telefoontjes gepleegd heeft, hè?'

'Nee, nee dat weet ik niet,' stotterde Jimmy. 'De een of andere klootzak, denk ik.'

Kraft geloofde hem niet maar drong niet verder aan. 'We zullen het nummer natrekken dat op de display te zien

255

was en kijken van wie het is,' zei hij. 'Maak je maar geen zorgen.'

'Maak je maar geen zorgen? Dat kun jij makkelijk zeggen. Ik garandeer je dat die telefoontjes van een prepaid mobiel kwamen. Ik weet er alles van. Ik heb er zelf ook tientallen van gehad. Je gebruikt ze voor een belangrijk telefoontje en gooit ze dan weg. Probeer het maar eens.'

'Goed, Jimmy. Ga je spullen pakken. We hebben ze bij de gevangenis al op de hoogte gebracht. Ze zullen je wel beschermen.'

Maar een uur later, vastgeketend en met handboeien om, staarde Jimmy achter in een transportbusje chagrijnig uit het raampje. Ze bevonden zich op de Turnpike in Newark vlak bij het vliegveld. Hij kon een vertrekkend vliegtuig zien opstijgen in de lucht. Wat zou ik er niet voor overhebben om in dat vliegtuig te zitten, maakt niet uit waar het naartoe ging, dacht hij.

Hij moest denken aan een liedje van John Denver. 'Leaving on a Jet Plane...'

Ik wou dat dat zo was.

Ik zou nooit meer terugkomen.

Ik zou ergens anders helemaal opnieuw beginnen.

Toen het busje bij de poort van de gevangenis aankwam en gescreend werd voor het naar binnen mocht, zat Jimmy na te denken over zijn volgende stap.

Aldrich' advocaat gedroeg zich aardig vervelend tegen me tijdens het proces maar ik wed dat hij morgen blij zal zijn om van me te horen.

Als ik klaar ben met in zijn oortjes fluisteren, zal hij het niet eens erg vinden dat hij voor het gesprek moet betalen.

65

Toen hij maandagochtend vroeg het huis in Glen Rock verliet, reed Zach rechtstreeks naar Newark Airport. Hij vond een plekje op de parkeerplaats voor langparkeerders, op een paar vakken van de plek waar hij het busje dat hij had gekocht van Henry Link had neergezet. Terwijl hij zijn spullen overhevelde in de bus, hoopte hij dat hij niet opviel tussen de reizigers op de luchthaven die met hun koffers van de ene terminal naar de andere liepen.

Even schrok hij toen hij zijn tv uit de achterbak van de auto tilde en er net een veiligheidsagent langsreed maar die leek geen enkele aandacht aan hem te besteden. Nadat Zach de laatste spullen overgebracht had sloot hij zijn auto af. Tegen die tijd was hij op van de zenuwen. Die veiligheidsagent zou zich plotseling kunnen gaan afvragen waarom iemand met zo'n zware tv aan het zeulen was en misschien denken dat hij in een geparkeerde auto had ingebroken.

Zo meteen komt hij terug om het uit te zoeken, tobde Zach.

Maar hij verliet de parkeerplaats zonder problemen. Hij reed terug de Turnpike op en begon in de richting van Camelback te rijden. Om kwart voor acht bracht hij de auto tot stilstand op een parkeerplaats en belde zijn werk en makelaar om hun te zeggen dat hij niet terugkwam.

Er was niet veel verkeer op de snelweg en het liep tegen elven toen hij bij het motelletje aankwam en naar de receptiebalie liep om zich in te schrijven.

Terwijl hij wachtte tot de receptionist klaar was met bellen, keek hij om zich heen en voelde zich kalmer worden. Dit was precies het soort plek dat hij had gezocht. Een beetje verlopen, ver van de snelweg, dus het moest er wel rustig zijn. Het skiseizoen was nog niet begonnen. Iedereen die hier nu is komt voor rust en stilte en voor lange herfstwandelingen in de natuur, stelde hij zichzelf gerust.

De receptionist, een langzame man van om en nabij de zeventig, had de sleutel van zijn bungalowtje in zijn hand. 'Ik heb u een van onze beste accommodaties gegeven,' zei hij vriendelijk. 'Het is in het voorseizoen en we hebben nog niet veel gasten. Over zes weken is het hier stervensdruk. Vooral in de weekenden hebben we een hoop skiers.'

'Dat is fijn,' antwoordde Zach terwijl hij de sleutel aannam en zich om begon te draaien. Het laatste waar hij op zat te wachten was een voortzetting van het gesprek waarbij de aandacht van de man zich op hem zou richten.

De receptionist kneep zijn ogen tot spleetjes. 'U bent hier al eerder geweest, hè? U hebt een bekend gezicht. Aha, ik weet het,' zei hij grinnikend, 'u lijkt een beetje op die vent die zijn vrouwen vermoord heeft. Vorige week deden ze een reportage over hem op *Fugitive Hunt*. Ik zat er net nog mijn zwager mee te dollen. Hij lijkt zelfs nog meer op hem dan u.'

De receptionist begon hartelijk te lachen.

Zach probeerde met hem mee te lachen. 'Ik heb maar één vrouw gehad en die is er nog steeds. En als de cheque voor haar alimentatie een dag te laat is krijg ik een telefoontje van haar advocaat.'

'U ook?' zei de receptionist met luide stem. 'Ik moet ook alimentatie betalen. Dat is echt vervelend. Die man op *Fugitive Hunt* vermoordde zijn laatste vrouw omdat ze zijn huis kreeg bij de scheiding. Dat gaat natuurlijk te ver, maar ik heb toch op de een of andere manier met hem te doen.'

'Ja, ik ook,' zei Zach, die popelde om zich uit de voeten te maken. 'Dank u.'

'Het is maar dat u het weet,' riep de receptionist hem na, 'rond het middaguur wordt in de bar de lunch geserveerd. Het eten is er behoorlijk goed.'

Zachs bungalowtje lag het dichtst bij het hoofdgebouw.

Het bestond uit een grote kamer met twee tweepersoons-bedden, een ladekast, een bank, een fauteuil, een nacht-kastje. Aan de muur was een flatscreen-tv bevestigd boven de schoorsteenmantel van een open haard. Er was een klein badkamertje met een koffiezetapparaatje naast de wasbak.

Zach wist dat het niet veilig was om hier lang te blijven. Hij vroeg zich af of iemand de verdwijning van Madeline Kirk al had opgemerkt. En hoe zat het met Henry Link?

Hij had mijn verhaal geloofd dat ik alle formulieren naar het bureau voor motorrijtuigen zou sturen, waarna hij alles over een paar dagen over de post zou terugkrijgen. Maar stel dat hij zaterdagavond ook naar dat programma gekeken heeft? Stel dat hij vindt dat ik op Charley Muir lijkt?

Zach sloot zijn ogen. Zo gauw ze het lichaam van Kirk gevonden hebben komt er weer een hele nieuwe publici-teitsronde en speel ik weer de hoofdrol in *Fugitive Hunt*, waarschuwde hij zichzelf.

Hij voelde zich ineens erg moe. Hij besloot even te gaan liggen en een dutje te doen. Hij was stomverbaasd dat het bijna zes uur was toen hij wakker werd. In plotselinge pa-niek griste hij de afstandsbediening van het nachtkastje naast het bed en zette de tv aan zodat hij naar het nieuws kon kijken.

Hij vroeg zich af of er op een nieuwszender in Pennsyl-vania iets over hem of Kirk te zien zou zijn. Het is moge-lijk, dacht hij. Camelback is maar een paar uur rijden van Bergen County.

Het nieuws begon. De nieuwslezer opende met: 'We hebben een naargeestig verhaal over de moord op een ou-dere vrouw in Glen Rock, New Jersey. De politie gelooft dat de moordenaar een buurman was die vlak tegenover haar woonde. Ze verdenken deze man er ook van dezelfde persoon te zijn die vermoedelijk al minstens zeven moor-den gepleegd heeft en aan wie vorige week nog een hele reportage is gewijd in het programma *Fugitive Hunt*.'

De nieuwslezer ging verder: 'Na een aanwijzing van een collega was er binnen de kortste keren een enorme overmacht aan politie op weg naar zijn huis om er daar achter te komen dat hij kennelijk net gevlucht was. Een grondig buurtonderzoek leidde tot de ontdekking dat er ingebroken was in het huis van de tweeëntachtig jaar oude weduwe Madeline Kirk. De politie trapte de deur van haar huis in omdat ze vreesden voor haar veiligheid. Even later vonden ze haar lichaam in de kofferbak van een auto gepropt die in de garage stond.'

Ik wist het, dacht Zach. Iemand op het werk heeft het programma gezien en me herkend. Kirk had hem herkend. Die idioot van de receptie merkte op dat ik op de vent leek van de compositiefoto. En wat als hij vanavond naar het nieuws kijkt? Er zal nog wel heel wat meer over mij te zien zijn en nog heel wat meer in de krant morgen…

Zach kreeg een droge mond toen de nieuwslezer aangaf dat hij na de reclame dezelfde foto's en ouder gemaakte compositiefoto's zou laten zien die al in *Fugitive Hunt* getoond waren.

Ik kan hier niet blijven, dacht hij. Als die sukkel bij de balie dit ziet, dan denkt hij echt niet langer aan zijn zwager. Voor ik maak dat ik hier wegkom, moet ik uit zien te vinden of het nog steeds veilig is om in het busje te rijden. En ik moet weten of Henry Link één en één bij elkaar opgeteld heeft en de politie gebeld heeft.

Zach belde Inlichtingen via een prepaid mobieltje uit zijn voorraad, en vroeg naar het nummer van Henry Link. Nadat hij de auto gekocht had, had hij de advertentie waar het nummer in stond weggegooid. Gelukkig had hij geen geheim nummer. Terwijl hij nerveus op zijn lip beet, wachtte hij tot de verbinding tot stand kwam.

Toen hij bij Henry Link was had hij het pseudoniem Doug Brown gebruikt. Hij was bovendien zo voorzichtig geweest om die hele zaterdag dat hij op zoek was naar een auto een zonnebril en een baseballpetje te dragen.

De verbinding kwam tot stand. 'Hallo.' Hij herkende Henry's krassende stemgeluid.

'Hallo, Henry. Je spreekt met Doug Brown. Ik wou even zeggen dat ik vanochtend de formulieren naar het RDW gebracht heb. Binnen een paar dagen moet je alles toegestuurd krijgen. De bus rijdt fantastisch.'

Henry Links stem klonk niet bepaald vriendelijk. 'Mijn schoonzoon heeft me op mijn kop gegeven dat ik jou al het papierwerk heb laten doen. Hij zei dat als jij een ongeluk kreeg voordat, hoe noem je dat, het eigendomsrecht is overgedragen, ik een proces aan mijn broek zou kunnen krijgen. En hoe zit het met de nummerplaten? Hij zegt dat ik degene ben die ze moet inleveren. En hij vroeg zich af waarom je mij contant wou betalen.'

Zachs zenuwen speelden op. Hij had het gevoel alsof het net zich om hem sloot.

'Henry, ik had geen enkel probleem bij het motorrijtuigenbureau vanochtend. Ik heb de nummerplaten ingeleverd en ze gaven me een nieuw kenteken. Zeg maar tegen je schoonzoon dat ik gewoon aardig wilde zijn. Ik moest er toch naartoe om de auto op mijn naam over te laten schrijven en ik vond het fijn om jou een plezier te kunnen doen. Ik vond het erg naar dat je vrouw in een verpleeghuis zat.'

Zach bevochtigde zijn lippen met zijn tong. 'Henry, ik heb met opzet contant geld meegenomen zodat zich geen problemen zouden voordoen. Weet je hoeveel mensen geen cheque aan willen nemen? Zeg tegen die schoonzoon van je dat als hij zich zo'n zorgen maakte hij erbij had moeten zijn toen je de bus verkocht.'

'Doug, het spijt me,' zei Henri, die nu duidelijk van slag was. 'Ik weet dat je een aardige vent bent. Het probleem is dat sinds Edith in het verpleeghuis zit mijn dochter en haar man denken dat ik niet voor mezelf kan zorgen. Wij hebben een goede deal gesloten en jij hebt de moeite willen doen om het papierwerk voor je rekening te nemen en nu bel je zelfs nog om te kijken hoe het met me is. De meeste mensen zijn tegenwoordig niet zo attent. Ik zal mijn schoonzoon eens even vertellen waar het op staat.'

'Ik ben blij dat ik je kon helpen, Henry. Ik bel je over een dag of twee, drie om er zeker van te zijn dat je de gegevens over de post toegestuurd hebt gekregen.'

Ik kan waarschijnlijk nog wel een paar dagen met het busje rijden, dacht Zach, terwijl hij zijn mobieltje dichtklapte. Als de papieren niet binnenkomen, gaat de schoonzoon meteen naar het kantoor van het RDW. En direct daarna naar de politie. Misschien dat mijn geluk begint op te raken. Maar voor ik gepakt word, als ik gepakt word, ga ik terug om met Emily af te rekenen.

66

Belle Garcia zag er enorm tegenop om Sal als hij thuiskwam te confronteren met wat ze wist. De paar keren in hun vijfendertigjarige huwelijk dat ze serieus ruzie met elkaar gemaakt hadden, was omdat zij te koppig was geweest over iets. Maar ze wist dat dat nu niet zo was.

De gedachte dat ze Sal in moeilijkheden zou brengen vervulde haar van afschuw.

Het was vijf uur toen ze zijn sleutel hoorde omdraaien in het slot van de voordeur. Hij zag er uitgeput uit toen hij binnenkwam. Hij werkt te hard, dacht Belle.

'Hallo schatje,' zei hij, gaf haar een kus op de wang en stevende toen op de ijskast af om een biertje te pakken.

Hij kwam de woonkamer in, trok het blikje open, ging in zijn favoriete stoel zitten en merkte op dat hij ontzettend moe was. 'Na het eten kijk ik alleen nog een beetje tv en kruip dan mijn bed in.'

'Sal,' zei Belle zachtmoedig. 'Ik weet dat je een lange dag gehad hebt. Maar ik moet je zeggen wat ik vanochtend gedaan heb. Ik heb me er zo'n zorgen over gemaakt of Jimmy Easton wel of niet voor jou gewerkt heeft, dat ik besloot de dozen die je beneden in de berging bewaart te doorzoeken.'

'Oké, Belle,' zei hij op verontwaardigde toon. 'En wat heb je gevonden?'

'Ik denk dat je heel goed weet wat ik gevonden heb, Sal. Ik vond een adresboekje met Eastons naam erin plus een afleveringsbon voor een lamp die vlak voor Natalie Raines doodging bij het appartement van Aldrich bezorgd was.'

Belle vond het verontrustend dat Sal wel naar haar luisterde maar haar niet aankeek.

'Sal, hier zijn ze. Kijk maar. Je weet dat Jimmy Easton voor je gewerkt heeft en bestellingen voor je bezorgd heeft. Zeg de waarheid.' Ze wees met haar vinger op de bon en tikte er toen op. 'Weet jij of hij deze bestelling bezorgd heeft?' wilde ze weten.

Sal begroef zijn gezicht in zijn handen. 'Ja, Belle,' zei hij en zijn stem brak. 'Hij was bij mij. We waren in het appartement. En hij kan best de kans gehad hebben om in die la te snuffelen.'

Belle keek naar de gekloofde en verweerde handen van haar echtgenoot. 'Sal,' zei ze zachtjes, 'ik weet waarom je het zo moeilijk hebt gehad. Ik weet waarom je bang bent. Maar je weet ook dat we hiermee naar buiten moeten treden. We zullen nooit meer een dag rust in ons leven hebben als we dat niet doen.'

Ze kwam overeind uit haar stoel, liep de kamer door, sloeg haar armen om Sal heen, knuffelde hem en ging toen naar de telefoon. Ze had het nummer van *Courtside* opgeschreven. Toen ze doorverbonden was, zei ze: 'Mijn naam is Belle Garcia. Mijn man heet Sal Garcia. Hij heeft een verhuisbedrijf. Ik kan u het bewijs leveren dat op 3 maart, tweeënhalf jaar geleden, de dag waarop Jimmy Easton beweerde dat hij een ontmoeting had met Gregg Aldrich in zijn appartement, hij daar in werkelijkheid een antieke lamp bezorgd heeft met mijn man.'

De medewerker vroeg haar om aan de lijn te blijven, en voegde eraan toe: 'Mrs. Garcia, mag ik alstublieft uw telefoonnummer voor het geval de verbinding verbroken wordt?'

'Natuurlijk,' antwoordde Belle en ratelde het snel op.

Minder dan een minuut later klonk er een vertrouwde stem aan de lijn. 'Mrs. Garcia, hier Michael Gordon. Er is mij zojuist verteld dat u misschien cruciale informatie hebt met betrekking tot de zaak-Aldrich.'

'Ja, dat klopt.' Belle herhaalde wat ze zojuist de programmamedewerker had verteld, en voegde er toen aan toe: 'Mijn man heeft Jimmy Easton zwart uitbetaald. Daarom was hij zo bang om iets te zeggen.'

Mike voelde een golf van hoop in zich opwellen. Hij moest even op adem komen voor hij iets uit kon brengen. 'Mrs. Garcia, waar woont u?'

'In Twelfth Street, tussen Second en Third.'

'Zouden u en uw man nu in een taxi kunnen stappen en naar mijn kantoor komen?'

Belle keek Sal smekend aan en herhaalde Marks verzoek. Hij knikte dat ze rustig ja kon zeggen.

'We komen zo gauw we kunnen,' zei ze tegen Mike. 'Ik weet dat mijn man eerst zal willen douchen en andere kleren aantrekken. Hij is de hele dag bezig geweest mensen te verhuizen van Long Island naar Connecticut.'

'Natuurlijk. Het is nu halfzes. Denkt u dat u hier tegen zevenen kunt zijn?'

'O zeker. Sal kan zich in tien minuten douchen en aankleden.'

En ik moet me ook omkleden, dacht Belle. Wat zal ik aantrekken? Ik bel mamma even om te vragen wat zij ervan vindt. Nu ze uiteindelijk echt gebeld had, overtrof haar opluchting de angst om Sals mogelijke belastingprobleem vele malen. 'Mrs. Garcia, bewaart u die afleveringsbon goed. U weet dat als dit wat oplevert u recht heeft op de beloning van vijfentwintigduizend dollar?'

'O, lieve hemel,' kreunde Belle, 'ik wist helemaal niets van een beloning af.'

67

Op maandagavond om zes uur, liep Emily met Bess in haar armen naar haar auto. De onmiddellijke omgeving was afgezet met gele tape om de drie plaatsen delict af te schermen zodat alles precies zou blijven zoals het was – het huis van Madeline Kirk, haar eigen huis en het huurhuis van Zach. Langs de kant van de weg stond een grote bus geparkeerd waarop FORENSISCHE GENEESKUNDE stond. Overal in de straat bevonden zich patrouilleauto's.

Volkomen getraumatiseerd door de dood van haar buurvrouw en de wetenschap dat Zach Lanning haar niet alleen had bespioneerd maar ook haar huis in en uit geslopen was, had ze tegen Jake Rosen gezegd dat ze weg moest. Jake liep met haar mee naar haar auto en sprak de geruststellende woorden: 'Ik zal overal voor zorgen.' Ze begreep heel goed dat haar huis volledig doorzocht moest worden op vingerafdrukken, op nog meer elektronische apparatuur, en ander bewijsmateriaal dat Zach Lanning achtergelaten zou kunnen hebben.

'Probeer wat te kalmeren,' zei Jake Rosen zachtjes tegen haar. 'Het is verstandig van je dat je even een paar uur weggaat. Als je terugkomt, zal ik je alles vertellen wat we gevonden hebben. Ik beloof je dat ik niets achter zal houden.' Hij glimlachte. 'En ik beloof je dat we je huis niet als een varkensstal achter zullen laten.'

'Bedankt, Jake. Ik wil inderdaad direct geïnformeerd worden of hij camera's of nog andere afluisterapparaatjes ergens in mijn huis geïnstalleerd had. Houd die informatie niet voor me weg.' Ze probeerde zijn glimlach te beantwoorden maar slaagde daar niet in. 'Tot later.'

Ze reed rechtstreeks naar de rechtbank. Ze stapte in de lift met twee opgevouwen plunjezakken over haar arm en een opgewonden op en neer springende Bess naast haar aan de riem. In het hele kantoor waren nog maar een paar mensen aanwezig.

Toen ze de hal naar haar eigen kamer door liep, werd Bess geaaid door een aantal jonge opsporingsambtenaren die het nieuws van de ontdekkingen gehoord hadden en lucht gaven aan hun woede over wat Lanning haar en de oude vrouw aangedaan had. Daarna vroegen ze meelevend of er iets was wat ze voor haar konden betekenen.

Emily bedankte hen. 'Nee hoor. Ik ben van plan de komende paar dagen thuis te blijven. Ik wil dat al mijn sloten veranderd worden en niemand hoeft me ervan te overtuigen dat mijn beveiligingssysteem verbeterd moet worden. Ik ben alleen maar een paar minuten hier. Ik ben achteropgeraakt met een flink aantal dossiers toen ik bezig was met het Aldrich-proces en daar moet ik nu echt even naar kijken. Terwijl ze bezig zijn met mijn huis, kan ik daar enige vooruitgang mee boeken.'

'Kunnen we je dan in ieder geval helpen met ze naar de auto te dragen?'

'Dat zou fantastisch zijn. Ik laat het jullie weten wanneer ik zover ben.'

Emily ging naar haar kantoor en sloot de deur. Er waren inderdaad een hoop dossiers waar ze naar moest kijken maar die zouden even moeten wachten. Ze had het besluit genomen om het hele dossier-Aldrich mee naar huis te nemen. Vandaar de plunjezakken. Ze wilde niet dat iemand in staat was om te zien wat erin zat. Ze was van plan om deze zaak nog een keer helemaal door te nemen en elk woord van de honderden bladzijden grondig te bestuderen om te kijken of ze iets in al die documenten over het hoofd had gezien.

Het kostte haar ongeveer dertig minuten om de mappen bij elkaar te zoeken en in de plunjezakken te stoppen. Een van de dikkere mappen, waar ze vooral in geïnteresseerd was, bevatte rapporten van de New Yorkse politie over de bijna twintig jaar oude moord in Central Park op Jamie Evans, die toen Natalie Raines' kamergenote was.

Het was zo lang geleden gebeurd. Misschien had ze niet genoeg aandacht aan dat dossier geschonken, dacht ze, terwijl ze toekeek hoe haar collega's de plunjezakken de auto in tilden.

Op weg naar huis vroeg Emily zich af of ze vannacht of wanneer dan ook wel een oog dicht zou doen in haar eigen huis. De inbreuk op mijn persoonlijke levenssfeer en gevoel van vernedering is al erg genoeg, dacht ze met een brok in haar keel. Maar het feit dat die psychopaat, Zach Lanning, nog steeds vrij rondloopt is angstaanjagend.

Maar ergens wilde ze ook dolgraag thuis zijn.

Toen ze haar inrit inreed, kwam Jake haar huis uit lopen. 'Emily, we zijn bijna helemaal klaar. Ik zal je eerst het goede nieuws vertellen. Er waren geen camera's of afluisterapparatuur behalve die je al wist, in de keuken. Het slechte nieuws is dat Lannings vingerafdrukken door het hele huis te vinden zijn en ze zijn identiek aan die van Charley Muir. We hebben zelfs zijn vingerafdrukken in de werkruimte in de kelder gevonden.'

'Goddank dat er geen camera's waren,' zei Emily en voelde zich enorm opgelucht wat dat betreft. 'Ik weet niet hoe ik daarmee om zou zijn gegaan. De rest is al erg genoeg. En ik vind het ongelooflijk dat hij zelfs in de kelder is geweest en aan mijn vaders gereedschap heeft gezeten. Toen ik klein was, was pappa altijd met een klusje bezig. Hij was zo trots op zijn werkplaats.'

'Emily, er is iets waar we het over moeten hebben. We weten allebei dat Lanning nog steeds vrij rondloopt en dat het een maniak is. Een maniak die bezeten is van jou. Mocht je erover denken om hier te blijven, dan zorgen we ervoor dat er een politieagent vierentwintig uur per dag buiten staat net zo lang tot hij gepakt is.'

'Jake, ik heb er de afgelopen uren veel over nagedacht en had geen idee wat ik moest doen. Maar ik denk dat ik hier blijf. Al zou ik graag een agent op wacht hebben.' Ze glimlachte flauwtjes. 'En vraag alsjeblieft aan die agent om de achterkant van het huis goed in de gaten te houden. Lanning kwam graag via de veranda naar binnen.'

'Natuurlijk, Emily. De politie van Glen Rock zal ervoor zorgen dat elke dienstdoende agent voortdurend om het huis heen loopt.'

'Bedankt, Jake. Daardoor voel ik me een stuk beter. Ik zal wel bij elke wisseling van de wacht Bess aan de nieuwe agent moeten voorstellen zodat ze niet als een dolle blijft blaffen.'

Toen hij de plunjezakken op de achterbank van de auto zag, vroeg Jake of hij die naar binnen zou brengen.

Ook al vertrouwde ze Jake, op dit moment had ze er geen enkele behoefte aan om hem te vertellen wat erin zat. 'Dat is een goed idee. Ze zijn nogal zwaar. Ik heb dossiers mee naar huis genomen om aan te kunnen werken. Ik ga de komende paar dagen niet naar kantoor. Ik wil hier zijn wanneer de sloten veranderd worden en mijn armzalige beveiligingssysteem waar Lanning zo bar weinig moeite mee had verbeterd wordt.'

68

Rechercheur Billy Tryon ging maandagavond om halfnegen terug naar de rechtbank om een deel van het fysieke bewijsmateriaal van de Kirk-moord af te geven. Hij was van het begin af aan aanwezig op de plaats delict en was tussen de drie huizen heen en weer gegaan om toezicht te houden op het vergaren van het bewijsmateriaal. Het grootste deel van zijn tijd had hij doorgebracht in het huis en de garage van Madeline Kirk.

Nadat hij met Emily in de keuken van Lanning gepraat had, had hij geen zin meer in een ontmoeting met haar gehad. Toen ze tegen zessen het huis verliet, vroeg hij Jake Rosen waar ze naartoe ging. Jake zei hem dat Emily alleen gezegd had dat ze er even uit moest.

Billy was er vrijwel zeker van dat ze naar kantoor gegaan was. Zijn neef Ted had tegen hem gezegd dat Emily na Eastons uitbarsting in de rechtbank hem had laten weten dat ze de zaak stap voor stap opnieuw ging doornemen.

Opgewonden zei Ted tegen Billy dat hij haar bijna verboden had om er nog meer tijd in te steken maar hij was bang dat ze dan een klacht op ethische gronden tegen hem in zou dienen. 'En als ze dat doet dan kan ik je verzekeren dat ik niet de volgende minister van Justitie wordt,' had hij geraasd.

Vanuit zijn waarnemingspost in het huis van Kirk, wachtte Billy om te zien wanneer Emily terugkwam. Om ongeveer halfacht was ze er weer en hij zag haar opnieuw met Jake Rosen op de inrit praten. Die twee hadden het altijd reuzegezellig met elkaar, zo leek het wel, en dat beviel hem niks. Vervolgens zag hij Jake twee zwaar uitziende plunjezakken haar huis in sleuren.

Toen Jake weer naar buiten kwam, riep Billy hem bij zich. 'Wat zat er in die plunjezakken?' wilde hij weten.

'Emily neemt een paar dagen vrij van haar werk en ze

wilde wat dossiers mee naar huis nemen om aan te werken. Wat kan jou dat schelen?'

'Haar hele opstelling bevalt me niet,' snauwde Tryon.

'Oké, ik ben weg. Ik ga de zakken met bewijsmateriaal terug naar kantoor brengen en dan naar huis.'

Tijdens de rit terug naar de rechtbank was Billy Tryon woedend. Ze probeert die uitspraak ongedaan te maken en de schuld op mij te schuiven. Dat ga ik niet laten gebeuren. Ze gaat mij niet kapotmaken. Ze gaat Ted ook niet kapotmaken.

69

Nadat hij met Belle Garcia had gesproken, wist Mike niet hoe gauw hij Richard Moore moest bellen.

'Hallo Mike.' Moore klonk opgewekt. 'Ik zag je vandaag in de rechtbank, maar ik kreeg niet de kans om met je te praten. Zodra de rechter Eastons vonnis had uitgesproken, ben ik naar de gevangenis gerend om Gregg te vertellen wat er gebeurd was. Hij had het echt nodig iets positiefs te horen en ik denk dat hij voor het eerst sinds de uitspraak weer wat hoop heeft gekregen.'

'Nou, binnenkort zal hij waarschijnlijk nog heel wat meer hoop hebben,' zei Mike nadrukkelijk. 'Dat is de reden dat ik je nu bel. Ik had zojuist een vrouw aan de telefoon die me nieuwe inlichtingen over Easton heeft gegeven. Als ze de waarheid spreekt dan spat deze hele zaak als een zeepbel uit elkaar.'

Toen hij de inhoud van zijn gesprek met Belle Garcia herhaalde was Richards reactie precies zoals hij verwacht had.

'Mike, als deze vrouw geloofwaardig is, en als ze een bon en een adresboekje heeft, dan denk ik dat ik Gregg op borgtocht vrij kan krijgen terwijl dit verder onderzocht wordt.' Richards stem klonk steeds enthousiaster. 'En als dit allemaal waar is, denk ik niet dat hij gewoon een nieuw proces krijgt. Ik geloof niet dat Emily Wallace veel zin heeft om deze zaak nog een keer op zich te nemen. Volgens mij zal ze rechter Stevens proberen over te halen de uitspraak nietig en de aanklacht als niet-ontvankelijk te verklaren.'

'Zo zie ik het ook,' was Mike het met hem eens. 'Die mensen kunnen elk moment hier zijn. We zullen heel gauw weten wat onze opties zijn. Als ze inderdaad hebben wat ze beweren te hebben, haal ik ze vanavond in *Courtside* en ik zou het fijn vinden als jij er dan ook zou zijn.'

'Mike, dat zou ik graag doen, maar ik moet je wel zeggen dat ik erg gemengde gevoelens koester tegenover deze mensen. Ik weet niet of ik wel beleefd tegen hen kan blijven. Natuurlijk vind ik het geweldig voor Gregg als dit wat wordt. Aan de andere kant ben ik razend dat die vent deze informatie voor zich heeft gehouden omdat hij misschien wat achterstallige belasting zou moeten betalen. Het is een schande en dat is dan nog het aardigste wat ik erover kan zeggen.'

'Luister, Richard, ik begrijp helemaal hoe je je voelt. Ze hadden zich veel eerder moeten melden en ik weet zeker dat jij dat vanavond gaat zeggen. Maar als je naar het programma komt en hen alleen maar bekritiseert dan heeft Gregg daar niet veel aan. En je wilt toch niet iemand anders afschrikken die ook bang is geweest om zich te melden om wat voor reden dan ook.'

'Ik snap je. Ik zal het ze niet lastig maken, Mike,' antwoordde Richard. 'Misschien ga ik ze zelfs wel zoenen. Maar ik ben toch nog steeds van mening dat het een schande is.'

'Het is zelfs een nog grotere schande als iemand anders

Jimmy Easton heeft gezegd dat hij dit verhaal moest vertellen,' herinnerde Mike hem eraan.

'Dat zou Emily Wallace nooit doen,' hield Moore vol.

'Ik zeg niet dat zij dat persoonlijk gedaan zou hebben, maar bekijk het eens zo: als dit uitkomt, zullen ze dan geen aanklacht wegens meineed tegen Easton willen indienen?'

'Dat denk ik wel.'

'Richard, geloof me, als iemand van het OM of de een of andere politieagent deze informatie verstrekt heeft om zijn getuigenverklaring meer kracht bij te zetten, dan zal hij die persoon verraden. Vervolgens zal hij zweren dat ze hem gedreigd hadden met de maximumstraf voor zijn inbraak als hij niet in de getuigenbank voor hen wilde liegen.'

'Dat zou ik graag meemaken,' zei Moore heftig.

'Ik bel je terug nadat ik met de Garcia's gesproken heb. Ik hoop echt dat we hier ons antwoord hebben.'

Om tien voor zeven kwamen Belle en Sal Garcia aan bij Michaels kantoor. Het volgende halfuur luisterde hij in gezelschap van een mederedacteur die er als getuige bij zat, naar hun verhaal.

'Het was een zware staande lamp van marmer,' legde Sal zenuwachtig uit. 'Op Eighty-sixth Street zat een man met een klein reparatieatelier voor antiek die me wel vaker inschakelde om dingen voor hem te bezorgen. Die dag werkte Jimmy Easton voor me. We droegen de lamp samen naar boven.

De huishoudster zei tegen ons dat we hem in de woonkamer moesten zetten. Toen ging de telefoon. Ze vroeg ons om even te wachten en ging de keuken in om hem aan te nemen. Ik zei tegen Jimmy dat hij op haar moest wachten zodat ze de afleveringsbon kon tekenen. Ik herinner me dat ik geen zin had in een boete omdat ik dubbel geparkeerd stond. Dus liet ik hem alleen achter in de woonkamer. Ik weet niet hoe lang hij daar in zijn eentje geweest is. En toen werd ik vorige week gebeld door mijn vriend, Rudy Sling.'

Rudy Sling, dacht Mike. Zijn vrouw Reeney is degene die belde om te zeggen dat zij ons kon vertellen waar Jimmy werkte.

'Rudy herinnerde me eraan dat toen ik hem naar Yonkers verhuisd had, Easton deel uitmaakte van de ploeg, en dat zijn vrouw, Reeney, hem betrapt had toen hij in de ladekasten aan het snuffelen was. Dus ik vermoed dat terwijl ik op weg was naar de vrachtwagen en de huishoudster in de keuken aan de telefoon was Jimmy dat knarsende laatje misschien opengetrokken heeft op zoek naar iets om te stelen.' Sal slikte zenuwachtig en reikte naar het glas water dat Liz voor hem neergezet had.

Reeney Sling en haar man komen morgenochtend, dacht Mike. Ze kunnen dit verhaal ondersteunen. Alle stukjes passen in elkaar. Terwijl deze uiterst welkome informatie langzaam tot hem doordrong, moest Mike raar genoeg er ineens aan denken dat Gregg en hij nu weer samen konden handballen in de Athletic Club.

Sal dronk het hele glas water achter elkaar leeg en zuchtte. 'En dat is alles volgens mij, Mike. Nu weet jij evenveel als ik over die bezorging, behalve dat ik daarnaast nog wat afleveringsbonnen voor andere klussen heb opgesnord die ik voor dat reparatieatelier heb gedaan om je te laten zien dat deze niet nep is.'

Mike bekeek zorgvuldig de afleveringsbon met de handtekening van de huishoudster erop en het kleine adresboekje met de naam van Jimmy Easton erin gekrabbeld. Toen wierp hij een blik op het tiental andere bonnen dat Sal meegenomen had.

Het is er allemaal, dacht hij. Het is allemaal hier. Nauwelijks in staat om zijn professionele reserve te bewaren, zei hij tegen hen dat hij wilde dat ze vanavond aan *Courtside* mee zouden doen.

'Dat is prima,' stemde Belle in. 'Sal, het is maar goed dat ik je gezegd heb dat je je goede pak en das aan moest trek-

273

ken, en dat mamma zei dat ik dit aan moest doen!'

Sal schudde verwoed zijn hoofd. 'Nee. Geen denken aan. Belle, je hebt me overgehaald hiernaartoe te komen. Dat heb ik gedaan maar ik wil niet aan dat programma meedoen waar iedereen me gaat zitten haten. Vergeet het, ik ga niet!'

'Jawel. Dat ga je wel, Sal,' zei Belle beslist. 'Je bent niet anders dan een hoop andere mensen die bang zijn om in de problemen te komen wanneer ze de waarheid vertellen. In feite ben je juist een goed voorbeeld voor hen. Je hebt een grote fout gemaakt en die zet je weer recht. Ik heb ook een grote fout gemaakt. Ik ben er al meer dan een week zeker van dat Jimmy Easton voor jou gewerkt heeft en ik had al veel eerder die dozen moeten doorzoeken. Als jij en ik hadden gedaan wat we hadden moeten doen zou dat proces afgelopen zijn voor Gregg Aldrich naar die schuldigverklaring had moeten luisteren. De meeste mensen zullen heus wel proberen ons te begrijpen. En ik ga in ieder geval, of jij nu meegaat of niet.'

'Mr. Garcia,' zei Mike, 'ik hoop dat u het toch wil heroverwegen. U was samen met Easton aanwezig in de woonkamer van Gregg Aldrich op precies dezelfde dag dat hij onder ede verklaard heeft een afspraak te hebben gehad met Mr. Aldrich om de moord op zijn vrouw te bespreken. Het is van vitaal belang dat mensen dat rechtstreeks van u horen.'

Sal keek naar Belles bezorgde maar vastbesloten gelaatsuitdrukking en zag de tranen die ze probeerde weg te knipperen. Ze was doodsbang. Ze zaten naast elkaar op de bank in Mikes kantoor. Hij legde zijn arm om haar heen. 'Als jij het aandurft, dan durf ik het ook,' zei hij teder. 'Ik laat je daar niet alleen naartoe gaan.'

'Dat is geweldig,' riep Mike uit en sprong overeind om hem de hand te schudden. 'U hebt vast nog niet gegeten. Ik zal zorgen dat mijn secretaresse u naar onze vergaderkamer brengt waar zij wat eten voor u zal laten komen.'

Nadat ze zijn kantoor uit gegaan waren, belde hij Richard Moore. 'Kom zo snel als je kunt hiernaartoe,' zei hij enthousiast. 'Richard, die mensen vertellen de waarheid. De afleveringsbon is getekend door Greggs huishoudster, die overleden is. Ik kan je wel zeggen dat ik elk moment in tranen uit kan barsten.'

'Ik ook, Mike, ik ook.' Richard Moores stem haperde even. 'Weet je wat? Ik ben zojuist weer in wonderen gaan geloven. Ik ga over een paar minuten weg. Over iets meer dan een uur ben ik wel in de stad. Ik zal er ruim voor negenen zijn.' Toen brak zijn stem echt. 'Maar eerst stuur ik Cole naar de gevangenis om Gregg te vertellen wat er aan de hand is. En dan zal ik Alice en Katie bellen.'

'Ik wou dat ik bij hen was wanneer ze dit te horen krijgen,' zei Mike, terugdenkend aan dat verschrikkelijke moment in de rechtbank toen het woord 'schuldig' twaalf keer achter elkaar herhaald was.

'Ik ga nog een ander belangrijk telefoontje plegen,' zei Richard nu met een besliste toon in zijn stem. 'Emily Wallace. En weet je wat, Mike? Ik denk niet dat ze erg verrast zal zijn.'

70

Zach zette de tv uit nadat het deel over hem was afgelopen. Het beangstigde hem opnieuw de compositiefoto te zien die zo sterk leek op hoe hij er nu uitzag. Hij wist dat het te gevaarlijk was om hier nog een minuut langer te blijven. Hij had gezien dat de receptionist een kleine tv in zijn kantoor had en het was duidelijk dat hij niet al te veel omhanden had gehad. Als hij er om zes uur nog steeds was, had hij met gemak naar dat kanaal kunnen kijken. Of misschien was hij wel thuis en zat hij voor zijn eigen televisie. Hoe dan ook, het opnieuw zien van de compositiefoto zou zelfs zijn trage brein weer aan het denken kunnen zetten.

Het busje stond op de bijbehorende parkeerplaats naast het hoofdgebouw. Gelukkig had de receptionist hem niet naar de nummerplaat gevraagd toen hij ingecheckt had. Als de politie hier ooit naar hem kwam zoeken, zou iemand misschien in staat zijn de kleur en het model van de auto te beschrijven maar hij betwijfelde of iemand zich het nummer op de nummerplaat zou herinneren.

Nadat hij als een razende zijn opties tegen elkaar had afgewogen, besloot Zach de jaloezieën omlaag te trekken, een paar lichten aan te doen en in ieder geval tot morgen weg te gaan. Het zou de indruk wekken dat hij er nog steeds was.

Hij baalde van de wetenschap dat als de receptionist hem niet opgemerkt had deze motelkamer een week of twee lang behoorlijk veilig had kunnen zijn. Het was beter om nu naar North Carolina te rijden, daar een verblijfplaats te zoeken, en vervolgens over een paar maanden als de gemoederen tot bedaren waren gekomen terug naar Glen Rock te rijden om met Emily af te rekenen.

Maar toen was er weer iets wat hem zei dat er een einde was gekomen aan zijn geluk. Waar hij ook heen ging, hij wist dat er elk moment een politieauto achter hem aan kon zitten, met gillende sirenes en zwaailichten die hem naar de kant van de weg zouden dwingen.

Hij dacht terug aan Charlotte die van hem wilde scheiden en een rechter zover kreeg te besluiten dat zij zijn huis kreeg. Hij dacht aan Lou en Wilma en hoe goed hij voor hen allebei was geweest en dat ze hem toch in de steek hadden gelaten.

Emily moest nu zo langzamerhand wel weten dat hij haar had zitten bespioneren en in haar huis had rondgesnuffeld. Hij hoopte dat ze de reden begreep dat hij de intercom in zijn keuken achtergelaten had: het was zijn boodschap aan haar dat hij terug zou komen.

Hij kon zich wel voorstellen wat daar nu aan de hand was. Er staat vast iemand bij Emily buiten op wacht voor het geval ik terugkom voor haar. Maar wie zegt dat ik haar niet ergens anders tegen kan komen? En wie zegt dat ik niet stiekem terug de buurt in kan sluipen?

Zach had nog niets uitgepakt uit het busje. Nadat hij besloten had dat hij door het noordelijke deel van New Jersey naar de New York Thruway zou rijden en in een van die slaperige gehuchten op weg naar Albany een motel zou zoeken, stapte hij weer in en kwam er een gedachte bij hem op die hem beviel.

Hij had vorige week Emily's wufte nachtjaponnetje meegenomen. Het was duidelijk dat ze het ding nooit gedragen had. Dat zou ze wel moeten doen, dacht Zach.

Misschien zou het aardig zijn hem om haar heen te draperen als ze dood was.

71

Emily liet de jaloezieën in haar keuken zakken en zette een pan water op om pasta te koken. Krachtvoer, zei ze tegen zichzelf. Dat is wat ik nodig heb. God zegene Gladys omdat ze ervoor zorgt dat ik niet van de honger omkom. De werkster nam af en toe bakjes met haar zelfgemaakte pastasaus of kippensoep mee en zette die in de vriezer van haar ijskast. Op dit moment was de pastasaus aan het ontdooien in de magnetron.

Terwijl de pasta stond te koken, maakte Emily een salade en zette die op een dienblad om mee te nemen naar de woonkamer. Dit was niet de juiste avond om met de Aldrich-dossiers te beginnen, besloot ze. Haar zenuwen waren nog te geschokt. Gistermiddag liep ik langs het huis van Madeline Kirk en dacht ik nog dat ik niet als een kluizenaar wilde eindigen zoals zij. Terwijl ik dat dacht, lag zij in plastic zakken gewikkeld in de kofferbak van haar auto.

De aangename herfstdag had plaatsgemaakt voor een bitter koude nacht. Ze had haar pyjama aangetrokken en een badjas en de verwarming omhooggedraaid, maar zelfs toen kreeg ze het nog niet warm. Wat zei oma ook alweer altijd? vroeg Emily zich af. Ik weet het: 'Ik ben koud tot op het bot.' Ik denk dat ik na al deze jaren eindelijk weet wat ze bedoelt.

Bess lag nu te slapen op een kussen op de keukenvloer. Terwijl ze een warm ciabattabrood uit de oven haalde en zichzelf een glas wijn inschonk, keek Emily af en toe ter geruststelling naar de hond. Als die kerel, Zach, terug probeert te komen, zal Bess me wel waarschuwen, dacht ze. Ze zal als een razende blaffen. Maar natuurlijk staat er buiten ook een politieagent op wacht. Mijn eigen privélijfwacht, dacht ze. Net wat ik nodig heb.

Toen vroeg ze zich af of Bess misschien juist wel blíj zou zijn om Zach te zien. Ze zou misschien wel denken dat hij kwam om haar mee uit te nemen. Hij heeft zelfs op haar gepast toen ik bij pappa en daarna bij Jack op bezoek was. Mijn behulpzame buurman. Emily rilde toen ze zich herinnerde dat ze thuisgekomen was en in de schemering Zach op de veranda aangetroffen had met Bess op zijn schoot. Ik heb geluk gehad dat hij me niet diezelfde avond vermoord heeft, dacht ze.

De keuken vulde zich met het troostende aroma van de marinarasaus en de spaghetti was klaar. Emily gooide hem in een vergiet, hevelde een gedeelte ervan over in een schaal, haalde de saus uit de magnetron en schepte hem over de pasta.

Ze liep met het dienblad de woonkamer in, zette hem op de brede klaptafel voor haar favoriete stoel en ging zitten. Bess, die haar hoorde bewegen, werd wakker, trippelde de woonkamer binnen en installeerde zich naast haar. Het was kwart voor acht. Even kijken of er op tv iets is wat de moeite waard is tot *Courtside* begint, dacht Emily. Er is vast een paneldiscussie over Jimmy Eastons uitbarsting. Daarna weet ik zeker dat er in het nieuws heel wat aandacht aan Zach Lanning besteed zal worden.

Jimmy Easton en Zach Lanning. Optimaal kijkplezier voor mij, die twee, dacht ze terwijl ze de spaghetti om haar vork begon te winden. Michael Gordon was vandaag in de rechtszaal geweest. Ik weet zeker dat hij een stukje van Eastons toespraak zal laten zien. 'Ik deed wat er van me verwacht werd.' Hoeveel van Eastons getuigenverklaring was hem ingefluisterd?

Vanwaar ze zat kon ze tegen de muur van de eetkamer de plunjezakken op een hoop zien liggen met daarin de Aldrich-dossiers. Ik begin er morgenochtend vroeg mee, besloot ze.

De telefoon ging. Even kwam Emily in de verleiding om het antwoordapparaat te laten opnemen, maar toen besefte ze dat het haar vader zou kunnen zijn. Hij heeft vast en zeker over Madeline Kirk gehoord en maakt zich zorgen om mij.

Maar het was Richard Moore die belde, niet haar vader. 'Emily, ik had al gehoord over die seriemoordenaar die onder andere je buurvrouw vermoord heeft, maar Cole zei zojuist tegen me dat hij ook jou aan het stalken was geweest. Wat erg voor je. Je zult wel erg geschokt zijn.'

'Dat zeg je goed, Richard, ja, dat ben ik. Er staat hier fulltime een agent op wacht bij het huis.'

'Dat mag ik hopen. Emily, je doet er vanavond goed aan om naar *Courtside* te kijken.'

'Dat was ik al van plan. Het gaat vast helemaal over mijn getuige, Jimmy Easton.'

'Inderdaad, Emily, maar er is nog veel meer dan wat er

in de rechtszaal is voorgevallen. Mike heeft iemand in het programma uitgenodigd die met het bewijs komt dat Jimmy iets bij Greggs appartement heeft bezorgd op de dag dat hij eerder gezworen heeft het voorschot gekregen te hebben.'

Even kon Emily geen woord uitbrengen. Toen zei ze zachtjes: 'Als dat zo is wil ik die mensen morgenochtend spreken op kantoor. Ik wil dat bewijsmateriaal zien en als het rechtmatig is dan komt Gregg Aldrich op borgtocht vrij en gaan we vandaar weer verder.'

'Ik verwachtte al dat je dat zou zeggen, Emily.'

Iets meer dan een uur later, terwijl ze haar eten nauwelijks aangeraakt had keek Emily met haar arm om Bess naar *Courtside*. Toen het afgelopen was, ging ze naar de eetkamer, deed het licht aan en haalde de eerste stapel dossiers uit de plunjezak.

Die nacht ging ze niet naar bed.

72

De geïnterneerden van de staatsgevangenis stonden om zeven uur op dinsdagochtend in de rij voor het ontbijt. Jimmy Easton had niet goed geslapen. Hij was al lastiggevallen door een van de andere gevangenen die hem een verklikker genoemd had. 'Jij lapt je moeder er nog bij, Jimmy,' had een van hen naar hem geroepen.

'Dat heeft hij al gedaan,' schreeuwde een andere terug.

Ik ga vanochtend Moore bellen zodra ze me in de buurt van een telefoon laten, dacht Jimmy. Als ik tegenover hem uit de school klap, weet ik dat ze me aan zullen proberen te klagen wegens meineed. Ze willen me het liefst wegstoppen, maar ze hebben mijn getuigenverklaring nog steeds nodig. Moore zal tegen ze zeggen dat ze een goede regeling met me moeten treffen. En als ik het OM voor gek laat staan, zullen die kerels hier moeten lachen en me verder met rust laten.

Hij had geen honger maar nam toch een ontbijt. Havermout, geroosterd brood, sap en koffie. Hij praatte met geen van de mannen die aan weerszijden van hem aan tafel zaten. Of zij praatten niet met hem. Ook goed.

Terug in zijn cel begon hij zich beroerd te voelen. Hij ging op zijn stapelbed liggen maar het brandende gevoel in zijn maag wou niet overgaan. Hij sloot zijn ogen en trok zijn knieën op toen het brandende gevoel in hete kolen veranderde die zijn binnenste aan flarden reten. 'Cipier,' riep hij zwakjes. 'Cipier.'

Jimmy Easton besefte dat hij vergiftigd was. Zijn laatste gedachte was dat zijn gevangenisstraf inderdaad bekort was.

73

Op dinsdagochtend vond om negen uur een bespreking plaats in het kantoor van de officier van justitie Ted Wesley. Richard en Cole Moore hadden Sal en Belle Garcia meegenomen om hun verhaal nog eens te vertellen. Richard had de afleveringsbon en het adresboekje aan Wesley en Emily laten zien.

'Binnenkort hebben we ook de onder ede afgelegde verklaringen van een echtpaar in Yonkers, Rudy en Reeney Sling,' zei Richard Moore. 'Toen Jimmy Easton hen bijna drie jaar geleden had helpen verhuizen naar hun huidige woning in Yonkers, betrapte Mrs. Sling hem erop dat hij in een ladekast aan het snuffelen was, duidelijk op zoek naar iets om te stelen.'

De mensen in het panel van *Courtside* gisteravond waren

heel aardig, dacht Belle, maar het was wel een schok geweest te ontdekken dat Reeney had geprobeerd een slaatje te slaan uit het feit dat ze wisten dat Jimmy Easton voor Sal gewerkt had. Dat zijn dan je vrienden! snoof ze. Als ik er nog aan denk dat Sal hen destijds gratis verhuisd heeft toen ze hun appartement uit moesten en hem niet konden betalen! En Mike zei tegen me dat Reeney ook wat van de beloning krijgt omdat het belangrijk is dat Jimmy Easton van hen heeft proberen te stelen. Hij zegt dat het een patroon laat zien.

Emily Wallace was in het echt zelfs nog knapper dan op tv, besloot Belle. Als je denkt aan alle problemen die ze gehad heeft, arme ziel. Het feit dat ze oorlogsweduwe is. De harttransplantatie. Naast een seriemoordenaar wonen die haar bespioneerde. Ze moet wel erg sterk zijn. Ik hoop dat het lot haar gauw beter gezind is. Het is niet haar schuld dat ze zo hard gewerkt heeft om Gregg veroordeeld te krijgen. Dat was haar baan. En ze was tegen ons heel aardig. Een ander zou woest geweest zijn dat al het werk dat ze voor het proces gedaan had voor niets was.

Maar iémand hier is wel degelijk woest, dacht ze: de officier van justitie. Ze vond hem helemaal niet aardig. Hij zei nauwelijks goedendag tegen Sal en mij toen wij binnenkwamen. Je zou denken dat wij de misdadigers waren. Ze had gehoord dat hij op het punt stond benoemd te worden tot minister van Justitie van het hele land. Nu zat hij Emily boos aan te kijken toen ze zei dat ze zijn toestemming wilde om naar rechter Stevens te gaan en ervoor te zorgen dat Gregg Aldrich op borgtocht vrijkwam.

Ik zou Gregg dolgraag eens ontmoeten, dacht Belle. Maar hij zal vast wel kwaad op ons zijn ook al zijn we dan uiteindelijk naar buiten gekomen met ons verhaal. Misschien is het een goed idee om hem een excuusbrief te schrijven? Of zo'n leuke 'ik denk aan je'-kaart te sturen?

Officier van justitie Wesley was aan het woord: 'We

gaan ermee akkoord dat de borgtocht opnieuw wordt ingesteld. Maar, Richard, zelfs al heeft Jimmy Easton gelogen over zijn bezoek aan het appartement van Aldrich, dat wil nog niet zeggen dat Gregg Aldrich hem niet gevraagd heeft om Natalie te vermoorden.'

Dat is belachelijk, dacht Belle. Ze zag wel dat die opmerking Richard Moore kwaad maakte want zijn gezicht werd helemaal rood. Toen zei hij: 'Ik denk niet dat er iemand is die gelooft dat Jimmy Easton om drie uur 's middags een lamp bezorgd heeft bij het appartement van Aldrich en een uur later terugkwam om zijn voorschot in ontvangst te nemen voor de moord op Natalie.'

'Misschien niet,' snauwde Ted Wesley. 'Maar vergeet niet dat voordat Jimmy Easton op het toneel verscheen, Gregg steeds de enige verdachte in deze zaak geweest is en wat mij betreft is hij dat nog steeds en bovendien de enige juiste.'

Hij is niet van plan toe te geven dat hij ernaast heeft gezeten, besloot Belle en keek toe hoe Emily Wallace opstond. Ze is zo elegant, dacht Belle. Dat rode jasje staat zo leuk bij haar donkere haar. Ze draagt er een coltrui onder. Ik vraag me af of die hartoperatie een groot litteken achtergelaten heeft.

Emily keek Belle en Sal aan. 'Ik weet dat jullie er moed voor nodig hadden om met jullie verhaal naar voren te komen. Ik ben erg blij dat jullie het gedaan hebben.'

Ze wendde zich tot Richard. 'Ik weet zeker dat rechter Stevens in huis is. Laten we even naar zijn kamers gaan om met hem te overleggen. Ik zal de gevangenis bellen en zeggen dat ze Mr. Aldrich meteen hiernaartoe moeten brengen. Dan kunnen we officieel de borgtocht regelen.'

De toon in haar stem veranderde toen ze zich tot de officier richtte. 'Zoals je weet ben ik een paar dagen vrij. Het merendeel van de tijd ben ik thuis, mocht je me nodig hebben. Of je kunt me altijd op mijn mobiel bellen.'

Belle zag dat de officier deed alsof hij haar niet gehoord had.

Jemig, voor die zou ik ook niet graag werken, dacht ze.

74

Om halfelf stelde rechter Stevens de borgtocht voor Gregg Aldrich opnieuw in.

Drie kwartier later zat Gregg, nadat hij Alice en Katie gebeld had, in een *diner* vlak bij de rechtbank koffie te drinken met Richard Moore. 'Hoe lang heb ik daar gezeten, Richard? Ongeveer negentig uur? Ik kan me het weekend zelfs niet eens herinneren, maar het waren nog altijd de langste negentig uur van mijn leven.'

'Dat kan ik me voorstellen. Maar je hoeft er nooit meer heen, Gregg. Daar kun je op rekenen.'

Gregg keek vermoeid. 'Is dat zo? Dat is het probleem. Ik ben nu toch weer de belangrijkste verdachte wat de dood van Natalie betreft. Ik zal altijd die "verdachte persoon" blijven. Wat zal iemand anders ervan weerhouden met een of ander wild verhaal aan te komen zetten? Denk erom dat ik nog steeds geen rekenschap af kan leggen van die twee uren toen ik aan het joggen was op de ochtend dat Natalie stierf. Er zijn geen getuigen die me in het park hebben gezien. Stel dat iemand in New Jersey met het verhaal op de proppen komt dat hij me die ochtend in Natalies buurt in Closter of op haar inrit heeft gezien. Wat dan? Weer een proces?'

Richard Moore staarde gealarmeerd over de tafel. 'Gregg, suggereer je daar dat je op die dag misschien naar New Jersey gereden bent?'

'Nee. Natuurlijk niet. Mijn punt is dat ik nog steeds zo kwetsbaar ben. Ik moet die dag dat ik ben gaan joggen wel iemand gezien hebben, maar ik maakte me zo'n zorgen over Natalie. Ik denk dat dat de reden is dat ik er helemaal niet bij was met mijn hoofd.'

'Gregg, kwel jezelf niet langer met de gedachte dat er iemand uit het niets op kan duiken en zeggen dat hij jou die ochtend in de buurt van Natalies huis heeft gezien.' Zelfs in zijn eigen oren klonk Richard Moore niet erg overtuigend. Het is niet waarschijnlijk, maar het kán wel, dacht hij.

'Richard, luister naar me. In de getuigenbank heb ik verklaard dat toen ik door het raam van het huis op Cape Cod keek, ik kon zien dat Natalie verschrikkelijk van streek was. Ze lag zo ongeveer in foetushouding op de bank. Op weg naar huis maakte ik me grote zorgen over haar, zelfs al begon ik me te realiseren dat ik er klaar voor was om haar te laten gaan. Ik was moe van alle drama. Tijdens die rit vanaf de Cape, moest ik er zelfs aan denken hoeveel plezier ik had gehad met Kathleen en dat ik zo'n relatie wel weer zou willen.'

'Misschien had je dat in de getuigenbank moeten zeggen,' zei Richard zachtjes.

'Hoe zou dat geklonken hebben? Richard, ik had gisteren in die cel een hoop tijd om na te denken. Stel dat Natalie bang was voor iemand? Niemand heeft ooit de man gezien met wie ze beweerde uit te gaan en misschien bestond die wel niet. Misschien zei ze dat maar om ervoor te zorgen dat ik haar niet langer belde. Maar stel dat ze echt een vriend had, en dat die haar stond op te wachten toen ze thuiskwam?'

'Gregg, waar wil je naartoe?'

'Dat zal ik je zeggen. Ik ben geen Rockefeller en, met alle respect, je bent niet bepaald goedkoop. Maar jij werkt toch met die privédetective samen, Ben Smith?'

'Ja, dat klopt.'

'Ik zal hem of iemand anders die jij inhuurt betalen om

deze zaak te heropenen en weer helemaal opnieuw te beginnen. Ik ben nu lang genoeg die "verdachte persoon" geweest. Ik zal nooit vrij zijn totdat de moordenaar van Natalie gevonden is en ik officieel vrijgesproken ben.'

Richard Moore nam de laatste slok van zijn koffie en gebaarde om de rekening. 'Gregg, alles wat je gezegd hebt over kwetsbaar zijn is zonder meer waar. Toen Ben erachter probeerde te komen wie destijds de vriend van Natalie geweest kon zijn, kon hij niets vinden. Maar net zoals de Garcia's die cruciale informatie voor zich hielden, zo doet iemand anders dat misschien ook. We beginnen vandaag te zoeken.'

Gregg stak zijn hand uit over de tafel. 'Richard, ik ben blij dat je het met me eens bent. Als dat niet zo was geweest dan zou dit de laatste kop koffie zijn die we samen gedronken hadden. En nu wil ik naar huis, mijn kind en Alice een zoen geven en de langste douche van mijn leven nemen. Ik heb het gevoel alsof de geur van de gevangeniscel aan mijn huid kleeft.'

75

Ik weet dat ik me moe zou moeten voelen maar dat is niet het geval, dacht Emily, terwijl ze over de West Side Highway in Manhattan reed. Er is hoogstwaarschijnlijk geen enkel verband tussen de dood van Natalie en het feit dat haar kamergenote, Jamie Evans, bijna twintig jaar geleden vermoord werd in Central Park. De politie geloofde dat Jamie het slachtoffer was van dezelfde straatrover die in deze periode drie andere vrouwen in het park overvallen had.

Maar zij was de énige die vermoord werd.

Alice Mills geloofde nooit zelfs maar in de mogelijkheid van een connectie tussen die twee moorden, en die is er waarschijnlijk ook niet. Natalie heeft de man met wie Jamie uitging nooit ontmoet. Ze heeft alleen maar een keer zijn foto gezien en was er zelfs niet zeker van of die zich nog steeds in Jamies portemonnee bevond toen ze vermoord werd.

Tweeënhalf jaar geleden, in het beginstadium van het onderzoek naar de moord op Natalie, was Billy Tryon naar het kantoor van de officier van justitie in Manhattan gegaan om de rapporten in de zaak-Evans te bekijken en uit te zoeken of er zelfs maar van een verre connectie sprake kon zijn. Hij had de belangrijkste rapporten gekopieerd en ze mee teruggenomen naar New Jersey, inclusief de schets van een mogelijke verdachte door een politietekenaar, die gemaakt was aan de hand van Natalies beschrijving van de foto die ze in Jamies portemonnee had gezien.

De schets liet een blanke man zien van halverwege de dertig met halflang blond haar. Hij was aantrekkelijk op een wat studentikoze manier, met dikke wenkbrauwen en een bril met montuurloze glazen voor ovale bruine ogen.

Het kantoor van de officier van justitie lag aan Hogan Place 1 in Lower Manhattan. Emily parkeerde haar auto in de garage in de buurt en wandelde door de drukke straten naar het adres. Ze had van tevoren gebeld naar het hoofd van de opsporingsafdeling die de oudgediende rechercheur Steve Murphy had opgedragen het dossier-Jamie Evans op te snorren en Emily te helpen zodra ze gearriveerd was.

In de hal belde iemand aan de balie naar Murphy, die de afspraak bevestigde. Vervolgens mocht Emily door de veiligheidscontrole. De rechercheur wachtte op haar toen ze op de negende verdieping uit de lift stapte. Een man van ongeveer vijftig, met een vriendelijk gezicht en kortgeschoren haar, begroette haar met een warme glimlach.

'Hebben jullie niet genoeg misdaden in New Jersey, dat

je hiernaartoe komt om onze twintig jaar oude zaak op te lossen?' vroeg hij joviaal.

Emily vond hem meteen aardig. 'We hebben meer dan genoeg misdaden in New Jersey,' stelde ze hem gerust. 'Voel je vooral vrij om die van ons te komen oplossen wanneer je maar wil.'

'Ik heb het dossier-Evans naar een van onze kantoren vlak bij de brigadierskamer overgebracht.'

'Prima.'

'Ik heb er even naar gekeken terwijl ik op u zat te wachten,' zei Murphy terwijl ze door de hal liepen. 'Wij dachten dat het een uit de hand gelopen overval was. Ze bood kennelijk weerstand en gaf hem niet wat hij wou. In diezelfde tijd waren in het park drie andere vrouwen beroofd. Evans was de enige die vermoord werd.'

'Dat heb ik inderdaad begrepen,' zei Emily tegen hem.

'We zijn er. Niet bepaald een vorstelijk onderkomen, hè.'

'Dat is bij ons precies hetzelfde kan ik je vertellen.' Emily volgde Murphy een kleine kamer in waarin alleen een aftands bureau, twee gammele stoelen en een dossierkast stonden.

'Het dossier-Evans ligt op het bureau. Neem de tijd. We kunnen kopiëren wat je wilt. Ik ben zo terug. Ik moet even wat telefoontjes plegen.'

'Natuurlijk, ik beloof je dat ik niet al te veel tijd in beslag zal nemen.'

Emily wist niet echt waar ze naar op zoek was. Ik ben net als die rechter die een beslissing moest nemen of iets pornografie was of niet, dacht ze. Hij had gezegd: 'Ik kan er geen definitie van geven maar ik herken het als ik het zie.'

Snel las ze in het dossier de stapel rapporten door van de rechercheurs. Een aantal ervan had ze al gezien, aangezien ze in het pakket hadden gezeten dat Billy Tryon mee terug had genomen. Jamie Evans was vroeg in de ochtend aangevallen en gewurgd. Ze was van het joggingpad af gesleurd naar een stuk grond achter dicht struikgewas. Haar horloge, hanger, en een ring waren verdwenen. Uit haar portemonnee waren al het contant geld en creditcards verdwenen en hij werd op het gras naast haar teruggevonden. Haar creditcards werden nooit gebruikt.

Ten tijde van de moord op haar kamergenote, had Natalie de politie een beschrijving gegeven van het uiterlijk van de man op de foto die ze maar één keer in Jamies portemonnee had gezien. Ze had tegen hen gezegd dat Jamie haar had toevertrouwd dat de man die ze in het geheim ontmoette getrouwd was, maar beloofd had te zullen scheiden. Natalie had erop gewezen dat zij van mening was dat de man, die ze nooit ontmoet had en wiens naam ze zelfs niet kende, Jamie aan het lijntje hield.

Natalie had zo sterk geloofd dat Jamies dood veroorzaakt kon zijn door deze mysterieuze vriend dat de rechercheurs haar meegenomen hadden naar het kantoor van de officier van justitie om een schets te laten maken.

Tot zover niets nieuws, dacht Emily. Dit heb ik allemaal al eens gezien. Maar toen ze bij de schets van de politietekenaar aankwam, voelde ze haar mond droog worden. De schets in de map die Billy Tryon mee naar New Jersey had genomen was niet dezelfde als die in het New Yorkse dossier.

Deze man was knap, ongeveer dertig jaar, met blauwe ogen en een rechte neus, een besliste mond en een volle bos zwartbruin haar.

Dit was de afbeelding van een man die treffende gelijkenis vertoonde met de jongere Billy Tryon. Emily staarde er verbijsterd naar. Op de schets stond één zinnetje gekrabbeld. 'Misschien bekend onder de bijnaam Jess.'

Steve Murphy was terug. 'Hebt u iets gevonden waar we wat mee kunnen?'

Emily probeerde haar stem in bedwang te houden terwijl ze naar de schets wees. 'Ik vind het vreselijk om te zeggen, maar mijn dossiers zijn door elkaar geraakt. Dit is niet de schets die in mijn map zit. Het origineel dat uw tekenaar gemaakt heeft, wordt vast nog wel ergens bewaard.'

'Natuurlijk. U kent het systeem. Er wordt een schets gemaakt en gekopieerd. We kunnen de kopie controleren aan de hand van het origineel. Geen probleem. Maar ik moet u wel zeggen, dat ik vermoed dat als er dossiers door elkaar zijn geraakt dat in uw kantoor is gebeurd. Ik was hier in de tijd dat dat meisje vermoord werd. Dit is de tekening die ik me uit het dossier kan herinneren. Is er nog iets anders wat u wilt kopiëren?'

'Het hele dossier, als u het niet erg vindt.'

Murphy keek haar aan. Meteen ter zake komend vroeg hij: 'Ziet u iets wat ons misschien kan helpen deze zaak op te lossen?'

'Ik weet het niet,' zei Emily. Maar terwijl ze wachtte tot het dossier gekopieerd was, vroeg ze zich af wat er verder nog in het dossier-Evans had gezeten dat Billy niet meegenomen had. Zou Billy het mysterieuze vriendje kunnen zijn dat Natalie ervan verdacht had haar vriendin vermoord te hebben? Had Billy Tryon Natalie Raines ooit ontmoet?

En als dat zo was, was dat dan de reden dat hij zo graag Jimmy Eastons verhaal voor hem in elkaar gedraaid had om ervoor te zorgen dat Gregg Aldrich voor de moord op Natalie veroordeeld werd?

Dat klinkt helemaal niet zo gek, dacht Emily.

Het plaatje is niet fraai maar de stukjes van de puzzel beginnen in elkaar te vallen.

76

Waar kon hij zich beter verstoppen dan in zijn eigen huis?

Op dinsdagochtend had Zach ineens een lumineus idee. Hij wist hoe het werkte: de politie zou op zoek naar hem als een stelletje commando's zijn huis binnengestormd zijn. Hij zag voor zich hoe ze met getrokken revolver, voor hun leven vrezend, van kamer naar kamer liepen om vervolgens teleurgesteld te zijn dat de prooi hun ontsnapt was.

Als hij zich niet zo'n zorgen maakte over de nieuwsgierige schoonzoon van Henry Link die mogelijk naar de politie ging vanwege het busje, zou hij heel goed een tijdje in dit haveloze motel, achtenveertig kilometer ten noorden van Glen Rock, kunnen doorbrengen. Hij had gisteravond best goed geslapen en hij voelde zich behoorlijk veilig. De eigenaar, een rondschuifelende oude man met dikke brillenglazen, zou nooit het verband leggen tussen hem en de foto op zijn tv'tje.

Maar daar had hij niet veel aan als het busje gerapporteerd werd, en elke agent binnen een straal van honderdzestig kilometer ernaar uit zou kijken.

De mogelijkheid bestond nog steeds om rechtstreeks door te rijden naar North Carolina en daar te proberen onder te gaan in de grote hoeveelheden nieuwkomers die zich er vestigden. Maar de behoefte om terug te gaan naar Emily was te groot. Hij zou vannacht hier blijven slapen, besloot hij, voor de komende paar dagen vooruitbetalen en de bus achterlaten. In de ochtend zou hij dan een bus nemen naar het Port Authority in New York en dan weer als het donker was een andere naar Glen Rock.

Hij zou door de achtertuinen in zijn buurt sluipen en met een beetje geluk deed zijn reservesleutel voor het huurhuis het nog steeds. Hij kon door de achterdeur naar binnen en zolang daar wachten. Natuurlijk zou Emily bewaakt worden. Dat wist hij wel. Natuurlijk zou ze haar sloten hebben laten veranderen. Maar voor ze naar bed ging deed ze altijd de deur open om Bess even voor een minuut of twee in de achtertuin te laten.

Natuurlijk zou Bess blaffen als ze hem zag. Maar hij ging van die hondenkoekjes kopen die ze zo lekker vond en zou er een paar van op de grond gooien. Dat was alle tijd die hij nodig had om het huis binnen te dringen.

Het was een goed plan.

En hij wist dat hij het voor elkaar kon krijgen.

77

Emily reed rechtstreeks naar huis nadat ze het kantoor van het OM verlaten had. Ik moet erg voorzichtig zijn, dacht ze, en ik moet ook erg zeker van mijn zaak zijn. Ik zal bladzijde voor bladzijde, woord voor woord, de rapporten die Billy Tryon een halfjaar geleden mee teruggenomen heeft vergelijken met het hele dossier over de moord op Jamie Evans dat ik nu in mijn bezit heb.

De schetsen zijn totaal anders. Steve Murphy bevestigde nog eens dat er tijdens het onderzoek maar één tekening gemaakt was en dat dat de schets was die ik vanochtend gezien had. Wat voor andere rapporten heeft Billy niet mee teruggenomen? Wat ga ik nog meer vinden?

Toen ze haar straat in reed, zag ze dat er om het huis van Madeline Kirk nog steeds gele tape zat, maar dat het zowel bij Zachs huurhuis als haar eigen huis weggehaald was. Ik kan niet wachten om de nieuwe huurder te zien, dacht ze vermoeid. Wie het ook is, na de laatste kan hij alleen maar een enorme verbetering zijn.

Ze zwaaide naar de politieagent in de patrouilleauto aan de kant van de weg, ze gaf toe dat het erg geruststellend was hem daar te zien. De slotenmaker en de mensen van de beveiliging zouden later op de dag komen. Dat had ze gisteren zo afgesproken zodat ze een paar rustige uren met het dossier-Aldrich zou hebben voor ze arriveerden.

Richards telefoontje gisteravond had dat allemaal veranderd, peinsde Emily, terwijl ze de auto parkeerde en uitstapte. Vóór dat telefoontje had ik nooit kunnen dromen dat ik me vanochtend in het kantoor van Ted Wesley zou bevinden om vervolgens in actie te komen en te zorgen dat Gregg Aldrich op borgtocht vrijgelaten werd. En toen ik naar New York reed, had ik ook echt nooit kunnen denken dat ik zou ontdekken dat mijn rechercheur met het bewijsmateriaal geknoeid had.

Ze ging het huis binnen en werd onthaald op een lawaaierig welkom van Bess. 'Blaf gerust zo hard als je wilt, Bess,' zei ze terwijl ze het hondje met een zwaai in haar armen oppakte. 'En nee, ik ga niet met je wandelen. Ik laat je uit in de achtertuin en daar moet je het voor nu maar even mee doen.'

Ze haalde de verandadeur van het slot en stond op het trapje terwijl Bess in de tuin rondrende, waarbij haar pootjes schrapende geluiden maakten over de gevallen bladeren. De dag was begonnen met een stralende zon maar nu was het bewolkt en dreigde het te gaan regenen.

Emily wachtte vijf minuten en riep toen: 'Wil je een koekje, Bess?' Dat werkt iedere keer, dacht ze toen Bess enthousiast naar binnen holde. Nadat ze de deur zorgvuldig weer op slot gedaan had, beloonde ze Bess met het beloofde koekje en zette een ketel water op.

Ze wist dat ze een stevige dosis koffie nodig had. Als ik geen koffie drink dan val ik rechtop in slaap. En ik heb honger. Ik heb gisteravond uiteindelijk helemaal niets gegeten. Daar heeft Richards telefoontje wel voor gezorgd.

Dankzij de boodschappen die ze op zondag had gedaan was de ijskast goed gevuld. Ze besloot een ham-kaassandwich te eten. Toen ze die klaargemaakt had en de koffie ingeschonken had, ging ze aan de keukentafel zitten voor een snelle lunch. Tegen de tijd dat ze haar tweede kop koffie ophad, deed de cafeïne zijn werk en dacht ze met een helder hoofd na over wat ze nu moest doen.

Ze wist wat er zou gebeuren als ze Billy met de schets zou confronteren die hij mee teruggenomen had uit New York. Hij zou woedend worden en schreeuwen dat het niet de foto was die hij in het dossier-Aldrich gedaan had en dat kennelijk een of andere suffe medewerker ze door elkaar gehaald had. Maar waarom zou ons kantoor een tweede schets van het OM in Manhattan hebben met dezelfde datum erop van twintig jaar geleden, tenzij Billy hem meegenomen had?

Hij zou met recht kunnen zeggen dat de schets die ik nu heb misschien enige gelijkenis met hem vertoonde, maar ook met een heleboel andere mensen. Hij zou eveneens met de vernietigende opmerking kunnen komen dat de kunstenaar de instructies opgevolgd had van een vrouw die de persoon over wie ze het had nooit ontmoet had.

Als ik nu naar Ted ga, vooral nu hij zo boos is over die hele Jimmy Easton-toestand, zal hij waarschijnlijk tegen me zeggen dat ik ze zelf op de een of andere manier door elkaar gehaald heb.

Ik heb iedere mogelijkheid overdacht, concludeerde Emily. Om wat voor reden ook, heeft Billy de kopie van de originele schets verwijderd toen hij het dossier meenam naar New Jersey en geregeld dat er ter vervanging een tweede gemaakt werd. Dat is knoeien met bewijsmateriaal. Hij had nooit verwacht dat ik naar New York zou gaan om zelf het dossier te bekijken. Maar dat heb ik wel gedaan.

Waar dit ook op uit zal lopen, ik ga na afloop in ieder geval elk dossier dat hij ooit in handen heeft gehad en waarbij er klachten over hem geweest zijn natrekken. Of zijn neef, onze aanstaande minister van Justitie, dat nu leuk vindt of niet.

Er werd aangebeld.

Bess begon als een razende te blaffen. Emily droeg haar naar de deur. Het was de slotenmaker, een man van in de zestig met een spijkerbroek en een football-t-shirt van de Giants aan. 'Ik begrijp dat u wil dat ik alles nakijk, mevrouw, alle deuren en ramen.'

'Ja, dat klopt. En ik wil de beste sloten die je hebt.'

'Dat kan ik u niet kwalijk nemen. Die hebben mensen tegenwoordig nodig. Dat is één ding dat zeker is. Kijk maar naar wat er met die buurvrouw aan de overkant van de straat gebeurd is. Arme oude vrouw. Ik hoorde dat die idioot die haar vermoord heeft zonder enig probleem door een achterraam naar binnen is geklommen. Ze had kennelijk geen beveiligingssysteem.'

'Ik laat vandaag een nieuw systeem installeren,' zei Emily. 'De technicus kan elk moment hier zijn. Ik wou dat jullie allebei mijn hond zouden zien zodat ze jullie niet lastig zal vallen als jullie aan het werk zijn.'

De slotenmaker keek naar Bess. 'Vroeger was een blaffende hond de enige bescherming die je nodig had.' Hij reikte naar beneden om haar over haar kopje te aaien. 'Hallo, Bess. Hé, je maakt me niet echt bang.'

Emily ging terug naar de keuken en zette de borden die ze had gebruikt in de afwasmachine en ging toen, omdat ze geen zin had in de buurt van de slotenmaker rond te hangen die ze ervan verdacht een enorme kletskous te zijn, naar boven naar haar slaapkamer en deed de deur dicht. Terwijl ze zich verkleedde en een gemakkelijke broek aantrok en een trui, bleef ze zich afvragen in hoeverre Billy Tryon hierbij betrokken zou kunnen zijn, niet alleen voor wat Easton betreft in de zaak-Aldrich maar ook bij de dood van Jamie Evans.

Was het mogelijk dat Billy Tryon Jamies mysterieuze vriendje was? Hij lijkt zeker op de man zoals Natalie die beschreef aan de politietekenaar. Hij is twee keer gescheiden. Het gerucht gaat dat beide vrouwen genoeg kregen van zijn slippertjes. Jamie Evans was een jonge actrice. Uit het roddelcircuit heb ik begrepen dat zijn vriendinnetjes meestal op de een of andere manier in de showbusiness werkzaam zijn. Lieve hemel, ik heb er net vorige week een ontmoet.

Billy had vanaf het begin aan het hoofd van het onderzoek naar de moord op Raines gestaan. En toen kwam boven water dat haar kamergenote vele jaren daarvoor vermoord was. Hij zorgde ervoor dat hij degene was die naar New York zou gaan om dat dossier door te kijken.

Als hij Jamie Evans vermoord heeft, dan moet hij door het lint gegaan zijn toen hij die schets zag. En dus besloot hij hem te vervangen voor hij het dossier terugbracht.

Er werd weer aangebeld: deze keer was het het team van het beveiligingsbedrijf. Na het noodzakelijke voorstellen aan Bess, besloot Emily dat het niet erg waarschijnlijk was dat ze deze middag thuis iets van werk gedaan kreeg. Mijn botten doen zeer, dacht ze. Misschien kan ik wel een afspraak maken voor een massage.

Ik weet gewoon niet zeker wat ik nu moet doen. Ik kan proberen uit te vinden of iemand weet of Billy ooit de bijnaam 'Jess' gebruikt heeft.

En er is nog iets waar ik verder mee kan, dacht ze. Als Natalie Raines echt zo bang was, zoals Gregg Aldrich had beweerd dat ze op hem overkwam toen hij door het raam van het huis op de Cape keek, zou dat dan de reden kunnen zijn dat ze daarnaartoe gegaan was na haar laatste optreden in *Streetcar*? Niet alleen om de boel even de boel te laten, maar omdat ze op de vlucht was voor iemand die haar doodsangst aanjoeg?

Er is maar één persoon die me zou kunnen helpen om het antwoord op die vraag te vinden, dacht Emily. Natalies moeder. Ik heb haar eigenlijk nooit gevraagd of ze verrast was dat Natalie zo plotseling naar de Cape gegaan was.

Voor ze kon proberen om Alice Mills te bereiken ging haar mobieltje over. Het was Jake Rosen. 'Emily, we zijn net gebeld uit Newark. Jimmy Easton is dood.'

'Jimmy Easton dood! Jake, wat is er met hem gebeurd?' Emily hoorde Jimmy de rechter nog maar vierentwintig uur geleden vertellen dat hij bang was om terug naar de gevangenis te gaan omdat de andere gevangenen een hekel hadden aan verklikkers.

'Ze zijn er vrij zeker van dat hij vergiftigd is. De autopsie zal het uitwijzen.' Jake zweeg even, en zei toen: 'Emily, je weet net zo goed als ik dat dit ons een hoop problemen gaat bezorgen. Sommige mensen zullen geloven dat het gevangenisrecht heeft gezegevierd omdat hij meegewerkt heeft. Anderen zullen denken dat iemand hem het zwijgen heeft opgelegd omdat hij zijn mond niet wou houden over de zaak-Aldrich.'

'En die hebben gelijk,' zei Emily. 'Er werken zoveel beklaagden mee voor strafvermindering en die gaan echt niet allemaal dood. Jake, ik wed er mijn leven om dat Billy Tryon hier iets mee te maken heeft gehad.'

'In godsnaam, Emily, wees voorzichtig. Je kunt niet zomaar dat soort dingen gaan lopen roepen!' Jakes stem klonk zowel geschokt als bezorgd.

'Goed,' antwoordde Emily. 'Ik heb niks gezegd. Maar ik mag denken wat ik wil. Jake, laat me horen wat je verder nog te weten komt. Ik veronderstel dat ik eigenlijk naar kantoor zou moeten gaan maar dat doe ik niet. Ik krijg vanaf hier veel meer voor elkaar. Dag.'

Emily verbrak de verbinding en toetste toen 411 in. Ze wist dat ze het nummer van Alice in het telefoonboek van Manhattan kon vinden, maar het was makkelijker Inlichtingen te bellen dan weer naar beneden te gaan en het uit het dossier te halen. Terwijl ze het nummer aan het intoetsen was, dacht ze: wacht eens even, ik weet het nog. 212-555-4237! Ze drukte de cijfers in terwijl ze bedacht dat ze inderdaad meestal een vrij goed geheugen had, maar dat dit echt wel heel goed was. Maar van de andere kant word ik zo meteen misschien doorverbonden met een stomerij.

De telefoon ging drie keer en toen was er een boodschap te horen. 'Dit is Alice Mills. U kunt mij bereiken op 212-555-8456.' Ze is waarschijnlijk al die tijd bij Katie in Aldrich' appartement gebleven, dacht Emily.

Emily's geest werd volledig in beslag genomen door de herinnering aan de dag dat Alice Mills naar haar kantoor was gekomen en aan de andere kant van de tafel tegenover haar had gezeten met haar zwarte pakje aan, overmand door verdriet maar beheerst. Voor ze wegging sloeg ik mijn armen om haar heen, herinnerde Emily zich.

Ik wou zo graag een einde aan haar pijn maken.

In het volle besef van de ongelooflijke ironie dat ze het nummer aan het intoetsen was van het appartement van de verdachte die ze zojuist vervolgd had en wiens zaak nog steeds liep, hoorde Emily de vlakke stem van het antwoordapparaat zeggen dat er niemand aan de telefoon kon komen en of de beller alstublieft een boodschap achter wilde laten. 'Alice, dit is Emily. Ik móét met je praten. Gregg verklaarde in de getuigenbank dat hij dacht dat Natalie bang was. Je hebt het daar nooit over gehad, dus misschien ben je het daar niet mee eens. Maar het kwam zojuist bij me op dat ze vlak na haar laatste voorstelling in het theater naar Cape Cod is gegaan. Ik weet dat de mensen met wie ze gewerkt heeft verklaringen afgelegd hebben maar ik wil dit allemaal nog eens goed onderzoeken. Ik denk dat het misschien iets belangrijks op kan leveren.'

Een nogal omslachtige manier om te zeggen dat Billy Tryon misschien iets met een actrice in *Streetcar* gehad had en toevallig die laatste avond Natalie tegen het lijf was gelopen. En misschien had zij hem herkend van lang geleden.

Haar mobieltje ging over. Het was de secretaresse van Ted Wesley. Op zenuwachtige toon zei ze: 'Emily, de officier van justitie wil dat je nu naar zijn kantoor komt. En hij zei dat je alle dossiers mee moest brengen die je van zijn kamer had meegenomen.'

78

Drie kwartier later zaten Emily, Billy Tryon en Jake Rosen in het kantoor van Ted Wesley. Wesley, wit van woede, staarde hen vol pure minachting aan. 'Ik wil wel even zeggen dat ik nog nooit zo'n onzorgvuldige, ongecontroleerde, achteloze en verkwistende reeks gebeurtenissen achter elkaar heb gezien als jullie voor elkaar hebben weten te boksen. Billy, heb jij op enige manier Jimmy Easton geholpen het verhaal in elkaar te draaien dat hij zo overtuigend ten gehore bracht in de getuigenbank?'

'Nee, Ted, dat heb ik niet.' Billy's stem en manier van doen waren ingehouden. 'Maar wacht. Laat ik het goed zeggen. Toen Easton me vertelde over de brief die hij naar Aldrich geschreven had om te zeggen dat hij niet van plan was hun afspraak na te komen, maar ook niet de vijfduizend dollar terug zou geven die Aldrich hem al gegeven had, zei ik iets als: je moet het beschouwd hebben als een niet-terugvorderbaar voorschot. Hij lachte en herhaalde het in de getuigenbank.'

'Dat bedoel ik niet,' snauwde Wesley. 'Wou je me vertellen dat hij zijn hele verhaal al klaar had toen hij het jou vertelde en dat alle details van hemzelf waren?'

'Zeker,' antwoordde Billy met klem. 'Ted, kijk naar de feiten, zelfs als Emily dat niet wil doen. Zodra Easton gepakt werd nadat hij die overval gepleegd had, zei hij tegen de plaatselijke politie dat hij informatie over de zaak-Aldrich had. Zij belden het kantoor en ik ging er meteen naartoe. Alles wat hij zei bleek later te kloppen. Hij ontmoette Aldrich in de bar. Aldrich belde hem inderdaad op zijn mobiel. Hij beschreef het interieur van Aldrich' appartement. En hij wist zelfs af van de beruchte knarsende la.'

'Dat klopt, hij wist inderdaad van die knarsende la af,' kaatste Emily terug. 'En nu is Mr. Garcia naar voren gekomen met de mededeling dat hij samen met Easton iets bezorgd heeft bij het appartement van Aldrich en dat op een gegeven moment Easton alleen in de woonkamer is achtergebleven. Het is heel goed mogelijk dat hij probeerde iets te stelen door het laatje open te trekken en dat hij toen dat geluid hoorde.

En wat die brief betreft die hij zogenaamd gestuurd heeft, waar jij, zoals je net toegegeven hebt, hem een handje bij geholpen hebt?' vroeg Emily hem. 'Was de hele brief jouw idee? Jimmy maakte er een veel betere indruk door en zijn verhaal werd er veel sterker van.'

Voordat Billy antwoord kon geven, keek Wesley Jake Rosen aan. 'Jij ging weg toen Easton gearresteerd werd. Wat heb jij erover te zeggen?'

'Ik was er het grootste deel van die eerste ontmoeting met Easton in het politiebureau van Old Tappan bij, meneer,' antwoordde Jake. 'Billy heeft hem niet voorgezegd.' Jake keek naar Emily. 'Emily, ik zal duidelijk zijn. Billy en jij hebben elkaar nooit gemogen, maar ik denk dat je nu niet eerlijk bent wat hem betreft.'

'Dat is alles wat ik wilde horen, Jake. Bedankt. Je kunt gaan,' zei Wesley op scherpe toon.

Toen de deur achter Jake dichtviel, keek Wesley naar Emily. 'Ik denk dat het duidelijk is dat Easton geen hulp nodig had om zijn verhaal in elkaar te draaien. Hij had geen hulp nodig omdat hij de waarheid verteld had over wat hij en Aldrich gedaan hadden. En nu, vanwege jouw totale gebrek aan inschattingsvermogen van de situatie en zijn oprechte angst om terug naar de gevangenis te gaan na het verlenen van zijn medewerking, is hij dood. Om nog maar te zwijgen over het feit dat Aldrich op borgtocht vrij rondloopt en onze zaak waarschijnlijk naar de haaien is. Waarom heb je bij de strafbepaling niet gewoon ingestemd met de tijd die hij gezeten had, dan had dit alles voorkomen kunnen worden.'

'Omdat hij een beroepsmisdadiger is en gewoon weer verder zou zijn gegaan met inbreken in de huizen van andere mensen,' antwoordde Emily beslist. 'Misschien dat er deze keer iemand gewond zou zijn geraakt.'

Emily rechtte haar rug en ging verder. 'En er is nog iets anders waar je kennelijk niet bij stilgestaan hebt. De jury hoorde dat hij vier jaar zou krijgen. Als ik later ingestemd had met de tijd die hij er al op had zitten, dan had Moore een motie kunnen indienen voor een nieuw proces met als argument dat ik en Jimmy al die tijd geweten hadden dat hij de gevangenis niet in zou hoeven en dat de jury dat bij de beoordeling van zijn getuigenverklaring had moeten weten. Moore zou verder nog betogen dat Easton álles gezegd zou hebben als hij geweten had dat hij daardoor vrij zou komen. De rechter zou die motie nooit ingewilligd hebben.'

'Dan had je daaraan moeten denken toen je vóór het proces met hem onderhandelde,' snauwde Wesley. 'Je wist dat hij een ongeleid projectiel was en dat hij zich later tegen je zou kunnen keren. Je had hem vanaf het begin gewoon voorwaardelijk moeten geven. Zijn verhaal werd aan alle kanten bevestigd, ongeacht het vonnis dat hij zou krijgen. Nu zal de integriteit van dit kantoor niet alleen in twijfel getrokken, maar zelfs geschaad worden. De media gaan ons afmaken.'

Toen ze naar deze bespreking kwam had ze eerst niet geweten of ze ze zou laten zien, en dus had Emily de twee schetsen in een map laten zitten. Nu haalde ze ze tevoorschijn en legde ze voor Wesley neer. 'Misschien heeft rechercheur Tryon hier een bevredigende verklaring voor.

De schets die ik gisteren in het New Yorkse dossier over Jamie Evans vond, de vermoorde kamergenote van Natalie Raines, was niet de tekening die hij mee naar kantoor had genomen. Er staat dezelfde datum op, maar daarmee houdt iedere gelijkenis op. Het gaat hier om een hele andere persoon.'

Terwijl Wesley en Tryon haar kwaad aanstaarden, ging Emily verder: 'Ik weet heel goed dat Billy zal zeggen dat ze gewoon door elkaar geraakt zijn. Maar de rechercheur van het OM van Manhattan die me dit dossier liet inzien wist zeker dat er maar één schets bestond. Wat ik maar wil zeggen is dat het volgens mij een opzettelijke poging van Billy was om de echte schets uit het dossier-Aldrich te houden.'

Emily zweeg even. Ze wist niet meteen of ze zou zeggen wat er door haar hoofd ging. Ze haalde diep adem 'Ik wil er ook op wijzen dat de originele schets een nogal duidelijke gelijkenis vertoont met Billy Tryon, wat waarschijnlijk de reden is dat hij zo wanhopig wilde dat hij nooit in ons dossier terechtkwam.'

Ted Wesley pakte de schetsen en bestudeerde ze. 'Emily, nu uit je niet alleen ernstige beschuldigingen, maar ze zijn ook gemeen en zelfs hysterisch. Begrijp ik het goed dat Natalie Raines deze man nooit zelfs maar ontmoet heeft en dat deze schets gemaakt is aan de hand van haar herinnering van een veronderstelde foto in een portemonnee die ze misschien ooit een keer gezien heeft?'

'Ik verwachtte al dat je dit zou zeggen,' antwoordde Emily uitdagend. 'Mijn punt is dat deze schets niet alleen heel erg op Billy lijkt, maar dat het bovendien geen twijfel lijdt dat deze schetsen door hem met opzet verwisseld zijn om iets heel belangrijks te verbergen. En ik rust niet voordat ik erachter ben wat dat is.'

'Ik heb hier genoeg van,' schreeuwde Wesley. 'Ik heb genoeg van jouw pogingen om mijn beste rechercheur in een kwaad daglicht te stellen. Ik heb genoeg van je pogingen om de zaak-Aldrich onderuit te halen, wat je zeker bijna voor elkaar hebt. En is het ooit bij je opgekomen dat die rechercheur in New York het misschien mis kon hebben, over dat er maar één schets zou zijn?

Ik beveel je deze dossiers in mijn kantoor achter te laten. En er verder van af te blijven! Ga naar huis en blijf uit de buurt van dit kantoor tot ik besloten heb wat de juiste sancties voor jou zijn. Als de pers je thuis belt verbied ik je om met hen praten. Verwijs de bellers meteen door naar mijn kantoor.'

Wesley stond op. 'En nu eruit!'

Emily was verbaasd dat hij haar nog niet ontslagen had. 'Ik ga weg, Ted. Maar nog even dit. Vraag eens rond of rechercheur Tryon ooit bekend heeft gestaan onder de bijnaam "Jess"? En denk zelf ook eens na of je hem ooit gehoord hebt. Hij is tenslotte je neef.'

Ze keken elkaar een aantal seconden strak aan, zonder iets te zeggen. Toen verliet Emily Teds kantoor zonder Billy Tryon een blik waardig te keuren en liep de rechtbank uit.

79

Zach besloot om tot halverwege de middag te wachten voor hij een bus naar New York nam. Hij wist dat het in het Port Authority wemelde van de undercoveragenten die de mensenmenigte afzochten op zoek naar bekende misdadigers wiens gezichten ze inmiddels konden dromen. Het was beter om er in de spits aan te komen, besloot hij.

Hij gebruikte de lunch in het motel, in dat naargeestige hok dat ze een grillbar noemden. Toen hij bijna klaar was kwamen er zes mensen binnen. Uit hun op luide toon gevoerde, opgewonden gesprek maakte hij op dat ze om vijf uur naar een trouwerij in de buurt gingen. Ze hebben allemaal hier een kamer, dacht hij. Het is maar goed dat ik wegga. Hij was er zeker van dat een paar van hen naar hem keken toen hij afrekende en het restaurant verliet.

Eenmaal buiten zag hij dat hun auto's aan weerszijden van zijn bus geparkeerd stonden. Nog iets om zich zorgen over te maken. Een van hen zou zich kunnen herinneren dat hij het ding gezien had, als de schoonzoon de politie belde en ze ernaar op zoek gingen.

Hij droeg een leren jack, gemakkelijke, bruine broek en een pet. Zo zouden ze hem tegenover de politie beschrijven.

Toen hij wegging, had Zach een kleine plunjezak bij zich met daarin zijn geld, zijn nepidentiteitsbewijs, zijn prepaid mobieltjes, een sweatshirt met capuchon, sneakers, en een grijze pruik gewikkeld.

Om kwart over zes kwam hij aan op het Port Authority. Zoals verwacht wemelde het er van de forenzen. Hij ging het herentoilet binnen en wisselde in een hokje van kleding. Vervolgens ging hij naar de halte waar de bus naar Glen Rock vertrok. Het viel hem op dat de regen nu tegen de ruiten van de terminal kletterde. Er zullen niet veel mensen op straat zijn, dacht hij en de mensen die niet van de halte afgehaald worden haasten zich vast naar huis. Net als ik.

Om halfacht stapte hij in Glen Rock uit de bus. Hij bond het koordje van de capuchon om zijn nek dicht. Het haar van de grijze pruik zat door de regen tegen zijn voorhoofd geplakt. Dat voelde lekker aan.

Emily, Emily. Of je klaar bent of niet, hier kom ik.

80

Ik moet wat zien te slapen, dacht Emily. Ik ben compleet uitgeput. Ik kan nauwelijks meer functioneren. Ik heb wat Billy betreft mijn hand overspeeld. Ik heb helemaal nergens bewijzen voor. En zelfs Jake is van mening dat ik een vendetta tegen Billy aan het voeren ben.

Nu Jimmy Easton vermoord is, zal Ted een hoop vragen van de media moeten beantwoorden over de manier waarop we op Jimmy's bedreigingen in de rechtszaal gereageerd hebben. Ze moeten een gesloten front vormen voor de camera's. Daar kan hij mij bij missen als kiespijn.

En nu staat Jakes reputatie ook ter discussie. Hij heeft misschien meer van dat eerste verhoor van Easton gemist dan hij toe durft te geven. Ik snap dat hij bang is. Billy is tenslotte zijn directe superieur en de aanklager is zijn werkgever.

Ze kwam thuis toen de slotenmaker net op het punt stond weg te gaan. 'Met die nieuwe sloten en die pitbull van je, ben je zo veilig als wat,' zei hij. 'Denk er alleen om dat je niets hebt aan een slot tenzij je eraan denkt de sleutel om te draaien. En hetzelfde geldt voor dat chique beveiligingssysteem dat die kerels aan het installeren zijn. Goed, nou het was leuk u te ontmoeten en het beste ermee.'

'Bedankt. En bedankt dat u zo snel kon komen.' En bedankt dat u ook weer weggaat, dacht Emily, en voelde zich toen meteen schuldig omdat de man echt behulpzaam probeerde te zijn.

Het was kwart over vijf. Toen de slotenmaker weg was, kwamen de technische jongens van het beveiligingssysteem uit de kelder omhoog. 'Wij zijn klaar voor vandaag,' zei de oudste van hen. 'Morgen zullen we uw camera's installeren. Als u even mee naar de keuken wilt komen dan zal ik u laten zien hoe u het systeem in en uit moet schakelen. U kunt ook specifieke zones uitschakelen als u bijvoorbeeld een raam wilt openzetten.'

Terwijl haar ogen bijna dichtvielen, liep Emily met hem mee de keuken in, luisterde en probeerde de verschillen tussen dit systeem en het oude in zich op te nemen. Nadat hij weggegaan was met de belofte dat hij morgen terug zou komen, liet ze Bess even buiten rondrennen. Met de grendel weer op de achterdeur, controleerde ze haar antwoordapparaat. Ze was teleurgesteld te ontdekken dat Alice Mills haar telefoontje niet beantwoord had.

Ze probeerde Alice nog eens thuis te bereiken en toen weer in Aldrich' appartement. Ze liet nog een boodschap op het laatste nummer achter. 'Alice, ik zou het echt op prijs stellen als je me terug zou bellen. Misschien wil je niet met me praten, en dat snap ik. Maar ik wil dat je weet dat de officier van justitie me van de zaak gehaald heeft en dat ik verwacht ontslagen te worden.'

Ze wist dat haar stem kraakte maar ging toch verder. 'Ik geloof echt dat als we wisten waarom Natalie bang was, we de persoon zouden kunnen vinden die haar vermoord had.'

Emily liep de woonkamer in, ging in haar vaste stoel zitten en sloeg een plaid om zich heen. Ik weet dat ik waarschijnlijk niet wakker zal blijven, dacht ze. Maar ik wil wel naar *Courtside* kijken als het op tv komt. Ze zette de wekker van haar horloge op negen uur, sloot haar ogen en was meteen vast in slaap.

Ze werd niet wakker van de wekker. Het was het aanhoudende overgaan van haar mobiel dat haar eindelijk uit haar slaap wekte. Toen ze antwoordde klonk haar stem nogal slaapdronken. 'Hallo,' fluisterde ze.

'Emily, gaat het goed met je? Ik heb je het afgelopen halfuur wel drie keer proberen te bellen. Ik begon me erg ongerust te maken. Je klonk zo van streek toen je de laatste boodschap insprak.'

Het was Alice Mills. Bij het horen van de oprechte bezorgdheid in haar stem schoten bij Emily de tranen in de ogen. 'Nee, het gaat best, Alice. Ik ben misschien wel gek en ik weet dat de aanklager denkt dat ik dat ben, maar ik geloof dat ik weet wie Jamie Evans vermoord heeft en vrijwel zeker ook Natalie.'

Emily hoorde Alice naar adem snakken, toen ze verderging: 'Er moeten mensen in Natalies omgeving zijn geweest, misschien een andere acteur of iemand van de make-up of de kleedster of zo die iets gehoord of gezien hebben. Alice, vond jij het ongewoon voor haar om er zo ineens vandoor te gaan naar de Cape?'

'Natalie was gespannen vanwege de scheiding en het feit dat ze een nieuwe agent kreeg, maar ik zou niet gedacht hebben dat ze bang was,' zei Alice Mills, 'Emily, het is niet alleen vanwege Natalie dat het zo noodzakelijk is degene te vinden die dit gedaan heeft. Het is ook voor Gregg en Katie. Heb je vanavond naar *Courtside* gekeken?'

'Dat was ik van plan, maar ik ben in slaap gevallen.'

'Gregg, Katie en ik waren te gast in het programma. Gregg had het erover hoe vreselijk het is om te moeten leven met de voortdurende verdenking dat je voor de politie een verdacht persoon bent en blijft. Maar natuurlijk vindt hij het geweldig om uit de gevangenis te zijn. Katie gaat morgen terug naar school en ik ga weer naar huis.'

'Naar dat fijne appartementje een paar straten bij het Lincoln Center vandaan,' zei Emily.

'Heb ik je dat verteld?' vroeg Alice verbaasd.

'Dat moet wel.'

'Emily, er is iemand die ik nu kan bellen die vast wakker is. Jeanette Steel is verantwoordelijk voor de kostuums van het nieuwe stuk dat in de Barrymore speelt. Zij zou iets kunnen weten. Ze was die laatste avond bij Natalie.'

'Dat zou heel fijn zijn. Bedankt, Alice.'

Wat wakkerder nu stond Emily op en ging terug naar de keuken. Het is te laat om nog veel te eten, dacht ze. Misschien alleen een paar sneetjes geroosterd brood en een glas wijn. Dat is voor nu wel genoeg.

Emily keek naar de keukenramen die uitzagen op het huurhuis. De jaloezieën waren maar half dicht. Ze liep erheen en keek even naar buiten. Het was hard aan het regenen. Wat een vreselijke avond, dacht ze toen ze de jaloezieën omlaag trok. En dat huis bezorgt me nog steeds de kriebels.

Voor ze het brood in de broodrooster deed, liep ze naar de woonkamer en keek even naar buiten voor een geruststellende blik op de politieauto die aan de kant van de weg geparkeerd stond.

81

Op zijn vertrouwde plekje bij het keukenraam van de huurwoning, had Zach goed zicht op Emily die de jaloezieën omlaag trok. Zoals hij al verwacht had, was het erg gemakkelijk om hier binnen te komen. Hij wist dat niemand hem over de inrit van het huis achter de huurwoning had zien rennen. Hij was over het lage hekje gesprongen en toen met de sleutel in de hand binnen een paar seconden binnen geweest.

Hij had de koekjes voor Bess bij zich. Nu Emily de jaloezieën neergelaten had, wist hij vrij zeker dat ze zich opmaakte om naar bed te gaan. Ze zal Bess nog een keertje uitlaten. Haar alarm staat niet aan. Bess zal beginnen te blaffen als ze merkt dat ik eraan kom, dacht hij. Maar dat zal Emily eerst echt niet bang maken. Bess blaft altijd tegen eekhoorns.

En dan ben ik binnen. Ook al komt de agent vanwege het blaffen het huis controleren, ik heb maar een paar seconden nodig om haar te vermoorden. Als ik daarna wegkom, prima, lukt dat niet, dan is het ook goed.

Ik ben moe van het op de loop zijn.

82

Alice Mills belde om kwart over elf terug. 'Emily, ik heb net met mijn vriendin Jeanette Steele gesproken, die van de kostuumafdeling. Ze was die avond bij Natalie. Ze zei dat Natalie gewoon straalde na de laatste opvoering. Ze had een minutenlange staande ovatie gekregen.'

'Was ze bij Natalie tot ze het theater verliet?' vroeg Emily.

'Bijna tot op het laatst. Jeanette zei dat Natalie zich omgekleed had en klaar was om weg te gaan. Natuurlijk was ze tegen die tijd uitgeput. Ze wilde geen bezoekers in haar kleedkamer en had dat ook gezegd. Maar toen klopte de producer op haar deur. Een heel bekende acteur, Tim Moynihan, was er met vrienden en wilde haar ontzettend graag ontmoeten. Jeanette zei dat Natalie er niet voor in de stemming was maar ze liet Moynihan en zijn vrienden wel binnen. Dat was het moment dat Jeanette wegging.'

Moynihan, dacht Emily. Tim Moynihan. Hij is een goede vriend van Ted. Ik vraag me af hoe goed hij Billy kent. 'Alice, ik heb Tim Moynihan vorige week nog ontmoet. Ik weet zeker dat dit de link is die we zochten. Je hebt niet toevallig zijn telefoonnummer?'

'Nee, maar het zou me niet verbazen als Gregg het wel heeft, of er snel aan kan komen. Ik weet niet of hij Moynihan kent maar ik wed dat hij een aantal van zijn vrienden in zijn tv-show kent. Wacht even.'

Even later kwam Alice terug aan de lijn. 'Emily, Gregg belt iemand die hem het nummer van Tim Moynihan kan geven. Terwijl we daarop wachten, wil ik je wel even zeggen dat ik me zorgen maak. Wees alsjeblieft voorzichtig. Alsjeblieft.'

'Je gelooft niet hoeveel sloten en alarmbellen ik heb om me te beschermen. En dan heb ik het nog niet over de patrouilleauto die voor mijn deur geparkeerd staat.'

'Ik heb gehoord dat je buurvrouw vermoord is door die seriemoordenaar. Wat een akelige gedachte dat hij bij jou in de straat woonde.'

'Hij is nu weg, hoor.' Om Alice niet nog ongeruster te maken deed Emily haar best zo zakelijk mogelijk te klinken.

'Nou, dan nog, ik maak me zorgen. O wacht even, Gregg wil graag even met je praten.'

Emily slikte, ze had ineens een droge keel.

'Ms Wallace, Gregg Aldrich hier.'

'Mr. Aldrich, het was absoluut niet mijn bedoeling om te proberen u te spreken te krijgen. Dat zou ik alleen maar doen als uw advocaat erbij was of anders met diens toestemming. Ik belde voor Alice.'

'Dat weet ik,' antwoordde Gregg. 'Maar met het risico dat ik een van de regels overtreed, ik wou u alleen even zeggen dat ik geen vijandige gevoelens tegen u koester. Jimmy Easton was een erg overtuigende getuige en het was uw taak om mij op mijn huid te zitten toen ik mijn verklaring aflegde. U deed alleen uw werk. En als ik zo vrij mag zijn, dat deed u heel goed.'

'Dank u. Dat is erg grootmoedig van u.'

'Denkt u echt dat u een aanwijzing heeft die naar Natalies moordenaar kan leiden?'

'Ja.'

'Zou u die informatie of dat gevoel of wat het ook is met mij willen delen?'

'Mr. Aldrich, ik kan nu verder niets zeggen, maar ik beloof u dat ik meteen contact op zal nemen met Richard Moore als ik de informatie achterhaald heb waar ik mijn hoop op gevestigd heb.'

'Goed. U neemt het me vast niet kwalijk dat ik ernaar gevraagd heb. Dit is het telefoonnummer van Tim Moynihan: 212-555-3295.'

Emily schreef het nummer op en herhaalde het nog eens. 'Ik beloof u dat u gauw meer zult weten.'

'Goed. Goedenavond, Ms Wallace.'

Even hield Emily haar hand op de telefoon voor ze hem teruglegde op de haak. Het was zo vreemd dat ze zich met deze twee mensen zo nauw verbonden voelde als ze met hen sprak. Het was zo vertrouwd. Maar natuurlijk had ze Alice al aardig gevonden vanaf de eerste keer dat ze haar ontmoet had.

En Gregg Aldrich? Hoe vaak heb ik niet inwendig strijd met mezelf gevoerd omdat ik gewoon de waarheid niet onder ogen zag? Misschien is het precies zoals Alice gezegd heeft – dat ik van het begin af aan in mijn hart wist dat hij onschuldig was.

Zelfs dit geleende hart wist dat, dacht ze.

Ze keek naar Tims nummer. Misschien ligt hij wel in bed en is hij erg boos als ik hem wakker bel. Maar ik kan niet langer wachten. Ze haalde diep adem en toetste de cijfers in.

Tim Moynihan nam na één keer overgaan al op. Emily kon stemmen horen op de achtergrond en nam aan dat de televisie aanstond. Hij had in ieder geval niet liggen slapen. Toen ze gezegd had wie ze was, was het duidelijk dat hij verrast was haar stem te horen.

Ze kwam meteen ter zake. 'Tim, ik weet dat het eigenlijk te laat is om te bellen maar dit is erg belangrijk. Ik heb zojuist gehoord dat jij op de laatste avond dat Natalie optrad in *Streetcar* naar haar kleedkamer bent gegaan. Waarom heb je het daar onlangs niet over gehad tijdens het etentje? We hebben wel over het proces gepraat.'

'Emily, om je de waarheid te zeggen had Ted ons speciaal gevraagd om niet over het proces te beginnen en vooral niet over het feit dat wij naar haar optreden waren gaan kijken en naar haar kleedkamer waren gegaan om dag te zeggen. Hij wist dat je moe was en onder grote druk stond. Hij wilde dat je een avondje vrij had van al het werk dat je gedaan had. Misschien herinner je je het nog, maar we hebben het wel over Natalie gehad maar heel in het algemeen.'

Emily kon nauwelijks geloven wat ze hoorde. 'Vertel je me nou dat Ted Wesley aanwezig was bij die laatste voorstelling en een bezoek aan Natalies kleedkamer gebracht heeft?'

'Ja. Nancy en hij, Barbara en ik en nog een paar andere vrienden gingen erheen.' De stem van Tim Moynihans stem veranderde van toon. 'Emily, is er iets mis?'

Er is iets heel erg mis, dacht ze. 'Tim, ken jij Teds neef Billy Tryon?'

'Natuurlijk. Iedereen kent Billy.'

'Was hij bij jullie die avond in de kleedkamer van Natalie?'

'Nee. Nancy heeft nooit veel met hem opgehad. Je weet hoe uit de hoogte ze kan doen.'

'Tim, misschien weet jij dit. Heeft Billy ooit de bijnaam "Jess" gehad?'

Aan Tims stem was te horen dat hij glimlachte toen hij antwoord gaf. 'Nee, Billy niet. Dat was de bijnaam van Ted. Hij heet Edward Scott Jessup Wesley. Hij gebruikt de naam Jessup nooit beroepshalve maar zo'n twintig jaar geleden had hij af en toe wel eens een klein rolletje in de serie waar ik op dat moment in speelde. Dan maakte hij gebruik van de toneelnaam Jess Wilson.'

Emily waagde een gokje. 'Was dat ongeveer in de tijd dat hij en Nancy problemen hadden?'

'Ja, ze waren zelfs een paar maanden uit elkaar. Hij was er behoorlijk door van slag.'

Ja vast, dacht Emily. Hij had het meteen aangelegd met Jamie. Hij had haar beloofd dat hij een scheiding aan zou vragen en toen zijn enthousiasme begon te verflauwen, heeft ze waarschijnlijk gedreigd om naar zijn vrouw te stappen.

Ik wed dat hij haar niet zelf vermoord heeft. Ik wed dat hij Billy het vuile werk heeft op laten knappen. En ik wed dat Natalie hem die avond herkend heeft en dat hij dat wist. En zij besefte dat hij het wist. Daarom was ze zo bang.

En natuurlijk lijkt hij ook veel op de man van de schets, dacht Emily. De originele schets, niet die ervoor in de plaats was gekomen. Er bestaat een familiegelijkenis tussen hem en Billy. Hun moeders zijn zusjes van elkaar. Het is gewoon niet bij me opgekomen om aan hem te denken toen ik de schets zag.

Ze legde de telefoon neer en stond op. Zonder zich te verroeren, probeerde ze de verschrikkelijke waarheid te bevatten die zich nu voor haar ontvouwd had. De man die op het punt stond de minister van Justitie van de Verenigde Staten te worden, de belangrijkste ordehandhaver van het land, was verantwoordelijk voor de brute moord op twee vrouwen, met een tussenpoos van bijna twee decennia.

Emily hoorde in een huis in de buurt het alarm afgaan. Vervolgens bonsde er iemand op de deur. Dat moet de politieagent zijn, dacht ze. Die komt vertellen dat hij snel even dat alarm gaat controleren en zo snel mogelijk weer terug is. Ze haastte zich om de deur open te doen. Billy Tryon stormde naar binnen, duwde haar tegen de grond en sloeg de deur achter zich dicht.

'Emily,' zei hij terwijl ze in doodsangst in elkaar kroop op de vloer, 'je bent echt niet zo slim als je denkt.'

83

Emily kon nu elk moment Bess naar buiten laten, en te ongeduldig om nog langer te wachten stond Zach bij de deur van de achterveranda toen hij ergens in de buurt het alarm af hoorde gaan en de geur van rook opsnoof. Hij zag dat het hoekhuis in brand stond. Het zou hier nu elk moment wemelen van de agenten en brandweermannen.

Binnen hoorde hij Bess hysterisch blaffen. Er was geen tijd meer. De agent die buiten haar huis op wacht stond was naar de brand toe gerend. Hij moest binnen zien te komen. Hij haastte zich naar het raam van de werkplaats in de kelder en trapte dat in. Toen perste hij zijn lichaam door de smalle opening, nadat hij zo veel mogelijk het gebroken glas had weggeveegd, en liet zich op de vloer vallen.

Hij voelde bloed op zijn gezicht en handen maar dat kon hem niets schelen. De brand was een teken geweest. Het was het einde van de weg. Rondtastend in het donker reikte hij naar de hamer die, zo herinnerde hij zich, aan de muur hing, hij pakte hem beet en begon de trap op te lopen. Hij was van plan geweest haar langzaam te wurgen, om haar in zijn armen te voelen kronkelen, te horen hoe ze probeerde te bidden.

Maar daar zou hij geen tijd voor hebben. De agent die hier gestationeerd was zou razendsnel weer terug zijn.

Stapje voor stapje liep Zach de trap op terwijl het bloed van hem af op de vloer drupte. Hij deed de deur naar de keuken open. Bess was in de woonkamer en ging als een razende tekeer. Zach had eigenlijk allang verwacht dat Bess de keuken in was komen rennen, naar hem toe. Maar toen hoorde hij de stem van een man.

Kon dit waar zijn? Zijn lichaam trilde helemaal door de belediging dat Emily toen hij langskwam een andere man op bezoek had. Zijn voeten in de sneakers maakten geen enkel geluid en Zach had snel de korte afstand overbrugd toen hij ineens halt hield. De man in de kamer hield een revolver tegen Emily's hoofd terwijl hij haar ruw in een stoel duwde.

Toen hoorde hij Emily schreeuwen: 'Je komt hier echt niet mee weg, Billy. Dat weet je. Het is voorbij, voor jou en voor Ted.'

'Dat heb je mis, Emily. Het spijt me dat ik brand moest stichten om de agent weg te lokken. Iedereen zal denken dat het die gek Zach was, die terug is gekomen voor je.'

'Die gek is inderdaad teruggekomen,' zei Zach glimlachend, hij bracht de hamer omhoog en liet hem met een harde klap op Billy Tryons hoofd neerkomen. De revolver ging af op het moment dat de voordeur open gebeukt werd. Emily zakte in elkaar, het bloed stroomde uit haar been, terwijl Zach door twee agenten onderuit werd gehaald. Na een woest gevecht wisten ze hem de hamer te ontfutselen. Ze trokken zijn handen achter zijn rug en sloegen hem in de boeien.

Nauwelijks nog bij bewustzijn hoorde Emily een geschokte stem roepen: 'Mijn god, het is Billy Tryon, en hij is dood.'

Toen sloot het duister zich boven haar.

84

De dag daarop kreeg Emily in het Hackensack-ziekenhuis bezoek van Gregg Aldrich en Alice Mills. Ze had geweten dat ze zouden komen en zat in een leunstoel. Alice haastte zich de kamer door en sloeg haar armen om Emily heen. 'Ze zouden je vermoord hebben. O goddank, je bent gelukkig in orde, goddank.'

'Nou, nou, Alice. Als je bij iemand op bezoek gaat in het ziekenhuis word je geacht die persoon op te vrolijken,' zei Gregg Aldrich glimlachend. Hij had een boeket met langstelige rozen bij zich. 'Emily, bedankt dat je me mijn leven teruggegeven hebt,' zei hij. 'Richard Moore vertelde me dat de officier van justitie gearresteerd is en aangeklaagd zal worden voor de moord op Natalie en Jamie Evans.'

'Dat klopt,' antwoordde Emily, 'ik ben maar een paar minuten buiten bewustzijn geweest. Toen ik tegen de agenten zei wat er gebeurd was, hebben ze het heel slim aangepakt. Ze zeiden tegen Ted Wesley dat Billy in mijn huis gepakt was en toegegeven had dat hij Natalie en Jamie voor hem vermoord had. Hij was totaal verbijsterd. Het was duidelijk dat het spelletje voorbij was. Toen stortte hij in en bekende alles. Dus ik heb nog steeds mijn baan. En ik heb zo het idee dat hij niet naar Washington gaat.'

Gregg Aldrich schudde zijn hoofd. 'Ik zal nooit begrijpen waarom dit allemaal gebeurd is. Maar het is voorbij.' Gregg pakte Emily's hand, boog zich voorover en kuste haar op haar wang. 'Ik moet je iets vertellen. In sommige opzichten doe je me aan Natalie denken. Ik kan niet precies aangeven waarom, want dat weet ik niet, maar het is wel zo.'

'Ze moet een fantastische vrouw geweest zijn,' zei Emily. 'Ik ben blij dat ik je aan haar doe denken.'

'Ben jij het met me eens, Alice?' vroeg Gregg voorzichtig.

'Ik weet wat je bedoelt,' zei Alice zachtjes en deed alsof ze Emily nog eens goed bekeek terwijl ze haar opnieuw omhelsde. 'We laten je nu alleen zodat je wat kunt rusten. Ik bel je morgen om te zien hoe het met je gaat.'

Lieve hemel, dacht Alice. Natuurlijk lijkt ze op haar! Natalies hart klopt in haar binnenste. Ze wist nog hoe ze, ziek van verdriet, tegen haar arts had gezegd dat het goed was dat hij Natalies hart aan een jonge oorlogsweduwe gaf. Ze was een patiënt van hem en zou het waarschijnlijk niet overleven als ze niet gauw een hart kreeg.

Ik hoefde niet in de krant te lezen dat ze een nieuw hart had gekregen in dezelfde periode en in hetzelfde New Yorkse ziekenhuis als waar Natalies hart uit haar lichaam was gehaald. Ik hoefde er niet achter te komen dat het mijn arts was die de operatie op Emily had uitgevoerd. Zodra ik tegenover Emily plaatsnam aan haar bureau wist ik dat Natalie bij me was.

Met haar ogen vol tranen draaide ze zich om om afscheid van Emily te nemen. Ze moet dit nooit te weten komen. En Gregg ook niet. Ze moeten verder met hun leven. Alice wist dat ze Emily alleen maar af en toe zou kunnen zien. Ze wist dat ze los moest laten. 'Emily, ik hoop dat je een tijdje vrij zult nemen om te genezen en een beetje van het leven te genieten,' zei ze.

Emily glimlachte. 'Je klinkt net als mijn vader, die op dit moment onderweg is om me op te komen zoeken.' En toen, niet helemaal zeker waarom ze Alice dit vertelde, zei ze: 'Ik mag hier morgen weg en op zaterdagavond heb ik een afspraakje met een orthopeed. Ik verheug me erop.'

En dat is de waarheid, dacht Emily toen ze weer alleen was.

Ik ben er nu klaar voor.

Dankwoord

We leven in een tijd van medische wonderen. Elke dag worden er levens gered die een generatie geleden nog verloren zouden zijn gegaan. Ik heb een aantal romans geschreven die met dit onderwerp te maken hadden en beleefde daar veel plezier aan.

Als eerste wil ik graag Michael Korda bedanken die al sinds jaar en dag mijn redacteur en vriend is en me begeleidt met hulp van fondsredacteur Amanda Murray. Samen moedigden ze me aan van pagina 1 tot 'Het einde'. Heel erg bedankt.

Als altijd bedank ik het hoofd bureauredactie Gypsy da Silva, mijn publiciteitsmedewerker Lisl Cade en mijn meelezers Irene Clark, Agnes Newton en Nadine Petry. Een fantastisch team om mee samen te werken.

Ik ben Dr. Stuart Geffner dankbaar, hoofd van de afdeling Nier- en alvleeskliertransplantatie aan het Medisch Centrum Saint-Barnabas in Livingston, New Jersey, omdat hij zo vriendelijk was mijn vragen over levens reddende harttransplantaties te beantwoorden.

In het bijzonder wil ik Lucki bedanken, het lieve kleine Maltezer leeuwtje van mijn dochter Patty en mijn kleinzoon Jerry. Lucki was de inspiratie voor Emily's hond, Bess. Ik ben haar iets lekkers verschuldigd.

En nu, vrienden en lezers, is het tijd om deze bladzijden om te gaan slaan. Zoals mijn Ierse voorouders zouden zeggen: 'Ik hoop dat je een heerlijke tijd tegemoet gaat.'